D1213481

COLLECTION LITTÉRATURE FRANÇAISE/POCHE
dirigée par Claude Pichois
Professeur à la Sorbonne Nouvelle et à l'Université Vanderbilt

2. DE VILLON A RONSARD

Pour des informations complémentaires, on se reportera, dans la collection " Littérature française " en seize volumes publiée aux Editions Arthaud sous la direction de Claude Pichois, aux tomes 2, *Le Moyen Age II, 1300-1480,* par Daniel Poirion (1971), — 3, *La Renaissance, I, 1480-1548,* par Yves Giraud et Marc-René Jung (1972) — et 4, *La Renaissance II, 1548-1570,* par Enea Balmas (1974). On trouvera notamment dans ces volumes chronologie développée et dictionnaire des auteurs.

ENEA BALMAS
Professeur à l'Université de Milan

YVES GIRAUD
Professeur à l'Université de Fribourg

LITTÉRATURE FRANÇAISE

2. DE VILLON A RONSARD
XVe - XVIe siècles

ARTHAUD

INTRODUCTION

PROBLÉMATIQUES DE
LA RENAISSANCE

L A définition de la nature profonde de la Renaissance donne lieu à des débats interminables, que l'on n'aurait pas tort de trouver par moments oiseux, sinon stériles. Il s'agit pourtant d'une question de fond, que l'on peut difficilement s'empêcher d'évoquer, fût-ce sommairement, avant d'entreprendre un examen de cette période, car déjà les humanistes du XVe et du XVIe siècle se sont posé la question et ont, les premiers, jeté les fondements de ce mythe historiographique.

Pendant un certain temps, à partir du milieu du XIXe siècle, on a cru pouvoir s'appuyer en cette circonstance sur des idées fortes et claires. C'est à cette époque que s'impose ce qu'il a été convenu d'appeler le mythe libéral de la Renaissance : élaboré dans ses grandes lignes, pour ce qui concerne la France, par Michelet et mis au point définitivement grâce aux apports de la culture allemande et suisse (Burckhardt), il conserve de nos jours encore une force d'attraction irrésistible et reparaît généralement — de façon incongrue, aux dires de certains — dans les manuels d'histoire littéraire, qui façonnent l'opinion du public.

Des idées précises, disions-nous. La Renaissance possède des caractéristiques intrinsèques qui l'isolent, en la définissant de façon péremptoire, au sein de l'histoire universelle et surtout la détachent et l'opposent au Moyen Age « ténébreux ». A une époque de désespoir et d'épouvante, succède la « clarté » d'une culture qui découvre — pour l'avoir retrouvée chez les Anciens — la confiance en l'homme : après les grimaces et les contorsions du gothique, le sourire épanoui de la beauté classique. Cette découverte soudaine et violente de l'homme s'accompagne de celle de la nature, du réel qui entoure l'individu ; celui-ci devient maintenant capable d'y puiser des sensations dont il avait perdu l'habitude, la joie de vivre, le sentiment du bonheur.

Analyse sommaire sans doute, qui récupère pourtant des émotions anciennes, celles-là même qu'avaient éprouvées les compagnons de Charles VIII et de Louis XII (au nombre desquels figurait aussi le père de Ronsard...) lorsqu'ils découvrirent la civilisation italienne du Quattrocento finissant ; et qui était par ailleurs très heureusement complétée par d'autres intuitions qui la renforçaient dans sa portée ultime. Ce qui caractérise la Renaissance est la redécouverte de l'antiquité, le retour de la culture classique : ce qu'il y avait d'outrageant dans une pareille thèse, face à l'évidence que le Moyen Age est pétri de culture latine et que la plus grande partie de ce qui nous est parvenu de l'héritage des Anciens nous a été conservé grâce aux écrivains de ces siècles obscurs, était tempéré par l'affirmation complémentaire que cette redécouverte prenait son sens véritable dans le fait qu'elle s'était manifestée comme une forme de refus de la culture dominante. On se tourne vers les Anciens parce qu'on rejette la scolastique, l'ascétisme, l'enseignement de l'Eglise : la culture ancienne devient « nouvelle » parce qu'elle est alternative. En dernière instance, c'est sa portée polémique qui lui confère sa plus grande valeur, car elle sert ainsi d'introduction à une nouvelle conception de l'homme.

Impatient de secouer une tutelle séculaire, l'homme de la Renaissance doit se donner, à travers une nouvelle culture, d'autres sentiments, une conception différente de l'existence. A une conception de la vie comme devoir on en opposera une autre, qui fait une plus large part au plaisir, la première étape d'une pareille démarche étant représentée par la place extraordinairement plus large qui est accordée désormais à la beauté. Beauté, ordre, clarté, harmonie, eurythmie : les valeurs esthétiques prennent le dessus et le recul — relatif — de la nécessité de soumettre l'existence à une justification de nature morale aura comme résultat — sinon comme but — une progressive libération. La beauté, ainsi, n'est pas une catégorie « neutre », mais, à son tour, un facteur de transformation, car elle comporte l'accès à des valeurs intellectuelles inédites dont l'éclat rejaillit dans le domaine de l'éthique. C'est par ce biais que se définit le trait caractéristique de cet homme de la Renaissance, l'individualisme, qui a lui aussi ses répercussions sur le plan moral, le besoin irrésistible d'être soi-même aboutit simultanément à la violence des passions (qui reçoivent une justification imprévue) et à l'orgueil.

Le culte de la beauté menant à l'indépendance intellectuelle, l'individualisme menant à l'épanouissement de toutes les forces de l'être dans l'immanent, on en vient à concevoir un homme fièrement campé au centre du monde, redevenu mesure de toutes les choses, et qui construira désormais sa vie non plus d'après un idéal de renonciation, dans l'attente d'une récompense ultraterrestre, mais se laissant mener par un amour passionné de la gloire. C'est ainsi que l'homme de la Renaissance acquiert le droit de se poser en précurseur de l'homme moderne et qu'il devient légitime de rechercher, dans cette époque, la source de bien des traits qui caractérisent — ou devraient caractériser — la culture moderne, de la liberté de pensée à l'anticléricalisme, de l'agnosti-

cisme religieux à l'esprit égalitaire et libertaire en
politique, qui produiront la démocratie représentative. La violente poussée contre la structure hiérarchisée et autoritaire du monde médiéval, d'où sont
sortis les modules intellectuels de la société contemporaine, commence à se manifester à la Renaissance,
qui marque ainsi les débuts des temps modernes en
cela même et dans la même mesure où elle s'oppose à
l'époque précédente.

On n'a pas de peine à reconnaître, dans ce mythe
libéral de la Renaissance, un fruit tardif de l'esprit du
XVIIIe siècle et de l' « idéologie » qui l'a dominé, la
notion de progrès : le sens de l'histoire du monde est
perceptible dans la longue marche de l'idée d'affranchissement, qui s'accompagne d'un développement
des lumières et d'une amélioration de l'homme.
Comme elle a un point d'aboutissement (dans la
« perfection » moderne), cette marche doit avoir un
point de départ, que l'on recherchera dans les
« ténèbres » du Moyen Age. La Renaissance marque
une rupture, l'une des premières et des plus importantes du point de vue de la chronologie et des
contenus. Il ne faut pas hésiter devant les conséquences ultimes d'une pareille conception, qui sont
bien de dissocier fermement le Moyen Age de la
Renaissance, d'isoler l'histoire de la Renaissance de
l'histoire générale, d'en faire en quelque sorte un
bloc à part et non plus une simple « mesure » dans la
plus vaste partition qui est représentée par l'histoire
du genre humain. Il faut aussi, pour accentuer l'idée
de l'originalité de cette période, négliger une autre
notion, pourtant fondamentale dans le domaine des
sciences historiques, qui est celle de la continuité
culturelle.

En dépit des avantages évidents qu'elle présente,
une telle synthèse historiographique n'a guère de
chances de résister à un approfondissement. Son
aspect séduisant consiste dans la facilité avec laquelle
elle explique une époque complexe et contradictoire,

dont il faut essayer de fournir une définition d'ensemble ; mais sa faiblesse est dans l'impossibilité de maintenir la plupart des thèses sur lesquelles elle se fonde. On ne saurait refuser à la culture médiévale bon nombre des « conquêtes » que l'on accorde libéralement à la Renaissance : on n'a que l'embarras du choix. L'incrédulité moderne a pu prendre naissance, comme le voulait Ernest Renan, grâce à l'enseignement de Pomponazzi et de Cremonini, et en général grâce à la doctrine des deux vérités (de foi et de raison : elles sont inconciliables) chère aux aristotéliciens padouans : en fait, l'incrédulité, largement répandue dans cette époque de foi ardente que serait le Moyen Age, puise sa source dans la philosophie dominante de la culture médiévale, l'aristotélisme justement, qui aboutit par évolution naturelle à un rationalisme anthropocentrique, que saint Thomas et la scolastique essayeront pour un temps de christianiser, mais dont ils ne pourront enrayer les ravages. Les Padouans n'ont rien inventé, alors qu'il y a dans le nominalisme de Scot et d'Ockham, non pas une semence de scepticisme, mais des conclusions parfaitement mûries, en vue d'une large moisson. L'anticléricalisme n'est pas une attitude inconnue dans les siècles qui précèdent le « retour » du paganisme des Anciens : la virulence des attaques contre les ordres religieux et le clergé que l'on enregistre, par exemple dans *Le Roman de la Rose,* n'a rien à envier aux remarques corrosives de l'esprit « laïque » de la Renaissance (Rabelais) ou à la polémique des protestants. Et comment négliger, toujours à propos du *Roman de la Rose,* le véritable culte que Jean de Meung est tout disposé à rendre à la bonne déesse Nature, qu'il oppose sans ambages à l'ascétisme et au rationalisme desséchants ? Pour avoir les yeux tournés vers le ciel, l'homme du Moyen Age n'a pas pour autant négligé la terre, et notamment les beautés de la nature ; il a su regarder le monde avec des yeux grands ouverts en dépit de la passion intérieure qui le poussait avant tout à rechercher son salut. Là encore il s'agit de nuancer, comme à propos du « retour des Anciens » : la culture du Moyen Age est fondée sur l'héritage classique et si les grands auteurs sont « moralisés » (et donc en partie détournés de leur signification originelle) c'est parce qu'ils sont avant tout connus et pratiqués, car on n'interprète pas ce que l'on ignore. Rattacher étroitement la Renaissance à la découverte des Anciens est une entreprise hasardée : le cas de Byzance le prouve bien, car la culture classique se maintient intacte et en honneur pendant des siècles, dans l'empire d'Orient, mais cela ne fait enregistrer aucun phénomène qui puisse être rapproché de la grande explosion de la Renaissance italienne et européenne. Et d'autre part l'amour pour les lettres et les grands auteurs du passé ne signifie pas nécessairement laïcisation de la culture et refus de l'héritage chrétien : là encore un exemple, celui de Pétrarque, qui par bien des aspects est le premier humaniste et qui conçoit l'étude de l'antiquité comme un moyen de connaissance de l'homme véritable, mais surtout comme un instrument de perfectionnement intérieur. C'est ainsi que la formule classique, qui définit l'*orateur*, l'homme de lettres, « *vir bonus dicendi peritus* », n'est acceptable, selon sa pensée, qu'à condition d'une adaptation préalable, qui la transformerait en « *vir " christianus " dicendi peritus* ».

Enfin, dans cette interprétation « libérale » de la Renaissance, qui clarifie mais peut-être aussi qui simplifie un peu les choses, on enregistre une lacune importante. Elaborée conjointement par des historiens « purs » (Michelet), des philologues (Voigt) et des historiens de l'art (Burckhardt), elle laisse de côté en large partie la philosophie, si ce n'est l'histoire des idées tout court. Or, la philosophie de la Renaissance a vraiment peu de « moderne » : elle accorde une très large part à la mystique, se détourne du rationalisme aristotélicien pour sombrer dans l'occultisme plotinien, admet et recherche la magie comme une forme supérieure de connaissance, reste en deçà, en dépit de Léonard, de la notion d'une science expérimentale et recule finalement devant les conclusions auxquelles aboutissent nécessairement les hypothèses de Copernic. La philosophie de la Renaissance fait remonter à la surface le fondement encore « obscur » d'une pensée qui semble n'avoir tiré aucun enseignement précis de la grande « clarté » des classiques, et fait éclater au grand jour le contraste entre les grandes réussites dans le domaine des arts plastiques et la modestie relative des conquêtes de la pensée.

Le nombre se rétrécit donc des nouveautés qui donneraient à la Renaissance un caractère original et unique, et qui la détacheraient nettement de l'époque précédente. Tout porte à conclure, au contraire, que les traits dominants de l'époque nouvelle prolongent et mènent à leur aboutissement des instances qui avaient traversé et travaillé les siècles antérieurs. Par là même, faire de la Renaissance l'époque d'où l'on peut dater l'avènement de l'homme moderne devient une gageure.

Il y a de plus la question des dates. La Renaissance du XVe siècle n'est pas la première, ni la seule. Déjà à l'époque carolingienne on assiste à une renaissance des études, qui prend aussi la forme d'un retour aux Anciens ; mais que dire du XIIIe siècle et de l'essor extraordinaire qui le caractérise ? De la naissance des universités au développement de la littérature en vulgaire, du renouvellement des techniques architecturales (roman, gothique) à la redécouverte d'Aristote par l'intermédiaire des Arabes : *Le Roman de la Rose,* qui peut être indiqué comme l'ouvrage le plus représentatif de tout le siècle, prouve bien que l'effervescence intellectuelle de cette période suggère l'abandon de nombreux clichés. Mais plus près de la date fatidique du XVIe siècle il y a encore le règne de Charles V, le roi humaniste, qui fonde une bibliothèque, appelle auprès de lui les savants, fait traduire les écrivains classiques, s'entoure d'une cour splendide dont les manifestations de luxe et de faste sont éclatantes ; son fils sombrera dans la folie et son œuvre sera engloutie dans le cauchemar des guerres anglaises et de la guerre civile, mais peut-on mettre en doute que déjà à cette époque des exigences nouvelles — amour pour la beauté, aspiration vers des satisfactions purement immanentes, sentiment de la grandeur de l'homme, désir de gloire — se font jour, qui battent en brèche le vieil idéal ascétique — si tant est que celui-ci ait jamais existé ?

Si l'on se tourne du côté de l'Italie, le tableau s'enrichit encore, car l'on constate aussitôt qu'une aspiration à un renouveau, à une régénération, à une purification universelle, dans le domaine intellectuel aussi bien que dans celui de l'éthique, caractérise la pensée de l'écrivain qui exprime le mieux et qui résume en quelque sorte l'idéologie médiévale, c'est-à-dire Dante. L'auteur de la *Divine Comédie,* par ailleurs, hérite à son tour du millénarisme d'un Joachim de Flore et du courant des franciscains spirituels : c'est ici, peut-être, qu'il faudrait rechercher la source du rêve qui caractérise la Renaissance, qui serait alors non pas celui d'un monde nouveau, mais d'un monde rénové. L'exaltation mystique devant la création, qui se rencontre dans l'expérience religieuse franciscaine, donne lieu à une sensibilité nouvelle à l'égard de la nature, soustraite, à partir de là, au signe négatif qui définirait sommairement et définitivement les réalités « mondaines », et l'on se retrouve ainsi devant une conviction qui, en dépit de sa profonde différence, n'est pas sans rappeler l'idée d'une autonomie du monde profane — du monde tout court — qui passe pour caractériser la vision laïque de la Renaissance ou la conception du monde qu'a la pensée moderne. L'idée de la nécessité d'un renouvellement est partagée par Pétrarque et, bien qu'elle prenne dans sa pensée une orientation particulière (Pétrarque pense à un retour à la grandeur romaine, rêve d'un redressement national, du recouvrement d'une dignité perdue par son pays), elle constitue la sève dont se nourrit sa passion pour les études. Les belles-lettres deviennent ainsi, du moins en partie, un idéal autonome, en quelque sorte immanent, qui a dans une large mesure sa justification en lui-même : c'est la même passion pour l'esthétique qui passe pour caractériser la Renaissance du xvie siècle.

La continuité culturelle l'emporte donc sur la rupture ; mais, à son tour, elle ne suffit pas à tout expliquer. Elle s'avère incapable, notamment, de rendre compte du fait que la Renaissance du xvie siècle présente des traits originaux, qui s'imposent à l'observateur et qui furent perçus par les contemporains. Les premiers créateurs du mythe de la Renaissance sont les contemporains eux-mêmes : des hommes comme Erasme, Budé ou Rabelais se laissent aller à des cris de jubilation, ce sont eux qui mettent en forme le sentiment d'être parvenus à une étape décisive de l'histoire, d'être sortis d'une période sombre, d'avancer vers une plus grande lumière. On contourne en partie — mais en partie seulement — la difficulté en affirmant que ce qui a changé c'est moins le contenu que la façon de l'apprivoiser. Face à l'évidence que bon nombre des découvertes des classiques anciens (latins surtout) se font en Europe, dans les bibliothèques des couvents où ces manuscrits gisaient depuis des siècles plus ou moins ignorés, il faut penser à une nouvelle approche, à une autre qualité de lecture. Cela est incontestable, bien que la chose n'ait rien à voir avec la philologie : ce n'est pas seulement vers les auteurs anciens que l'on se tourne, c'est vers leur civilisation, mœurs, coutumes, façon de vivre et de penser, dans un désir de réappropriation globale. C'est ainsi que le terme de Renaissance, pratiquement ignoré au xvie siècle (il n'entrera, dans l'usage aujourd'hui courant, dans le Dictionnaire de l'Académie, qu'au XVIIIe siècle), est remplacé, dans le langage des protagonistes, par celui de « restauration » ou de « récupération », termes autrement significatifs que celui qu'emploie par exemple Rabelais, de « restitution des bonnes lettres ». Cela suppose en effet un manque, qu'il faut remplir, un vide, qu'il s'agit de combler, une déviation de route, qu'il s'agit de rectifier. L'Antiquité n'est pas une fin, mais un moyen.

Une aspiration qui déborde du domaine des études, et qui enveloppe toutes les fibres de l'être ; plus qu'une aventure intellectuelle, une expérience existentielle. On est donc ramené vers cette zone intense de l'être où se nouent les émotions les plus profondes, que l'on définit par approximations religieuses, le domaine de l'absolu, du sacré. Le rêve qui s'incarne dans la Renaissance, au-delà de ses manifestations extérieures, souvent contradictoires, se nourrit de sentiments de ce genre. Il s'agit bien de cette pulsion « religieuse », que l'on retrouve dans le besoin confus de rénovation de la spiritualité franciscaine, et qui dérive en fin de compte du vieux millénarisme chrétien ; qui réapparaît sous forme de spiritualisme pathétique et passionné dans l'œuvre de Dante et surtout de Pétrarque, et qui débouche, plus ou moins méconnaissable, dans le néo-platonisme florentin. « L'instinct naturel de l'homme — lit-on dans la *Theologia platonica* de Marsile Ficin — s'élève jusqu'aux étoiles, descend jusqu'aux enfers. Et lorsqu'il s'élève il n'abandonne pas les choses inférieures, tout comme, lorsqu'il descend, il n'oublie pas les choses sublimes, car, s'il en était autrement, il se précipiterait vers l'une de ces deux extrémités. » Car c'est finalement à tort que l'on a voulu saluer, dans la pensée de l'homme de la Renaissance, l'apparition d'une conception laïque du monde ; bien au contraire, l'époque est profondément imbue de sensibilité religieuse. Il est vrai qu'à partir d'un certain moment le but qu'elle poursuit nous paraît se détacher singulièrement de toute amarre, abandonner la zone d'une religion révélée et de nature providentielle, pour se confondre dans l'indistinct d'une religion universelle, qui intègre aussi les mystères anciens, la « sophia » d'un plotinisme plus ou moins bien compris, jusqu'à aboutir à une problématique identification de la révélation d'Hermès Trismégiste avec celle du Christ. Mais la confusion, qui nous paraît frappante, n'a pas été sentie comme telle, l'exigence qui paraissait primer sur tout étant à l'époque celle d'une conciliation.

C'est donc vers ce néo-platonisme florentin du Quattrocento (Lefèvre d'Etaples en sera ébloui, et il en apportera la « révélation » en France) qu'il faut se tourner si l'on veut avoir une vision claire. Grâce à lui s'opère cette conciliation difficile entre la vieille aspiration chrétienne à un renouvellement de l'homme et du monde, et l'héritage antique, qui donne à la Renaissance sa poussée dynamique et oriente également la direction de son action. Ces doubles lettres de noblesse lui permettent d'avancer dans des territoires interdits : d'où cette sensation d'une nouveauté extraordinaire, qui marque cette époque de l'histoire. Dans des formes et selon des termes qui ne sont pas sans justifier des réserves sur le plan intellectuel, mais d'une façon assez péremptoire pour imposer l'admiration — des contemporains, avant tout — elle élabore une philosophie complète et une vision du monde qui brise le vieil édifice aristotélicien et sa conception du savoir. La synthèse tentée par saint Thomas en fera aussi les frais : c'est à ce prix toutefois, et après s'être débarrassée du carcan de la vieille discipline scolastique, au profit d'un christianisme nouveau, ouvert à toutes les influences par le biais du mysticisme platonique, prêt aux intégrations les plus hardies avec l'hermétisme alexandrin, qu'elle pourra acquérir toute la liberté et la souplesse de sa démarche. Il lui sera ainsi possible non seulement d'envisager, mais de pratiquer un accord entre l'antiquité, et notamment la pensée grecque, et la pensée moderne, par le biais d'un christianisme dont les catégories se sont assouplies et élargies jusqu'au point de pouvoir intégrer certaines formes religieuses antiques. C'est à ce prix que faunes capripèdes, satyres cornus, hermaphrodites et sibylles pourront désormais prendre place dans la décoration des lieux de culte chrétiens. Le paganisme de la Renaissance, que l'on a souvent interprété comme une préparation de l'athéisme et du scepticisme modernes, se nourrit en effet d'aspirations « religieuses » profondes. C'est de la scolastique parisienne à son déclin (le terminisme) que procède, en dernière instance, l'agnosticisme et, à plus longue échéance, l'athéisme moderne : le platonisme de la Renaissance est, tout au contraire, chaleureux et mystique, enthousiaste et rempli de préoccupations religieuses. C'est sur la nature de ces préoccupations qu'il ne faut pas se méprendre, car elles ont pour objet des manifestations qui vont au-delà du christianisme, qui baignent dans une vision du monde en partie magique, en partie « mystériosophique », fondée sur l'idée de mystérieuses correspondances et, en substance, franchement païennes dans une très large mesure.

Pour comprendre certaines manifestations de la Renaissance (nombre d'aspects de la pensée de Rabelais, par exemple) il faut bien reconnaître que ce qui la définit le mieux n'est pas un esprit laïque, mais une passion religieuse, qui à travers et au-delà des formes chrétiennes recherche les inspirations païennes. Ces dernières sont essentielles, en vue de la reconstruction d'un homme complet, qui recouvre alors, mais alors seulement, la globalité du microcosme, sa véritable *figure*. Une telle mentalité exerce son influence dans plusieurs directions, mais établit un rapport précis seulement avec la religion vaguement panthéiste d'un Giordano Bruno (et peut-être aussi d'un Tommaso Campanella) : là est le seul résultat direct de cette passion confuse où les zones d'ombre ne manquent pas. D'autre part, une mentalité de ce genre engendre de nouveaux rapports et libère de nouvelles forces : sa capacité d'adaptation, le caractère vague des synthèses sur lesquelles elle repose, sa disponibilité à toutes les aventures de la pensée justifie alors qu'on puisse y voir l'origine lointaine de manifestations aussi contradictoires et divergentes que la Réforme (qui est un mouvement de restauration intégriste) et le courant libertin. Il n'est pas jusqu'à la Contre-Réforme tridentine, avec ses aspirations globalisantes à sa façon, qui ne puisse être rattachée, par un certain biais, à ce phénomène complexe que nous appelons Renaissance.

Une interprétation de ce genre réduit de façon radicale l'importance du rôle joué par la littérature, et là est peut-être l'une de ses faiblesses. Dans cette entreprise de rénovation de l'homme, les lettres ont une part à jouer, mais elle est en quelque sorte secondaire, par rapport à l'exigence première et principale. L'humanisme lui-même apparaît comme un aspect dérivé : on ne découvre pas l'antiquité parce qu'on étudie avec une attention nouvelle l'homme, mais on étudie l'homme et la culture antique parce qu'on y cherche la confirmation de quelque chose d'*autre*. Peut-être de ce « rire des Dieux », selon la saisissante formule que son génie a suggérée à Michelet, et qui, bien qu'elle ait été prononcée dans un tout autre contexte, s'adapte parfaitement à notre discours. Cette recherche d'un *secret* — ce que l'on cherche n'est pas bien clair, même pour les plus éclairés parmi les chercheurs — constitue ainsi la véritable originalité de la Renaissance : ce qui interdit de la ramener à un simple prolongement du Moyen Age, encore que l'on doive reconnaître que de l'époque précédente elle prolonge et mène à leur accomplissement les aspirations les

plus profondément enracinées, comme d'en faire une
simple reprise de l'éternel besoin de recommencement qui caractérise l'histoire humaine. Une originalité intrinsèque, en revanche, que l'on n'a pas encore
fini d'explorer, et qui doit être éclaircie au moyen
d'enquêtes parallèles dans des domaines aussi différents que ceux de l'histoire de l'art, de l'histoire du
sentiment religieux, de l'histoire des idées, de la
sociologie peut-être, au-delà du domaine purement
littéraire.

Que ce rêve ambitieux d'une rénovation de
l'homme n'ait pu aboutir, est ce dont on s'étonnera le
moins. Il faudra toutefois maintenir avec fermeté
l'idée de la grandeur extraordinaire du projet, pour
mesurer de façon adéquate les suites qu'il a eues, à
travers les retombées successives sur l'histoire
contemporaine. Ces résultats ont été remarquables
dans le domaine des arts plastiques et de la littérature, moins convaincants dans le domaine de l'histoire des idées et de la philosophie, plus dramatiques,
voire tragiques, dans le domaine de l'histoire politique et surtout religieuse : dans leur ensemble, ils
constituent le tableau haut en couleurs d'une des
époques les plus passionnantes de l'histoire de la
culture française et européenne.

PREMIÈRE PARTIE

CADRES DE PENSÉE

CHAPITRE I

VISAGES D'UNE ÉPOQUE

Loin de se désintéresser ou de s'abstraire de la marche du temps, la littérature l'accompagne dans un jeu de nécessaire complémentarité qui fait que les « tournants » littéraires ont leur explication, au moins partielle, dans les crises de l'histoire et que les œuvres reflètent l'évolution des mentalités et renvoient l'image de la société dont elles sont issues. La remarque vaut particulièrement pour l'époque que nous étudions, puisque les écrivains y sont étroitement, matériellement dépendants des princes et des corps sociaux.

De Charles VII à Charles IX, la France connaît plus d'une mutation, souvent décisive, et les cinq ou six générations dont l'existence occupe le « site » historique de la Renaissance présentent des visages assez nettement contrastés et pourtant apparentés. Plus ou moins obscurément, les esprits prennent conscience des bouleversements qui sont en train de s'opérer : quelque chose commence, rien ne sera plus comme avant, tout va repartir à neuf. La Renaissance, terme heureux malgré tout, et fort opportunément appliqué à cette période (bien qu'il puisse aussi convenir à d'autres, au sens où nous l'entendons), c'est d'abord cela : confiance et espoir, désir de recommencement et application au renouvellement.

O jours heureux à ceux qui les connaissent,
Et plus heureux ceux qui aujourd'hui naissent !
                                        (Marot)

Et de Villon à Ronsard, la littérature accomplit
elle aussi un chemin considérable en un développement continu, marqué par des inflexions, mais sans
cassure, au moins jusqu'en 1550. Le processus de
transmutation accompagne le lent déclin des idées et
des formes médiévales et aboutit à un profond
remodelage de l'éventail littéraire : apparition de
genres inédits, d'un langage différent, succession de
diverses « manières », expansion de certains thèmes,
émergence de grands créateurs. Et surtout importance accrue de ce qu'il faut bien appeler littérature
de circonstance, à des degrés divers, mais dont le
rapport au fait historique constitue la donnée première.
    L'histoire de ce siècle et demi, particulièrement
riche, enregistre des événements déterminants pour
l'évolution artistique et littéraire : transformation de
la société, jeux de la grande politique, mais aussi
découvertes et inventions, progrès techniques et
intellectuels. Cette période s'inscrit entre deux crises
majeures, deux phases de guerres civiles qui marquent profondément les esprits et qui seront lourdes
de conséquences. Au nombre des facteurs décisifs
qui vont modeler la société et les individus, il
convient d'emblée de relever, dans le domaine politique, la formation d'un état unifié et centralisé,
organisé selon des structures modernes et entraînant
la prise de conscience d'une appartenance nationale ;
mais aussi l'ascension de la bourgeoisie, des profes-
sions « de services » et la subversion des idéaux
aristocratiques. Dans le domaine économique, où la
reprise est nettement amorcée dès 1470 environ,
apparaît un nouveau mode de circulation de l'argent,
conséquence des découvertes géographiques (l'afflux

des métaux précieux d'Amérique aboutit au double-
ment du stock monétaire), qui favorise l'essor urbain
et modifie non seulement la carte des grands centres
commerciaux mais aussi les conditions du pouvoir.
Sur un autre plan, les améliorations techniques
influent sur les modes de production, permettant le
développement de l'industrie textile ou de la métal-
lurgie, et par contre-coup l'extension des échanges
commerciaux. Dans le domaine culturel, le plus
notable est sans doute la place conquise par le
français au détriment du latin, un français qui commence à imposer les règles du bon usage, qui acquiert
un statut littéraire et qui forge une communauté
linguistique. L'imprimerie se révèle très vite un
medium essentiel. Dans le domaine de la pensée
enfin, on constate que l'époque est favorable à ceux
qui osent entreprendre, qui cherchent à réaliser leurs
ambitions au prix du risque. Les esprits tendent à
s'affranchir d'une optique chrétienne en recherchant
le succès, la réussite, les satisfactions terrestres. La
société devient le champ d'affrontement des indivi-
dualismes, où les conflits de personnes sont dominants. L'époque assiste à l'apparition de l'individu,
de l'homme considéré dans son unicité et dans sa
singularité (ce qui sera favorable à une reviviscence
du lyrisme), du « microcosme » dont l'effort de
réalisation supporte mal les entraves imposées par les
systèmes idéologiques altruistes ou « collectivistes ».
L'emblème de l'homme de la Renaissance, celui qui
traduit le mieux son projet existentiel, ce n'est plus la
roue de la Fortune, chère au Moyen Age, symbole
fataliste et résigné des vicissitudes de la destinée,
mais la Fortune marine, poussée sur les flots par les
vents qui gonflent sa voile vers de prometteuses
conquêtes et dont la belle nudité attire les audacieux
qu'elle favorise.

Guerre et paix

La France a touché le fond dans les années 20 du
xvᵉ siècle : Henri V d'Angleterre se proclame roi de
France en 1420 ; avec Bedford pour régent, le
Lancastre règne effectivement sur la moitié du territoire, livré à une véritable colonisation anglaise.
Pendant ce temps, la Bourgogne, habilement gérée,
étale son faste et ses ambitions et menace ce qui reste
du royaume. Les guerres qui s'ensuivent entraînent
le désarroi, l'anxiété générale, le déchirement et
l'exacerbation des passions partisanes. L'Eglise elle-
même connaît une grave crise d'autorité : à peine le
Grand Schisme est-il terminé que le concile de Bâle
nomme un antipape ; les derniers rêves de croisades
avortent vite, minés par les arrière-pensées politiques. L'idéal chevaleresque et courtois s'estompe, se
survivants chez quelques attardés comme René
d'Anjou, mais plus souvent remplacé par un âpre
réalisme, une rudesse brutale. Dévastations, famines
et épidémies accroissent les incertitudes de l'existence jusqu'aux limites du supportable. En 1438, il y
aura 50 000 morts à Paris en cinq semaines de disette
et d'épidémie ; les loups rôdent dans la ville, « si
enragés de manger chair d'homme qu'en la dernière
semaine de septembre étranglèrent et mangèrent
quatorze personnes, que grandes que petites, entre
Montmartre et la porte Saint-Antoine » ; les écor-
cheurs (soldats licenciés) terrorisent de nombreux
quartiers.

Il faut insister sur cette situation de départ, autour
de 1430 : la France éclatée, ruinée, aux abois. Un
territoire livré aux ambitions des princes, et aux
exactions des soudards, où s'enchevêtrent les « mou-
vances » héritées d'anciennes divisions féodales, les
juridictions souvent superposées et opposées, mais
où la réalité du pouvoir dépend de celui qui occupe le
terrain. Trois grandes maisons rivales : France,

incertaine, doutant d'elle-même, oublieuse de ses devoirs, avec des alliés hésitants et des vassaux timorés ; Bourgogne dominatrice, impérieuse, avide ; et Angleterre, exploitant adroitement à son profit les divisions. Et aussi quelques grands territoires qui cherchent à mener leur politique, à préserver leurs prérogatives et leur indépendance, comme la Bretagne ou le Bourbonnais. Il manque à la France les grands serviteurs sur lesquels un Philippe le Bel avait pu s'appuyer, et que possède la Bourgogne. Charles VII n'a près de lui que des aventuriers intéressés et sans scrupules, qui se jalousent et se disputent. Peu à peu, il choisira mieux, s'entourant de bourgeois efficaces et puissants ou de conseillers avisés. Et Louis XI saura trouver de bons auxiliaires, exigeant d'eux un dévouement absolu et un travail inlassable.

Dans un tel contexte, tout dépend des succès militaires, dans une mesure non décisive toutefois, des renversements d'alliances et surtout de la capacité à se maintenir, en disposant d'un parti de fidèles. Le besoin de convaincre, de persuader, d'attirer à soi explique l'apparition d'une littérature politique de controverse « civile », de polémique et d'apologie. A la faveur des conflits, les particularismes tendent à se développer : les dissensions internes permettent un relâchement des liens entre le pouvoir monarchique et les pouvoirs locaux. Pour le provincial de la « France profonde », il n'y a plus guère d'Etat. Les terres de Bourgogne sont mieux gérées et mieux contrôlées. Mais cet ensemble, qui va connaître son apogée dans le troisième quart du siècle, n'a pas d'unité réelle, étant construit sur des bases archaïques et regroupant tant bien que mal une mosaïque de terroirs extrêmement divers où manque le sentiment national. La puissance de la Bourgogne résulte de l'œuvre ambitieuse de ses ducs. Vassaux théoriques du roi et de l'empereur, véritables souverains en fait, ils édifient un domaine entre les deux blocs rivaux ; en même temps, ils gardent un œil sur la

France, qu'ils rêvent toujours de posséder. Ils sont une menace permanente pour les Valois : entre ces rivaux naturels, le conflit est inévitable, jusqu'à l'élimination du Téméraire. Cette division profonde entraîne des haines de partis, des antagonismes d'intérêts qui opposent de façon souvent brutale les princes et leurs vassaux, et même jusqu'aux petites gens, enflammés et déchirés eux aussi par les passions partisanes.

La guerre a beau être une réalité presque quotidiennement vécue, on ne s'y habitue pas, tant ses conséquences sont graves et ses plaies profondes. Chacun la fait un peu pour son propre compte : des escarmouches plus souvent que des batailles rangées ; le brigandage et les exactions succèdent au pillage. Le pays est quasiment exsangue : vers 1440, les friches sont partout, les bras manquent, les bêtes sauvages envahissent les terres abandonnées. Les villes mêmes sont presque désertes. Les ressources manquent : les routiers désolent les lieux où ils passent. Toutes les classes sont atteintes : seuls les négociants et les fonctionnaires royaux s'en tirent un peu mieux. Les nobles ruinés réclament âprement corvées et redevances qui achèvent de saigner le petit peuple. Sur le théâtre des opérations, la conquête du butin et la négociation des rançons intéressent les combattants plus que les considérations patriotiques ou politiques. Pour ceux qui la font, la guerre a quelque chose d'exaltant, d'attirant, de prometteur ; pour ceux qui la subissent, elle est une malédiction.

La remontée sera lente et patiente, surtout due à un grand souverain, Louis XI, tout entier voué à sa tâche. Au retour graduel de la prospérité s'ajouteront bientôt les visées expansionnistes, et le déclin des grands féodaux correspondra au renforcement de l'unité, au rétablissement de l'autorité royale et à l'emprise de plus en plus grande des forces centralisatrices. A une époque de vieillissement succèdera un âge de rayonnement optimiste et conquérant.

Le redressement s'amorce vers la fin du règne de Charles VII et s'accompagne d'un rétablissement de la situation militaire : la création et l'organisation d'une armée permanente donnent au souverain une puissance plus effective ; les finances sont réformées et le recouvrement des tailles, aides et gabelles amélioré ; enfin la justice est réorganisée et le rôle des parlements s'accroît. Mais c'est bien à Louis XI, véritable souverain moderne, que revient le mérite d'une grande conquête intérieure du royaume. D'une poigne de fer, il mate les grands, cherchant à résorber les tendances féodales, il met en place un personnel gouvernemental solide et une machine administrative bien conçue. Il entretient une bonne armée et investit des sommes considérables dans ses manœuvres diplomatiques. Il favorise le développement urbain et l'essor artisanal (soieries de Tours puis de Lyon, par exemple). L'effort porte aussi sur les communications : aménagement d'un réseau de routes et chemins, création de la poste royale, surveillance des foires et marchés. Le commerce s'organise sur le modèle italien pré-capitaliste : crédit et prêt à intérêt, lettres de change et tenue des livres. Cet effort considérable de réorganisation sur des bases nouvelles porte vite ses fruits : la stabilisation est rapide et se transforme en expansion, la natalité augmente, la nation se soude, le territoire s'agrandit (après Guyenne et Gascogne en 1453, Bourgogne en 1477, Maine, Anjou et Provence en 1480-1481). Le bilan de la politique extérieure est plus douteux : sans doute, Louis XI obtient d'importants succès à l'Est et en Italie : mais il commet de graves erreurs dans sa politique espagnole, et sa vieille rivalité avec Maximilien l'entraîne à certaines imprudences. Du moins la puissance française est-elle généralement reconnue par toute l'Europe, où le royaume des Valois occupe une position clef.

Sous Charles VIII, si l'œuvre intérieure se poursuit, ce sont surtout les préoccupations de politique étrangère qui dominent, à partir de 1494, avec les campagnes d'Italie qui, pendant plus d'un demi-siècle, vont mobiliser une grande partie des énergies, pour des résultats inégaux. Mais il a fallu auparavant asseoir plus fermement l'autorité royale en matant la Guerre folle du duc d'Orléans et de ses alliés (1485-1488). Désormais et jusqu'aux guerres de Religion, les menaces viendront de l'extérieur. Le mariage avec Anne de Bretagne marque la quasi-annexion d'un des derniers grands fiefs. Le rêve de paix et de prospérité caressé par tout le pays est en partie réalisé : les troubles intérieurs cessent pour long-temps. Le commerce est florissant ; à une économie de subsistance succède une économie de marché, active et dynamique. Dans les châteaux et hôtels qui se construisent un peu partout, les artistes italiens commencent à imprimer leur marque à côté des Français. Et surtout, le sentiment national se ren-force encore : fière conscience d'appartenance à une communauté, d'allégeance à un souverain. Désor-mais, aucun écrivain n'osera se situer en dehors de ce courant : ce n'est qu'avec la Réforme qu'apparaî-tront à nouveau des tendances divergentes.

Au « petit roi » glorieusement mis en scène dans un roman comme *Jean de Paris,* et habité par les rêves chevaleresques, succédera le Père du peuple, Louis XII, qui bénéficiera du travail accompli sous ses prédécesseurs et de circonstances favorables. La discipline régnant dans l'armée, celle-ci sera occupée aux expéditions italiennes, où elle montrera sa valeur. Le royaume est en « bon ordre et police », jouissant d'une excellente situation économique : les monnaies sont normalisées, les impôts réduits, les échanges abondants. Les états de Tours (1506) enregistrent la satisfaction populaire et l'esprit du temps, profitant de la stabilité et de la paix, peut goûter la douceur de vivre, sans exubérance, mais avec une sagesse rassise et sereine.

Le « grand roi François » fera succéder à cet ordre

bourgeois et réaliste le goût du panache et l'esprit aventureux, l'attrait de la gloire et le besoin d'exploits, mais aussi l'ouverture humaniste et la splendeur luxueuse des arts. Le souverain, qui préfère régner plutôt que gouverner, se repose sur son entourage, où voisinent les sages conseillers (Montmorency, Lorraine, les Du Bellay, parents de Joachim) et les favoris incapables (Bonnivet). Libéral et raisonnable, il est cependant foncièrement absolutiste. Son œuvre intérieure est essentiellement d'ordre juridique et administratif : unification et codification (*Grand Coutumier de France,* 1514), réforme des juridictions et prééminence de la justice royale (ordonnance de Villers-Cotterêts, 1539), création des gouvernements provinciaux, désuétude graduelle des états, dernier vestige d'un contre-pouvoir « démocratique » ; collation des bénéfices et vente des offices. C'est l'âge des légistes, souvent opposés dans d'interminables conflits d'influence (en particulier le Parlement, allié de la Sorbonne, qui contrecarre souvent les décisions des légistes royaux). En même temps, François Ier « crée » la Cour, entourage d'oisifs, attentifs à plaire et avides de gratifications, mais aussi élaborant un nouvel art de vivre, où l'élégance des manières, la recherche de distractions culturelles commencent à se manifester. A son image, de nombreuses petites cours provinciales éclosent autour des grands les plus ouverts aux choses de l'esprit.

La France reste un pays de structure agraire, où la situation du paysan, les conditions matérielles d'exploitation et d'existence ont peu varié depuis le Moyen Age. Mais dans les villes, les métiers sont organisés en corporations puissantes, la bourgeoisie d'argent contrôle un commerce en plein essor. La prospérité continue, malgré quelques années difficiles dues aux mauvaises conditions climatiques : en 1544, le roi peut affranchir tous les serfs de ses domaines. Le pouvoir améliore la levée des impôts, se lance dans la conquête de bases financières solides (vente des offices, emprunts). Une véritable politique économique se développe, tendant à réglementer les échanges : privilèges accordés aux villes marchandes et aux ports, contrôle de la circulation des marchandises par les octrois et péages, création d'industries, garanties financières, réglementation des foires, et même tentatives de remembrement foncier. Malgré la crise des années 1538-1546, la nation s'enrichit ; le trésor royal se remplit : à sa mort, le roi laissera deux millions d'or dans ses caisses. Il faut cependant réprimer les abus des financiers dont le pouvoir devient dangereux (affaire Semblançay). Le souverain cherche aussi à « tenir » son clergé, en luttant contre les prérogatives papales. L'humanisme se voit officialisé par la création du Collège des Lecteurs royaux (1530). Dans tous les domaines, il s'agit de renforcer le contrôle gouvernemental.

A l'étranger, le mirage italien conduira François de Marignan à Pavie. L'époque des aventures, des visées conquérantes, ne produira pas de résultats très probants en politique. Après son échec lors de l'élection impériale de 1519, le roi devra mener de longues guerres contre Charles Quint, voyant parfois les Impériaux envahir les marches (Provence, 1534). Plus dangereux encore que le sort des batailles, le mouvement de coalition qu'une France trop puissante ne peut manquer de susciter parmi des états menacés. D'où le rôle capital des tractations diplomatiques, visant à démanteler les alliances adverses ou à ouvrir de nouveaux fronts : toute la politique européenne, dans laquelle la papauté tient une place centrale, consiste en un jeu de bascule entre l'Empire et la France, au fil de toutes les Saintes Ligues. Cependant, ces guerres ruineuses et sans cesse inachevées ont été utiles au progrès économique et social, et surtout au développement culturel de la nation, qui entre ainsi en contact avec l'Italie, et les ferments de renouveau issus du fonds national sont rendus plus actifs et plus efficients par cet apport extérieur. Mais en France les premières querelles religieuses entraînent les persécutions et l'exil : la Genève de Calvin va attirer d'importantes forces vives et se poser en rivale. L'hérésie qui menace l'unité du royaume et l'autorité monarchique étend ses ramifications et cristallise les forces de résistance.

L'autoritaire Henri II laissera gouverner le connétable de Montmorency. Obsédé par la puissance de l'Empereur, il se lancera dans de nombreuses campagnes, tantôt victorieuses et tantôt désastreuses ; il enverra encore les Français en Italie pour les deux dernières campagnes (1554-1555 et 1557). Enfin, en 1559 sera signé le traité de Cateau-Cambrésis qui marque la fin d'un très long conflit avec l'Empire et l'Espagne. Pragmatique, Henri II s'allie avec les Turcs ou avec les princes protestants d'Allemagne ; mais, orthodoxe zélé, il combat les réformés dans son royaume (création de la Chambre ardente en 1547). Malgré cette répression, la Réforme gagne du terrain dans tous les milieux et s'organise (1559 : Confession de foi des églises de France). A Fontainebleau ou au Louvre, le roi vit entouré de capitaines, peu attiré par la vie intellectuelle, mais soucieux d'un apparat qui le conduit à faire édifier de somptueux et délicats bâtiments. La reine Catherine, initiée à la politique par François Ier qui l'appréciait beaucoup, s'efface devant la favorite Diane de Poitiers, attendant son heure, qui sonnera au lendemain du malheureux tournoi qui coûte la vie à Henri II.

En effet, les jeunes rois François II et Charles IX laisseront gouverner la reine-mère. Gouverner est sans doute un bien grand mot ; mieux vaudrait dire : tenter de contrôler le pouvoir, dans des situations toujours critiques. Car c'en est fini de la paix intérieure : désormais, une France très remuante se divise et s'affronte en complots, en émeutes, en coups de main, en massacres. Une France livrée aux querelles de clans rivaux : les Guise d'un côté, le parti de Montmorency, puis de Coligny, de l'autre, qui se jalousent, se détestent, se combattent au nom de leurs intérêts privés et de leur appétit de pouvoir, masqués derrière l'opposition religieuse. Chaque camp a sa « clientèle », ses hommes de main, son *hinterland*. Se greffe là-dessus la rivalité des princes du sang : les frères du roi, Condé, Bourbon-Navarre. Catherine s'appuiera alternativement sur chacune des factions : sa tâche est loin d'être aisée et elle louvoie au mieux qu'elle peut, passée maîtresse dans l'art de l'intrigue et du jeu de bascule, dans la recherche d'alliances éphémères, d'appuis occasionnels, de retournements chèrement achetés.

La question religieuse est au cœur de cette actualité : la Réforme progresse, se stabilise, perd du terrain, puis en gagne à nouveau, suivant les circonstances, les régions, les couches de la population. Elle est parfois proche du triomphe ; mais elle va se heurter constamment à la haine farouche des deux rois, à l'hostilité déclarée du peuple de Paris, et surtout elle aura le tort de pactiser avec l'étranger, ce qui choquera violemment les consciences loyalistes et provoquera sans doute son échec final. Le pouvoir royal fait alterner les mesures libérales et la répression la plus rigoureuse (conjuration d'Amboise, 1560 ; colloque de Poissy, 1561). La voix modérée d'un chancelier de L'Hospital a peu de chances de se faire entendre : la cruauté des chefs, le fanatisme, l'avidité ou la barbarie des troupes vont mettre de nouveau la France à feu et à sang. Le massacre de Vassy (1562) ordonné par le duc de Guise déclenche une longue période de guerres civiles. Les trois premières (1562-1563, 1567-1568 et 1569-1570) verront s'affronter les grands et leurs troupes, souvent mercenaires. Les populations sont peu intéressées au fond même du conflit, avant tout politique, mais elles subissent et souffrent, comme toujours, le contrecoup de ces ambitions et de ces luttes pour le pouvoir. La première guerre se conclura par la défaite des protestants à Dreux, par l'assassinat du duc de Guise et par la paix d'Amboise. La seconde verra le blocus de Paris par les huguenots et l'apparition du futur Henri III à la tête des troupes catholiques lors des campagnes de l'Est, avant la précaire paix de Longjumeau. La troisième enfin, guerre de princes plus nettement encore, aboutira à la défaite protestante de Moncontour et à la paix de Saint-Germain. Paix fragile elle aussi : après le mariage du roi avec Elisabeth d'Autriche (1570), les jalousies suscitées par Coligny et ses frères, et quelques imprudentes provocations entraîneront le massacre de la Saint-Barthélemy (1572) qui rendra impossible toute réconciliation durable. La France se retrouve plongée dans la discorde et dans l'infortune.

Les travaux et les jours

Le royaume est alors un pays étendu, le plus vaste d'Europe, très peuplé et rajeuni. Après une baisse démographique spectaculaire et une stabilisation autour de 1450, la croissance se poursuit jusqu'au milieu du xvie siècle : près de 20 millions d'habitants vers la fin de notre période. Mais peu de grandes villes : Paris avec ses 300 000 habitants est une exception ; Lyon, Rouen et Toulouse sont autour des 50 000 habitants, la majorité des bourgades en comptent une dizaine de milliers. La population est donc répartie sur l'ensemble du territoire, dans un tissu d'agglomérations dont dépendent campagnes, hameaux et villages avoisinants. Les moyens de communication se sont développés : chemins royaux et voies fluviales permettent les déplacements, la circulation des marchandises et des courriers. Les itinéraires sont enregistrés dans *La Guide des chemins de France* de Charles Estienne (1552) ou dans la *Vraie et entière description du royaume de France* de Guillaume Postel (1570). Non seulement les négociants et les banquiers développent leurs réseaux d'échanges, mais aussi la correspondance privée connaît un notable essor. L'unité administrative et juridique progresse lentement : seules les terres royales sont entièrement soumises à l'autorité du souverain. Les privilèges des villes, les coutumes provinciales l'emportent souvent, les particularismes restent forts, malgré le contrôle des officiers royaux (baillis, sénéchaux, élus). L'enracinement local est une réalité qui marque profondément les mentalités.

Un certain remodelage de la société s'est opéré. L'aristocratie manifeste un désir de vie plus confortable, en édifiant et en aménageant des résidences commodes et même luxueuses. Le mobilier reste sommaire, mais tentures et tapisseries ornent les murs, la vaisselle précieuse est très prisée, les fenêtres se garnissent de vitrages lumineux. Les châteaux prennent un aspect nouveau, abandonnant leur allure de forteresses pour devenir demeures d'apparat. L'entretien d'un hôtel citadin conduit à des dépenses énormes et la domesticité est pléthorique. De petites bibliothèques révèlent souvent les goûts des possesseurs, surtout pour les romans de chevalerie. Les grands financiers (Raponde, Spifame, Orgemont, Del Bene, Gadagne) étalent leur luxe et étendent leurs possessions tout en se voulant eux aussi protecteurs des arts et des lettres. A côté d'eux, les grands marchands, dont le type reste Jacques Cœur, et dont le rayon d'affaires est très étendu, facteur de contacts avec l'étranger, ont souvent des penchants artistiques, qui peuvent relever d'une attitude de prestige ostentatoire. Les artisans et marchands, libres ou jurés (organisés en corporations), forment le tissu actif et productif de la nation : ils représentent la petite bourgeoisie laborieuse. Les confréries organisent des fêtes patronales, souvent accompagnées de représentations théâtrales. Quant au populaire, dont l'existence quotidienne reste assez précaire, il participe aux processions, aux cérémonies officielles (comme les entrées royales) et aux représentations dramatiques ; il est prompt à s'enflammer, vouant un culte jaloux à la personne du souverain, se laissant entraîner par d'habiles meneurs dans les émeutes revendicatives. Le seul groupe contestataire est celui des étudiants et des ribleurs (faux étudiants), mais il n'a qu'une audience limitée et il inspire au petit peuple comme aux bourgeois une aversion mêlée de crainte. Les paysans, qui forment cependant l'essentiel de la population, ne comptent guère, tout entiers absorbés par leurs rudes travaux.

L'époque se caractérise donc par un phénomène de développement urbain, dans lequel le personnage dominant est le marchand, qui exploite adroitement le travail des autres, qui spécule et qui place ses capitaux. Mais il est certain que la promotion des villes n'a pas seulement été économique et qu'il y a eu un rapport direct entre l'ascension de la bourgeoisie et le développement de l'instruction générale. La ville suscite et entretient un esprit nouveau, fait de curiosité, d'appétit de savoir, d'ouverture, qu'expliquent en partie l'activité et l'influence de la bourgeoisie. L'ampleur accrue de ses activités, la technicité sans cesse poussée des affaires, la nécessité où elle était de s'informer à tout moment de ce qui se passait et se faisait alentour et au loin, l'obligation de prévoir, de calculer, l'ambition de réussir, le goût de risquer, développaient en elle les facultés d'intelligence et de raisonnement, le sens des réalités, le sens aussi, par les voyages, de la relativité de toutes choses. Elle voulait savoir par elle-même, surpasser en connaissances et en expériences les devanciers et les concurrents. Bref, elle croit à l'instruction, puis à la culture, étant riche et capable d'ajouter le luxe et le beau à l'utile. Deux facteurs principaux sont intervenus en faveur de cette promotion culturelle : le développement des collèges et l'apport du livre imprimé. L'enseignement médiéval se laïcise et se libéralise ; il fait une plus grande place aux « arts »

(grammaire, théorique, géométrie, musique,...).
L'industrie du livre, d'abord à son service, se tourne
vite vers une production plus diversifiée où les
œuvres de divertissement rencontrent un net succès,
non seulement auprès des nobles, mais aussi à tous
les échelons de la bourgeoisie.

Les dimensions du monde

Les hommes ne restent pas tous confinés dans leur
horizon familier : au contraire, une relative mobilité
se constate aisément, en même temps qu'une extension des itinéraires et qu'une nouvelle image du
monde, forgée par l'expérience directe autant que
par l'imagination.

Les déplacements les plus communs sont de deux
sortes. D'un côté, les pèlerinages (Saint-Jacques de
Compostelle, Notre-Dame de Lorette, les Lieux
saints), qui attirent toujours de nombreux fidèles. De
l'autre, les voyages « professionnels » : militaires,
négociants, diplomates, prédicateurs, étudiants et
clerici vagantes. C'est à leur intention que sont écrits
des guides comme l'*Itinerarium Terrae sanctae* de
Barthélemy Salignac (1525) ou les *Voyages de plusieurs endroits de France, et encore de la Terre sainte,
d'Espagne, d'Italie et d'autres pays,* de Charles
Estienne (1552). Les érudits donnent des ouvrages
où sont décrits et commentés les monuments (G.
Symeoni, *Les Illustres Observations antiques,* 1558 ;
Rabelais publie la *Topographia Romae antiquae* de
Marliani, 1544), ou qui constituent de vraies sommes
géographiques (Postel, *Syriae descriptio,* 1540 ; Thévet, *Cosmographie de Levant,* 1554).

Plus vivantes, plus originales aussi sont les relations, les notes consignées par les voyageurs, mises
en forme et livrées aux contemporains. Certes, c'est
encore moins l'expérience personnelle qui compte
que le souci d'informer et d'être utile. Peu d'aperçus
sur les paysages : guère de « sentiment de la nature »

ou même de curiosité désintéressée, mais d'abondants détails sur les distances, les lieux importants (sur mer : les mouillages ou les points d'eau), des observations botaniques ou zoologiques et d'autres remarques utilitaires sur les populations indigènes, sur les richesses du sol, etc. A cela s'ajoute le prosélytisme religieux et donc l'intérêt pour les formes de croyance autochtones. Et l'esprit des découvreurs, des missionnaires ou des commerçants, qui s'ouvre ainsi sur des mondes nouveaux, reste encore prêt à tous les étonnements devant la singularité, l'inconnu, le prodige, enregistrés avec une naïveté crédule et une admiration mêlée d'effroi.

Ces relations de voyages terrestres et surtout maritimes (facilités par les progrès de la navigation, les nouveaux types de navires comme la caravelle ou la caraque, la cartographie marine) entraînent le lecteur vers l'Orient : la Terre sainte (du *Voyage d'Outremer* de Bertrandon de La Broquière, 1432-1433, à celui d'Antoine Regnault, 1573, en passant par l'important *Voyage et itinéraire d'Outre-mer* de Jean Thénaud, 1520) ou le Levant. La puissance des Turcs est considérable : après la prise de Constantinople en 1453, ils ont progressé sur toute la côte est de l'Adriatique et ont pris pied dans le sud de l'Italie, à Otrante ; toute la partie orientale de la Méditerranée est sous leur contrôle. Leurs alliés barbaresques menacent les rivages méditerranéens et rendent périlleuse toute traversée. Sur terre, ils inquiètent les confins de l'Empire. Les Français cherchent assez constamment à s'entendre avec eux, au détriment des Vénitiens ou des Impériaux, par des accords commerciaux ou des conventions politico-militaires, comme les fameuses Capitulations signées par François Ier avec Soliman en 1536. Ces négociations laissent d'intéressantes traces littéraires, comme le *Voyage à Constantinople* de La Borderie (1547) ou le *Voyage du Levant* de Philippe Canaye (1573).

Mais les horizons vraiment nouveaux s'ouvrent

évidemment du côté de l'Occident, en suivant les
routes frayées par les Espagnols : le Canada (relations de Cartier, de Roberval, *Voyages aventureux* de
Jean Alfonce, 1544), le Brésil (Gonneville dès 1503-
1504, puis Villegagnon en 1558, dont l'aventure sera
relatée par Thévet dans les *Singularités de la France
antarctique,* 1558, puis par Jean de Léry en 1578), la
Floride enfin (où une même expédition trouvera trois
chroniqueurs, Chauveton, Le Challeux et Le Moyne
de Morgues, entre 1566 et 1591). Moins fréquentées,
les routes portugaises de l'Extrême-Orient. Antoine
Favre traduit Pigafetta dès 1524 et Jean Parmentier
tiendra la plume jusqu'à sa mort devant Sumatra en
1529. Ainsi, le lecteur curieux pouvait, vers 1570,
disposer d'un ensemble de textes documentaires qui
lui apportaient un bouquet d'aventures lointaines et
qui mettaient à la portée de ses rêves l'ensemble du
monde connu.

Formes du Beau

L'image du monde, c'est aussi ce qui s'offre au
regard, ce qui parle au regard : espaces construits
pour l'agrément ou pour la prière, miroirs ou
modèles des figures représentées, stylisation de
l'ornement et embellissement du décor. Le sens
artistique s'est développé de façon spectaculaire,
l'œuvre d'art rencontre un écho accru, en se sécula-
risant, en trouvant un nouveau public, en pénétrant
dans la vie quotidienne. Les formes artistiques passent par trois styles nettement contrastés : le gothique flamboyant, la Renaissance antiquisante et le
maniérisme.

L'inquiétude et la nervosité du xv\ :^e siècle se
traduisent dans des formes complexes, mouvemen-
tées, agitées par un jaillissement d'éléments décoratifs. La dernière étape du gothique, le flamboyant, a
tout le raffinement de la décadence : alors que les
formes monumentales vont se simplifiant, leur décor

devient exubérant, envahissant. Une sensibilité frémissante apparaît, conférant aux œuvres d'art une nouvelle dynamique, un nouveau relief. L'architecture flamboyante marque la prédominance des vides sur les pleins et le goût de la lumière éclatante : à l'allègement des masses correspond une multiplication des éléments décoratifs, où les courbes et les replis, les entrelacs et les découpures emportent le regard dans un mouvement de flamme et d'ondulation (cathédrales de Nantes, de Quimper, d'Abbeville, Mont-Saint-Michel, église de la Trinité à Vendôme, Saint-Gervais à Paris). L'architecture civile, plus fonctionnelle, atténue quelque peu cette exubérante fantaisie sans renoncer à l'élégance gracile de la décoration : arcs en anse de panier, escaliers à vis, fenêtres en croisée (hospice de Beaune, palais de justice de Rouen et de Poitiers, châteaux de Josselin ou de Pierrefonds, hôtel de Jacques Cœur à Bourges). Avec une taille énergique et précise, les sculpteurs font preuve à la fois du souci réaliste le plus exact et d'un sens tragique et spectaculaire qui cherche à traduire l'émotion, la passion contenue. Ils donnent aux lignes, aux plis des vêtements en particulier, une noblesse recherchée et théâtralisent de façon souvent ostentatoire la présentation des figures, dans les gisants (Jacques Morel à Souvigny, 1453), les mises au tombeau, les piétas, les scènes bibliques (Dijon, Champmol).

La peinture se diversifie davantage suivant les régions. L'école française est représentée par Jean Fouquet († 1481), qui est allé à Rome et qui en a rapporté de nouvelles formes décoratives, Jean Bourdichon, le Maître de Moulins, Jean Perréal. Elle reste influencée par la technique de l'enluminure et de la miniature et se rapproche d'une vision objective de la réalité. Mais les innovations viendront des Flamands de la cour de Bourgogne, à Dijon d'abord, puis à Bruges, Gand ou Bruxelles. Les frères van Eyck introduisent l'usage de la toile tendue sur un cadre et la peinture à l'huile de lin, qui rehausse l'éclat des coloris. Ils sont à la tête d'une brillante lignée d'artistes (Robert Campin, dit le Maître de Flémalle, Rogier de La Pasture, portraitiste des ducs, qui peint vers 1452 le *Jugement dernier* de Beaune, Petrus Christus, Thierry Bouts, Hugo van der Goes, Hans Memling). La révolution de la perspective conduit à une exploration de l'espace ; les progrès de l'anatomie entraînent une mise en valeur de la plastique humaine. Les œuvres se chargent de détails concrets en eux-mêmes, mais dont la présence se justifie par un goût du symbolisme allégorique qui en fait autre chose que de simples objets. Ce réalisme imaginaire, l'accentuation du dramatisme et la complexité de la composition font que ces tableaux se lisent comme des récits, des discours ou des mises en scène. La splendeur coloriste, la luxuriance figurative apparaissent aussi dans les tapisseries bourguignonnes de Tournai ou d'Arras ou dans les décors éphémères de fêtes de cour somptueuses. Le costume lui-même, soumis à des modes extravagantes, étale l'originalité des formes et l'éclat de couleurs à la symbolique recherchée.

Aux subtiles architectures verbales d'un Charles d'Orléans ou des rhétoriqueurs répondent donc les élans ténus, délicats et luxuriants de l'art flamboyant. La même maîtrise de la technique, la même habileté de la facture, le même raffinement de l'exécution caractérisent aussi l'art musical, essentiellement vocal, de cette époque, intégré aux fastes de la cour bourguignonne ou française. Les ducs ont à leur service de brillants maîtres de chapelle (Dufay, Binchois, Busnois, Obrecht). En France, ce sont Ockeghem, Brumel, Févin ou Mouton. Plus tard, aux Pays-Bas, Isaac, Obrecht ou La Rue. Quant à Josquin des Prés, sa carrière sera internationale. La production est surtout religieuse ; la dominante de ces œuvres est la gravité des accents, un contrepoint dense aux lignes tendues, idéal de l'*ars perfecta*. Mais l'émotion, la mélancolie ou le sourire apparaissent dans le domaine plus libre de la chanson, qui connaît un succès grandissant et qui emprunte ses textes à la veine courtoise ou à la tradition populaire. Les compositeurs sont en rapport avec les poètes, et Lemaire insistera sur le concours harmonieux des deux modes d'expression.

Au tournant du siècle apparaissent de nouvelles tendances, suscitées par la « découverte » de l'Italie et par le goût naissant pour l'antique, et modifiant assez sensiblement l'héritage national. Les structures s'ordonnent et se simplifient, les éléments décoratifs se renouvellent. La recherche de la grâce élégante éloigne des tendances réalistes, le besoin de régularité se satisfait d'emprunts à l'Antiquité et d'un effort de stylisation, l'attrait pour la mythologie païenne offre un nouvel ensemble thématique. Art de synthèse, le style Renaissance a le goût de l'eurythmie, de la symétrie harmonieuse et de la discrétion ornemaniste. Vitruve et Serlio donnent alors le ton.

L'architecture religieuse marque le pas : les modèles flamboyants prédominent encore, utilisés avec virtuosité à Brou (1507 sq.) ; le renouvellement ne sera perceptible que sous François Ier (Saint-Etienne-du-Mont, Saint-Eustache, à Paris ; Saint-Michel, à Dijon). Mais l'architecture civile connaît une superbe floraison. D'Italie, les Français ont rapporté le goût de la demeure d'apparat, aux salles spacieuses et au décor festif, où la disposition fonctionnelle des pièces augmente le plaisir de la résidence, tout comme le jardin, traité en élément structuré. La collaboration d'artistes italiens et français donne aux châteaux leur visage original : plan de masse traditionnel, allègement des lignes, décor d'arabesques, matériaux polychromes. Les façades sont mises en valeur, toitures, escaliers, ouvertures et cheminées deviennent des éléments importants de la scénographie architecturale. Fresques, stucs et sculptures (pilastres, linteaux, rinceaux, chapiteaux) parachèvent les édifices : l'Amboise de Charles VIII (1495 sq.), le Blois de Louis XII puis de François Ier, Gaillon (1502-1509), Chambord (1519 sq.), Chenonceaux ou Azay-le-Rideau. Les ajouts de Lescot et Goujon transforment le vieux Louvre en le classicisant. François Ier est un grand bâtisseur : Madrid (Boulogne-sur-Seine), Villers-Cotterêts, Saint-Germain, et surtout Fontainebleau, où se traduisent à la fois les rêves royaux et l'élan d'une équipe exceptionnelle d'artistes qui constitueront une école. Le Rosso (1531) et le Primatice (1542), secondé par Nicolo dell'Abbate, imaginent ce décor étonnant où le stuc et la moulure complètent la fresque, où le naturalisme et la fable mythologique voisinent avec les arabesques, les guirlandes et les grotesques, où l'héroïque côtoie le sensuel et la grâce languide. La présence des Italiens stimule et révèle les talents indigènes : Lescot et Goujon cisèlent le jubé de Saint-Germain-l'Auxerrois et la fontaine des Innocents ; Philibert Delorme, architecte du roi en 1545, bâtit Anet et les Tuileries. Les sculpteurs Goujon, Pilon et Richier donnent à leurs œuvres l'élégance et le charme ou le pathétique expressif. Benvenuto Cellini exécute pour le roi quelques pièces d'une virtuosité accomplie.

En peinture, si le règne de Louis XII prolonge les tendances de l'école française du xve siècle (Jean Perréal, le Maître de Moulins), la Renaissance sera instaurée par Léonard de Vinci, puis par Rosso et le Primatice, fondateurs de l'école de Fontainebleau. Thèmes mythologiques ou allégoriques, scènes familières ou d'apparat sont traités dans des compositions équilibrées, au trait précis et à la couleur profonde et douce. L'art du portrait, soucieux d'une ressemblance idéalisée, est illustré par la famille Clouet. Très vite, cet art pictural évolue vers le maniérisme, avec Jean Cousin ou Antoine Caron, dont les compositions sont riches en symboles complexes. L'étirement des formes, l'alanguissement des attitudes, le raffinement des schémas formels géométriques estompés par une profusion d'ornements, les variations d'intensité du coloris confèrent à ces œuvres leur charme un peu étrange.

L'art de la gravure prend dès lors une place considérable : non seulement dans l'illustration du livre ou dans le genre syncrétique de l'emblème, mais aussi dans la reproduction des monuments (Androuet Du Cerceau), des décors, peintures, fresques, tapisseries (R. Boyvin, L. Davent). Tapisseries, médailles, émaux adaptent les canons de Fontainebleau et du maniérisme. Et les fêtes de cour, les cérémonies officielles, les entrées royales se déroulent dans des décors éphémères d'une luxuriance somptueuse. Les poètes sont souvent appelés à collaborer avec les artistes, comme leur penchant les y porte naturellement.

Dans le domaine musical, la pratique instrumentale se développe et le luth devient un passe-temps d'amateur très répandu. La danse de cour, aux figures lentes et complexes, ou la danse populaire, plus animée et plus simple, sont l'un des grands divertissements collectifs. La chanson profane connaît une extraordinaire diffusion : « Aujourd'hui les musiciens et chantres font de tout ce qu'ils trouvent, voient et oyent musique et chanson » (Sébillet). L'amour, galant ou leste, la plaisanterie, la vie quotidienne, les anecdotes, les événements historiques, le vin ou les saisons fournissent les thèmes, souvent spirituellement versifiés par des poètes d'occasion ou par les maîtres comme Marot ou Baïf. La forme musicale de la chanson française ou parisienne (appellations génériques) allège la polyphonie, valorise la ligne mélodique, recherche les harmonies douces et pleines. La déclamation syllabique suit de près le texte et en souligne la compréhension ; le musicien anime sa composition d'effets rythmiques ou même descriptifs (Jannequin, Sermisy, Certon, Arcadelt, Costeley). Dans la seconde moitié du siècle, la prédominance de la mélodie et la prédilection pour le chant à voix seule avec accompagnement de luth favoriseront l'air de cour homophonique, plus apte encore à rehausser un texte poétique.

La musique religieuse (messes ou motets) s'est un peu sclérosée dans la convention des exercices d'écriture. Ce n'est qu'avec la Réforme qu'elle prendra un nouvel essor : on sait l'importance considérable du *Psautier* de Cl. Marot (complété par Th. de Bèze), mis en musique dès 1539 sous forme de monodies vigoureuses et amples, propres au chant des fidèles, avant de servir de base aux grandes compositions polyphoniques (Goudimel, Le Jeune). Alors que la musique sacrée des catholiques reste l'apanage des chapelles et des maîtrises, le psaume réformé est sur les lèvres de toute l'assemblée.

Ainsi, l'existence humaine se trouve placée dans un cadre où le regard et l'oreille trouvent leur satisfaction. Les modes d'expression artistique, aux progrès si rapides, visent à l'embellissement de la vie et représentent des formes d'exaltation du quotidien, d'évasion dans l'imaginaire, voire d'élévation de l'esprit.

L'homme

Placé au centre du monde, exalté par le climat de la Renaissance, l'être humain devient l'objet de nouvelles curiosités, de recherches scientifiques plus poussées. La médecine progresse vite. Dès 1521, Paracelse brûle Galien et Avicenne, mais c'est pour donner dans l'alchimie à laquelle se vouera le docteur Faust († vers 1540) ; plus précises seront les études d'anatomie menées par Léonard entre 1489 et 1515, et surtout la méthode inaugurée par Vésale (*De corporis humani fabrica,* 1543) qui se fonde sur une observation rigoureuse et sur l'analogie pressentie entre l'organisme animal et le corps humain. Relier le raisonnement à l'expérience, telle était déjà l'idée de Fernel, exposée dans *De naturali parte medicina* (1542), reprise et enrichie dans la *Medecina* de 1554. L'honneur de l'application pratique reviendra à Ambroise Paré, qui dès 1545 a mis au point une nouvelle méthode curative ; avant lui, Rabelais avait pratiqué la dissection en 1537 et, plus tôt encore, Michel Servet avait conçu l'idée de la circulation sanguine. L'homme physique est devenu désormais objet de connaissance scientifique. En même temps, on s'interroge sur sa place dans un univers dont on commence à entrevoir l'organisation. En 1539, Jacques Signot donne à ses contemporains la première *Description du monde*. Portant plus loin son imagination, Léonard développe une intuition géniale, celle de l'univers-organisme soumis à des lois dans son être, ses fonctions, ses rapports et son harmonie. La théorie en sera donnée par Copernic dans *De revolutionibus orbium coelestium* (1543).

Sous le poids des conditions de vie, sous la pression des événements, la mentalité collective se modifie, l' « esprit du temps » se précise jusqu'aux nuances qui caractérisent chaque génération dans ses dispositions communes. La dominante vers le milieu du XVe siècle paraît être la morosité, le désenchantement du présent, attitude facilement compréhensible. L'humeur est sombre, teintée de mélancolie : l'insécurité, les changements de fortune, la précarité de l'existence provoquent le découragement. On regrette le bon vieux temps en caressant le vague espoir d'un avenir meilleur. Les solutions qui s'offrent sont le renoncement au monde ou le refuge dans le rêve, dans le « romantisme chevaleresque ». Un peu plus tard (dernier quart du siècle), l'amélioration de la conjoncture entraîne un nouvel appétit de vivre, dominé par l'avidité de possession, le désir de jouissance, la satisfaction de l'acquis ; ce réalisme actif, agressif même, a quelque chose de brutal ou de cynique marquant l'endurcissement du cœur. Par un nouveau revirement, la tentation de l'aventure héroï-

que, le goût de l'exploit, l'exubérance accompagnent
la génération des campagnes d'Italie. Dans le second
tiers du XVIᵉ siècle, on pourrait sans doute parler d'un
besoin d'épuration, de simplification, d'authenticité,
mais cela s'accompagne d'une tendance à la radicali-
sation manichéenne. Enfin, lorsque la division
s'installe à nouveau sur le terrain politico-religieux,
le malaise et le doute assaillent les esprits livrés à
leurs combats intérieurs : terrain où s'implantera
bientôt le baroque.

Mais toute l'époque semble enfermée dans un
réseau de contradictions et de disparates, tiraillée
entre des impulsions et des impératifs divers : il est
facile de relever ces alternances ou ces simultanéités,
inhérentes sans doute aux époques de progrès accen-
tué. La mentalité bourgeoise prédomine, faite à la
fois de conservatisme prudent et d'audace réaliste,
tournée vers les réalités matérielles de l'existence, la
sécurité, le bien-être, le profit. Mais si la féodalité
décline, si la chevalerie perd sa fonction et sa réalité,
l'idéal chevaleresque, héroïque et orgueilleux, garde
tout son pouvoir de séduction ; de Jacques de Lalaing
à Bayard, le preux est exalté dans les vertus qu'il
incarne. Or l'esprit militaire s'est radicalement modi-
fié et le rôle du chevalier n'est plus qu'accessoire. Le
sport chevaleresque va servir à la fois d'ersatz et
d'exutoire : joutes, tournois, absorbent une énergie
qui ne trouve plus à s'employer utilement. Des
spécialistes de tous pays parcourent l'Europe pour
donner leur force et leur habileté en spectacle. Les
nouveaux ordres de chevalerie ne sont plus que des
distinctions honorifiques. Mais le prestige qui s'attache à ces survivances du passé demeure intact.

Les sentiments et les passions, de même, s'opposent et se combattent. L'interminable querelle des
femmes intensifie et condense deux attitudes perma-
nentes : le mépris de la femme et le respect de
l'amour. Gauloiserie et galanterie : ici, l'indifférence
cynique et la violence de la conquête ; là, toute la

délicatesse réservée des alliances de pensée platoniques. L'homme est livré à des alternances soudaines de violence et de mansuétude, de passion sauvage et de tendresse émue, de découragement et d'entrain. Tantôt, c'est la tristesse qui domine, la propension à l'abattement ou au désespoir, et l'on se complaît dans le spectacle de la mort ; tantôt l'alacrité et la gaieté drue l'emportent, et l'on se lance dans les fêtes, les jeux et les festins libérateurs, où s'étale l'amour de la vie.

Tendant vers le rationnel et vers la connaissance scientifique, l'homme de la Renaissance reste séduit par l'imaginaire et n'échappe pas aux tentations de l'occultisme ou de la magie : la croyance à l'astrologie, voire aux pratiques de sorcellerie est généralement répandue. L'évangélisme n'élimine pas la superstition. Naturalisme et christianisme semblent même parvenir à se concilier. Une nouvelle forme de sensualité accompagne les spéculations néo-platoniciennes ; le goût épicurien des voluptés terrestres coexiste avec la spiritualisation du désir. Faut-il voir dans tout cela un désarroi, une grande confusion de l'âme ? plaidons plutôt en faveur d'un nouvel appétit de vivre.

CHAPITRE II

TRANSMISSION ET DIFFUSION
DU SAVOIR

L'Université de Paris à la veille de la Renaissance

Au XVe siècle, l'Université est la seule institution habilitée à élaborer et à transmettre une culture supérieure. Elle s'acquitte de cette double tâche d'une façon et dans une mesure sensiblement différentes, en ce qui a trait à la conservation et à la transmission de la culture traditionnelle et en ce qui concerne l'élaboration d'une nouvelle culture. Il ne faut pas se tromper non plus sur le caractère de cette science dont l'Université s'érige en gardienne : il s'agit de la tradition chrétienne, la seule qui mérite d'être connue, car elle renferme la « science » de Dieu et du monde.

Au sein de l'Université, deux Facultés seulement disposent d'un réel prestige et font figure de vrais foyers de vie intellectuelle, la Faculté des arts, qui enseigne toutes les connaissances qui sont jugées nécessaires comme introduction à la théologie, et la Faculté de théologie, qui définit le dogme et enseigne la vraie doctrine. La Faculté de décret, qui forme les juristes dont l'Eglise a besoin pour la sauvegarde de ses intérêts matériels, jouit de moins de prestige ; la Faculté de médecine mène une vie à part et ne participe pas à la vie intellectuelle profonde de l'Université. Les Facultés possèdent une organisation interne assez démocratique : elles sont divisées en Nations (France, Picardie, Allemagne et Normandie) qui élisent un procureur chargé de les représenter et de défendre leurs particularismes. Les autres charges aussi sont électives et toutes les affaires — des Nations, des Facultés ou de l'Université — se discutent au cours d'assemblées (les Nations sont des structures inter-facultés). Le pouvoir de tous ces élus est plus honorifique que réel, car le mandat des procureurs et des Nations, du doyen des Facultés, et du recteur de l'Université ne dure que trois mois : selon un ancien privilège, seuls les Artiens ont le droit d'élire le recteur.

On entre à la Faculté des arts vers l'âge de quinze ans : les membres du clergé régulier n'y sont pas admis, seuls les séculiers et des laïcs non mariés ont le droit d'y accéder. Ils suivent les cours à la Faculté mais en même temps ils poursuivent des études dans le collège de leur Nation. Le professeur leur explique la logique d'Aristote, les bacheliers et les maîtres leur expliquent la métaphysique, la morale, les sciences et la rhétorique, d'Aristote toujours. Au bout de deux ans ils subissent l'épreuve de la « déterminance », une discussion solennelle et publique devant des examinateurs nommés par leur Nation, et reçoivent le grade de bachelier. Au bout d'une troisième année ils peuvent obtenir la licence, qui est conférée par les chanceliers de Notre-Dame : devant une commission de maîtres ès arts, le candidat doit prouver qu'il a suivi les cours pendant une troisième année et qu'il a complété sa préparation philosophique. Une dernière épreuve pour obtenir la maîtrise, la « tentative », une nouvelle discussion solennelle devant quatre maîtres et un chancelier : le professeur dont ils ont suivi les cours fait leur éloge et leur impose le bonnet. Préalablement, le futur maître se sera acquitté du devoir de l' « inceptio », le serment solennel d'obéissance aux règles et aux décisions de la Faculté.

Seuls les membres du clergé régulier peuvent être admis à suivre les cours de la Faculté de théologie, qui est le vrai foyer intellectuel de l'Université médiévale. Le cycle des études y est beaucoup plus long. Pendant au moins cinq ans, qui peuvent devenir six, les étudiants, qui sont déjà clercs et qui, comme dans le cas de la Faculté des arts, arrivent à l'Université déjà pourvus de connaissances suffisantes dans le domaine de la grammaire, « *in grammatica edocti et in arte metrificandi* », écoutent des explications de la Bible et des *Sentences* de Pierre Lombard. Le futur docteur devient au bout de cinq ans « *baccalaureus cursor* » et il est à son tour chargé d'expliquer la Bible et les *Sentences,* durant deux semestres séparés par une année de répit, dans des cours de moindre importance, qui ont lieu l'après-midi (les « leçons » du matin sont réservées aux maîtres). Il doit lui aussi se soumettre à l'épreuve de la « tentative », trois ans après les cours de formation biblique, mais il n'obtient que le grade de bachelier formé (ou « bachelier sententiaire », car sa tâche est de commenter, dans un cours public et pendant une année, les *Sentences*). Il lui faudra encore trois ans pour obtenir la licence : il ne les passe pas nécessairement à l'Université, car cette période est aussi consacrée à la prédication (l'étudiant dont il s'agit est obligatoirement membre d'un ordre religieux). Comme dans le cas de la Faculté des arts, les épreuves sont exclusivement orales : trois « argumentations » pour la licence (la « grande », la « petite ordinaire », la « sorbonique »), trois autres discussions solennelles pour le doctorat (« vespérie », « aulique », « résompte »). Comme on le voit, il n'y a pas de maîtrise en théologie (ainsi qu'en médecine), de même qu'il n'y a pas de docteurs ès-arts. Il ne lui reste plus qu'à se faire agréer par le conseil de ses pairs, et pénétrer ainsi dans une petite société de privilégiés (la Pragmatique sanction elle-même réservait aux gradués des universités un tiers des prébendes disponibles).

En 1452 le cardinal Guillaume d'Estouteville procède à une nouvelle définition des programmes d'études de la Faculté des arts et de la Faculté de théologie. Un nombre limité d'ouvrages, mais qu'il fallait connaître à fond, « *non cursim et transcurrendo, sed studiose et graviter* » (« non pas superficiellement et hâtivement, mais sérieusement et à fond ») : la plus grande partie de l'*Organon* d'Aristote pour la logique, le *De Anima* pour la psychologie, la *Physique* et la *Métaphysique* et enfin l'*Éthique à Nicomaque*. Un enseignement de mathématiques était prévu, pour lequel on utilisait soit de très anciens ouvrages (l'*Arithmétique* de Boèce, le *Tractatus de Sphera* de Jean de Holywood), soit un texte moderne (le traité sur la *Sphère* de Pierre d'Ailly). Pour les lettres, les textes indiqués dans le programme (le *Doctrinal* d'Alexandre de Villedieu et le *Grécisme* d'Evrard de Béthune) étaient nettement anciens, car ils remontaient, l'un et l'autre, au XIIIe siècle. On voit bien que la multiplicité des matières (logique, psychologie, physique, métaphysique, morale, arithmétique, grammaire) n'était qu'apparente, le fondement de tout restant l'œuvre d'Aristote : il faut ajouter que vingt ans après la réforme du cardinal d'Estouteville, en 1474, un édit devait abolir toutes les interdictions qui, au siècle précédent, avaient frappé le nominalisme, et restituer aux maîtres une pleine liberté quant à l'utilisation, pour l'exposition de la pensée du Stagirite, de l'interprétation de saint Thomas, de Duns Scot ou de Guillaume Ockham.

Pour la Faculté de Théologie, seules la Bible et les *Sentences* de Pierre Lombard étaient expressément mentionnées par le cardinal d'Estouteville, mais grâce à d'autres renseignements on peut compléter le tableau, qui n'est guère plus brillant. On commence par remarquer qu'en pleine époque humaniste, aucun souci philologique ne semble hanter les théologiens parisiens. L'Université médiévale se vantait pourtant d'une longue tradition d'études critiques sur les textes sacrés. Depuis longtemps on s'était aperçu que les différentes générations de copistes avaient introduit des erreurs, avaient altéré et mutilé le texte de la Vulgate, et la nécessité de la correction de ces fautes avait été réaffirmée déjà par Pierre Damien comme par Hugues de Saint-Victor. Au XIIIe siècle on avait assisté à différentes initiatives pour restaurer le texte de la Vulgate : la plus importante, liée au dominicain Hugues de Saint-Cher, avait donné lieu à un ouvrage, connu sous le nom de *Correctorium parisiense* (milieu du siècle), qui révèle un souci louable de revenir à une leçon correcte. Une décision d'introduire l'enseignement des langues orientales dans les quatre principales universités de l'Occident (Oxford, Paris, Bologne et Salamanque) avait été prise au concile de Vienne, en 1311, surtout dans l'intention, il est vrai, de former des missionnaires « *fidem propagaturi in ipsos populos infideles* », mais elle n'avait eu aucun effet. Le résultat sera paradoxal : aucun théologien parisien du XVe et du début du XVIe siècle ne connaît le grec ni, à plus forte raison, l'hébreu, et la Faculté de théologie devra abandonner à la culture laïque, aux humanistes, le mérite d'avoir donné naissance à la philologie biblique. Les conséquences seront incalculables, car l'étude scientifique du texte biblique, que la Sorbonne s'avère incapable de faire, se fera contre elle, dans un esprit d'âpre polémique.

On aura tout dit des *Sentences* de Pierre Lombard, texte de base, comme on vient de le voir, pour l'enseignement de la théologie dans l'Université de Paris encore dans la deuxième moitié du XVe siècle, alors que la Renaissance est à son apogée en Italie et

commence à faire sentir ses effets en France, lorsqu'on aura rappelé qu'il s'agit d'un ouvrage qui
remonte au XIIe siècle. Caractérisé par une orthodoxie sûre, il maintenait fermement le principe de
fonder la foi en raison : il contrebalançait ainsi en
partie les effets du nominalisme dominant, mais il
encourageait en même temps la formation d'une
mentalité hostile à toute nouveauté intellectuelle et
typiquement conformiste.

Pour l'interprétation de la Bible, la méthode de la
« quadruple exégèse » (historique, allégorique, ana-
gogique et tropologique), qui remonte à Isidore de
Séville, était toujours en vigueur : l'un des manuels
les plus « modernes » en usage dans les écoles
théologiques parisiennes, le *Mammotrectus,* rédigé
vers le milieu du XIVe siècle par Giovanni Marchesini,
le recommandait encore. (Le *Mammotrectus,* soit dit
entre parenthèses, sera l'un des premiers livres
imprimés, vers 1474, à Venise, Bâle et Strasbourg).
Grâce à cette méthode, les théologiens apprenaient
que l'Ecriture renfermait à côté d'une *histoire,* qu'il
fallait connaître à fond, d'autres significations qu'il
fallait reconnaître ; dans l'histoire étaient incorporés
des symboles (des *allégories*) qu'il s'agissait de découvrir ; ces symboles à leur tour renfermaient des
enseignements qui élèvent l'âme (*anagogué* : élévation, départ) qu'il faut savoir démêler ; certains
passages (« *tropoi* ») renfermaient enfin des leçons
d'ordre moral qu'on doit éclaircir au moyen du
raisonnement (« logos »).

On se servait en général d'instruments de travail
très anciens (la *Glose marginale* et le *Glossarium
vetus* remontaient à l'époque carolingienne, la *Glose
interlinéaire* à la fin du XIe siècle) : en général,
l'intérêt de ces textes pour l'histoire de la culture est
modeste. On peut toutefois faire une exception pour
l'*Histoire écolâtre* de Pierre Comestor (deuxième
moitié du XIIe siècle) : elle contenait un résumé de
l'histoire de l'Ancien et du Nouveau Testament,

agrémenté par des récits de l'histoire profane qui offraient un synchronisme intéressant avec les faits de l'histoire sacrée. Il s'agit de l'un des textes qui sont à la base de la culture du Moyen Age finissant : inlassablement recopié et élargi, il sera traduit en français au début du XIVe siècle par Guiars des Moulins et donnera lieu à la *Bible historiale* (ce sera l'un des premiers livres imprimés : à Lyon, en 1477).

Ockhamisme, nominalisme, terminisme

Comme on vient de le rappeler, c'est dans le cadre de la Faculté des arts que l'on étudiait la philosophie : de ce point de vue, la faculté de théologie jouait un rôle subordonné et pour ainsi dire instrumental. Le fondement de l'enseignement était Aristote, qu'on lisait dans des traductions et à l'aide des commentaires d'Averroès (le *Grand Commentaire* du philosophe arabe et ses dérivés, *commentaires moyens* et *paraphrases* étaient devenus d'usage courant dans les écoles de philosophie à partir du XIIIe siècle). Les traductions utilisées n'étaient pas mauvaises (celles de l'*Organon* attribuée à Boèce, et de l'*Ethique* avaient été faites directement sur le grec ; les versions utilisées de la *Physique* et de la *Métaphysique* étaient au contraire des réélaborations d'anciennes traductions) mais elles étaient très anciennes : incapables de revenir au texte grec, les maîtres parisiens s'en tenaient religieusement au texte latin qu'ils avaient sous les yeux. Aristote était considéré comme la source de toutes les sciences, dans le domaine de la connaissance de l'homme, de la logique, de la morale, de la nature et de Dieu ; mais la doctrine qu'on tirait de son œuvre devait être enrichie par les « vérités inaccessibles », les mystères de la Révélation conservés dans les livres sacrés dont l'Eglise était dépositaire. Pouvait-on, à partir d'Aristote, édifier une théorie intelligible du réel avec les seules ressources de la dialectique, construire une science et une métaphysique qui auraient pu s'harmoniser avec la tradition et le dogme ? La réponse, affirmative pour saint Thomas, déjà dubitative avec Duns Scot, était devenue décidément négative avec Guillaume d'Ockham. Sa critique de la connaissance humaine (qui présente des points de contact avec l'empirisme moderne) avait profondément ébranlé la prétention de l'aristotélisme de fonder une métaphysique et une théologie *rationnelles* et avait abouti à une nette séparation des vérités de foi et des vérités de raison ; les premières étaient inébranlables mais non susceptibles de démonstration rationnelle, les secondes étaient sûrement conformes aux normes de la raison mais ne possédaient pas de valeur réelle en dehors du cadre de l'intelligence qui les élabore. Les universaux — qui existent en Dieu, selon saint Thomas ; ou, si l'on veut s'exprimer autrement, les idées, les essences — dans lesquels les réalistes voyaient des *réalités véritables,* et grâce auxquels on fondait une structure du monde pyramidale, pouvant être objet de connaissance rationnelle, en étaient ainsi réduits à de simples *termes,* le même mot, avec la même valeur, devant être utilisé pour désigner les choses particulières et les « vérités » universelles.

En dépit des risques qu'il comportait, le nominalisme ockhamiste avait fini par être accepté par l'Eglise : elle y avait vu une possibilité de raffermir son emprise sur les âmes dans le domaine de la pratique religieuse. L'impossibilité de prouver à l'aide de la raison les vérités de la foi avait comme conséquence de détourner la spéculation du dogme et de ses fondements, et puisqu'elle s'accompagnait de la réaffirmation du caractère absolument certain des vérités de la foi, elle renforçait, pour ainsi dire, la compétence des hommes du métier, des ecclésiastiques, seuls dépositaires de la vérité révélée. Elle encourageait toutefois une soumission à l'observance des pratiques formelles, et l'instauration d'une mentalité de démission intellectuelle à l'égard de la foi, le christianisme se réduisant à un ensemble de dogmes qu'il fallait croire sans prétendre les démontrer et la vie religieuse à un ensemble de préceptes formels qui ne comportaient pas d'adhésion profonde de l'intelligence. Bientôt, grâce à la Réforme, la masse des chrétiens devait être appelée à « intellectualiser » sa foi : elle arrivera à ce rendez-vous décisif sans préparation.

Sur le terrain de l'évolution des idées, le nominalisme devenu terminisme fera preuve de stérilité. Théoriciens du raisonnement, du moment qu'ils avaient renoncé à construire une science du vrai, les nominalistes s'évertuaient à exposer la théorie mais aussi les limites de leur méthode, qui aboutissait à mettre en évidence les absurdités ou les apories d'une science éminemment verbale. Utilisant un langage obscur, elle se contentait en effet d'examiner la propriété des termes et de déduire ingénieusement les conséquences d'une dialectique très souple mais qui se cantonnait délibérément dans le domaine de l'abstraction intellectuelle. C'est une philosophie de ce genre qui devra affronter l'assaut de l'humanisme, avec sa soif chaleureuse de vérité humaine, son désir de plénitude et de renouvellement : elle paraîtra aux humanistes barbare — à cause aussi du latin barbare qu'elle utilisait — et confuse, et sera bientôt l'objet de leur mépris.

Le nominalisme, enfin, devait engendrer la réaction mystique. La religiosité individuelle se trouvait appauvrie d'être désormais enfermée dans des manifestations éminemment formelles : le besoin de nourrir la sensibilité, le désir de retrouver un contact intime avec les vérités de la foi devenaient irrésistibles. On aura ainsi la grande saison mystique liée aux noms de Ruysbroeck, de Thomas de Kempen et de Jean Gerson, qui n'intéresse que marginalement notre époque ; on aura un phénomène de moindres proportions, mais qui va dans le même sens, vers la fin du siècle, dans les années qui précèdent immédiatement les débuts de la Réforme. Désir intense de religiosité qui ne trouve pas satisfaction dans les doctrines et manifestations de piété populaire spontanées (et parfois inconsidérées : c'est l'époque où le nouveau dogme de l'Immaculée Conception de la Vierge réclamé par la piété du peuple s'impose aux théologiens) se côtoient et se conjuguent : ce sera l'époque de grande effervescence intellectuelle des premières décennies du xvie siècle, qui voit la naissance des « évangéliques », les tentatives de réforme dans le diocèse de Paris (puis dans celui de Meaux), et un vrai débordement de piété populaire.

L'organisation des études au xvie siècle

Le xve siècle n'est pas une époque glorieuse pour l'histoire de l'Université (en ce qui concerne Paris, notamment). Le nouveau siècle, avec les problèmes qui le caractérisent, n'a pas à enregistrer, dans cet ordre d'idées, de grands changements.

Deux faits marquants dominent la deuxième partie de notre époque : l'essor du Collège Royal et l'apparition des jésuites dans le secteur où s'élabore la nouvelle pédagogie. Deux phénomènes de signe contraire, qui se rejoignent toutefois dans leur signification ultime, qui est une mise en cause de l'Université.

Bien entendu, l'Université continue non seulement d'exister, mais de se développer. Elle apparaît toujours aux yeux du public comme le centre d'élaboration et de transmission d'une culture supérieure. Elle est même, de ce point de vue, l'objet de convoitises, l'enjeu de luttes où s'entrecroisent ambitions personnelles, jalousies municipales, desseins politiques plus ou moins avoués. Il y a douze universités en France, en dehors de Paris (Aix, Angers, Bordeaux, Bourges, Caen, Cahors, Montpellier, Nantes, Orléans, Poitiers, Toulouse, Valence) mais leur

nombre s'avère insuffisant. Leur prolifération, qui
sera l'un des phénomènes significatifs du xvie siècle,
a des causes qui ne sont pas sans analogie avec celles
que l'on constate aujourd'hui. Mais ces phénomènes
trouvent leur véritable explication dans un contexte
situé à un autre niveau. La prolifération des universités est en fait « secondaire », le résultat de circonstances liées à une cause plus profonde, l'expansion de
la culture. Tel est le véritable phénomène qui caractérise l'époque. On en perçoit l'écho dans les occasions les plus inattendues, par exemple dans les
relations des ambassadeurs vénitiens qui prétendent,
en 1535 (comme en 1561), qu'en France « il n'y a
personne, si pauvre soit-elle, qui n'apprenne à lire et
à écrire » ; il transparaît encore dans telles lettres
patentes de François Ier du 25 mars 1543, tranchant
un différend relatif à l'instruction d'un collège, et
affirmant qu' « il n'est plus grande indigence qu'ignorance ». C'est pour répondre à des nécessités de plus
en plus pressantes que les institutions culturelles se
multiplient, à tous les niveaux, avec les conséquences
ordinaires en pareilles circonstances ; insuffisance de
crédits et de cadres, installations inadéquates, difficultés de tous ordres.

Inquiet des difficultés dans lesquelles l'Université
se débat (les universités, institutions municipales,
vivent de ressources locales qui sont de plus en plus
insuffisantes) le pouvoir intervient : Charles IX, par
les ordonnances d'Orléans, en 1561, affecte aux
universités les biens de confréries dissoutes ; en 1557
Henri II avait essayé de réglementer le recrutement
des professeurs en rappelant — vainement, semble-t-
il — qu'il devait se faire obligatoirement par
concours. Dans cette intervention, il y a comme un
aveu : l'universalisme de l'institution universitaire, à
l'époque de sa naissance et de son triomphe (aux xiiie
et xive siècles), est une exigence oubliée au sein de
l'université du xvie siècle, les universités ont cessé
d'être des foyers d'une culture libre et potentielle-

ment universelle et s'apprêtent à devenir des instruments de l'Etat, des écoles de cadres et de fonctionnaires.

Pourtant, ces signes de déclin n'autorisent pas à faire état d'une décadence précipitée. L'activité universitaire, vue du dehors, continue à se manifester et marque d'une empreinte particulière, surtout dans les villes de province, la vie de toute la communauté urbaine. Les étudiants demeurent attachés aux privilèges que leur reconnaît la coutume et on les voit souvent engagés dans des querelles de préséances qui animent l'existence monotone des petites villes universitaires et témoignent d'un véritable esprit de corps. L'université médiévale, avec ses rites, son particularisme, et ses velléités d'indépendance n'a pas tout à fait disparu. Il ne faut pas oublier, surtout, que presque sans solution de continuité la vie universitaire se prolonge dans les collèges, particulièrement florissants à cette époque. Ils sont travaillés au plus haut point par ce désir fiévreux d'instruction qui domine tout le siècle : la « révolution » humaniste (si révolution il y a) se développe pour l'essentiel à travers les collèges, ou pour mieux dire à travers certains collèges. Le collège est le seul organisme existant au XVI⁰ siècle en état d'exercer une influence sur le plan local et habilité à distribuer, à un échelon presque populaire, une culture supérieure. Il possède donc une forte capacité de pénétration et est en mesure d'infléchir l'orientation de l'opinion et l'évolution des mœurs. Si l'Université demeure à l'écart des grandes « aventures » de la pensée qui secouent le siècle, les collèges, eux, sont en première ligne, au cœur de la mêlée. La « révolution » de 1550 se fait dans les collèges de la Montagne Sainte-Geneviève et dans certains collèges de province (Bordeaux). A juste titre l'histoire littéraire révère les noms de plusieurs régents de collège (Buchanan, Muret, Dorat, Peletier lui-même), alors qu'elle garde le silence sur la plupart des professeurs d'université.

La structure se complète, vers le bas, de ce que l'on appelait à l'époque les « petites écoles » et que l'on pourrait assimiler à l'enseignement primaire d'aujourd'hui. Ici encore un phénomène marquant : le développement incessant d'institutions de ce type s'accompagne d'un affranchissement progressif de la tutelle ecclésiastique. Le premier fait relève de cette soif d'instruction à laquelle nous avons déjà fait allusion ; le second ne doit pas être nécessairement interprété comme un signe de désaffection religieuse. C'est l'augmentation continuelle de la demande qui pousse les communautés locales à s'intéresser à la création des petites écoles, à la nomination des maîtres, à leur rémunération. De plus en plus, et par la force des choses, cela se règle en dehors du contrôle ecclésiastique. Le clergé a beau prétendre que la nomination des maîtres des petites écoles, décidée par les échevins et les consuls, n'est valable qu'après examen d'un délégué de l'évêque, l'événement lui donne tort : des ordonnances de 1561 prévoient la création, auprès de toute église, cathédrale ou collégiale, d'un poste de précepteur chargé d'instruire gratuitement la jeunesse et rétribué sur les revenus d'une des prébendes dont jouit le chapitre. Cette soustraction d'un revenu ne s'accompagne pas du rétablissement du droit de nomination du précepteur, qui reste confié aux autorités laïques : la pratique s'établit, qui sera codifiée par Henri IV en 1606, d'une nomination par les échevins et d'une simple confirmation par les curés.

Toutefois, sur cette ardente quête de savoir, qui suffit à mettre en crise des institutions vénérables et qui demeure le trait caractéristique de l'époque, ne cesse de peser une circonstance des plus contraignantes : dans toutes ses formes et à tous les échelons, l'enseignement demeure payant et non obligatoire et continue d'être le privilège d'une minorité. La non-gratuité pèse de façon plus lourde sur l'enseignement primaire, et moins gravement sur l'enseignement supérieur où elle est atténuée par l'existence des bourses, assez répandues au sein de l'Université et des collèges. La prolifération des universités, la multiplication et la modernisation des collèges, la montée en flèche du nombre des petites écoles ne doivent pas entraîner à des conclusions hâtives.

Il ne sera pas nécessaire de redire l'importance que revêt dans l'élaboration de la nouvelle culture un organisme comme le Collège Royal. On rappellera l'opposition que sa création rencontra au sein de la Sorbonne uniquement pour souligner que la décision prise par François Ier et ses conseillers de poursuivre la réalisation du projet mérite d'être considérée comme l'une des plus importantes de toute l'histoire du xvie siècle.

Au cours de notre période, le Collège Royal élargit encore ses possibilités de rayonnement et atteindra bientôt son apogée, grâce à la personnalité de Pierre de La Ramée. Les lecteurs n'étaient que trois, au début : à l'hébreu, au grec, au latin et aux mathématiques s'ajoutent maintenant la médecine, les langues orientales et la philosophie. L'indépendance du Collège, gage de sa vitalité, est garantie moins par les personnalités qu'il accueille (en fait, un Galland, un Dorat peuvent être considérés comme de parfaits conformistes) que par sa structure ; quoiqu'il n'ait pas de siège propre, à ses débuts, et soit hébergé dans les locaux de l'Université à laquelle il eût dû se rattacher juridiquement, il est en pratique soustrait à toute espèce de tutelle grâce au système de recrutement et de rémunération des professeurs. Payés directement par le Grand Aumônier et choisis par le roi, les lecteurs royaux peuvent se permettre une indépendance spirituelle rare dans un siècle passionné. On assiste ainsi au spectacle d'une institution qui, à une époque de conflits idéologiques, échappe — autant qu'il est possible — à la schématisation confessionnelle : le protestant Ramus en fera partie,

à côté de défenseurs attitrés du thomisme et de la
tradition, et l'inquiétant Postel n'y sera pas molesté
en dépit de ses extravagances.

Les jésuites

Par un paradoxe singulier, les jésuites s'activent
dans une direction qui n'est pas très différente de
celle qu'a suivie le Collège royal. Pour des raisons qui
ne sont pas les mêmes que celles des lecteurs royaux,
mais avec des résultats analogues, la Compagnie de
Jésus, à partir du milieu du siècle, travaille à remettre
en question le monopole de la Sorbonne dans le
domaine de l'enseignement supérieur, et collabore
ainsi à la naissance d'un pluralisme scolaire qui est
bien un trait caractéristique de la mentalité moderne.
On sait pourtant que les débuts des jésuites en
France ne furent pas heureux : accueillis à Paris en
1547 (quelques années seulement après la constitution de la Compagnie) par l'évêque de Clermont,
Guillaume Duprat, qui leur cède son hôtel parisien,
ils ouvrent leur premier collège en 1550 (à Billon, en
Auvergne) et, dès 1560, ils sont en mesure de
prendre en charge le collège de Tournon, qui péri-
clite. L'octroi d'une bulle du Saint-Siège, qui par
dérogation leur accorde les privilèges dont jouis-
saient traditionnellement les universités (1560), et
des lettres royales portant l'autorisation de s'établir
en France (1561), déchaînent la réaction : le Parlement de Paris refuse l'enregistrement des lettres
royales, l'Université fait appel aux tribunaux. Un
procès retentissant (qui offre à un jeune avocat,
Etienne Pasquier, l'occasion de se mettre en lumière
en qualité de défenseur de l'Université de Paris) est
plaidé devant le Parlement de Paris en 1564. Le bien-
fondé des réclamations de la Sorbonne ne fait pas de
doute dans la conviction des juges ; le Parlement
décide toutefois de surseoir, pour ne pas prendre une
décision qui, dans l'époque troublée que la France

traverse, aurait eu la valeur d'une mesure favorable aux protestants.

Les jésuites continuent donc de s'implanter en France, bien que dépourvus d'un statut juridique. Le nombre de leurs institutions ne cesse de croître : ils possèdent trente-huit collèges en 1594, au moment de leur expulsion à la suite de l'attentat de Châtel contre Henri IV. Ils recouvreront rapidement toutes les positions perdues dès leur rentrée, en 1603. En 1610 le nombre de leurs collèges en France atteint la centaine.

Si l'histoire des jésuites en France au XVIe siècle n'est donc pas des plus brillantes, cela est dû aux circonstances dans lesquelles ils eurent à agir dans un pays déchiré : leurs mésaventures n'entament en rien l'originalité de leur démarche. Dans cette France en mue, ils se font eux aussi, à leur façon, les défenseurs d'un nécessaire renouvellement de la culture et, en définitive, d'une culture nouvelle. Greffer sur le tronc séculaire de l'enseignement chrétien les « conquêtes » de l'humanisme, récupérer et intégrer l'anthropocentrisme de la Renaissance dans une vision transcendantale de l'existence n'est pas un programme de peu d'envergure. C'est au sein de l'école, mais en dehors des cadres de l'enseignement officiel, qu'un tel projet s'élabore dans la deuxième moitié du siècle.

L'invention du livre

C'est aussi en dehors de tout cadre officiel, et de l'école elle-même, que se déroule la plus grande aventure intellectuelle de l'époque, celle de l'imprimerie. Il est vrai que les premières presses sont montées à Paris, vers 1470, dans le cadre de la Sorbonne, mais bientôt la nouvelle industrie abandonne l'Université, et non seulement pour des raisons d'ordre commercial. Les Estienne, les Dolet, les Wechel, les Arnoullet et d'autres sont devenus avec le temps des héros légendaires ; pourtant cet épisode de l'histoire contemporaine est au contraire bien réel jusque dans ses aspects les plus étonnants (l'érudition immense de certains de ces éditeurs, leur incroyable capacité de travail). L'imprimerie du xvie siècle est aux prises avec des difficultés qui sont déjà celles de nos jours, l'industrialisation, les grèves et les conflits sociaux, les démêlés avec le pouvoir, etc. C'est néanmoins grâce à elle que s'opèrent à notre époque des transformations d'une immense portée. Instrument de libération par sa nature, se plaçant naturellement au service de cet amour pour les choses de l'esprit qui rend l'homme digne de respect, l'imprimerie ouvre tout un chapitre de l'histoire de l'humanité et engage un combat apparemment destiné à ne jamais trouver de fin. Ce combat prend facilement une tournure dramatique, comme le rappelle le nom déjà cité de Dolet, qui finit sur le bûcher en 1546 sous une imputation d'hérésie, mais en fait pour avoir « exposé des livres prohibés ». Au cours de l'époque qui nous intéresse, nous voyons la presse engagée simultanément dans le domaine culturel et sur le terrain civil, la mise en circulation de nouvelles idées rencontrant nécessairement sur son chemin l'idéologie, la politique. Au chapitre de l'élaboration d'une mentalité, le rôle de l'imprimerie devient déterminant.

Les titres des livres publiés à cette époque et sur lesquels nous avons des renseignements précis permettent de nous faire une idée des orientations de l'opinion. Avant tout le droit, qui traduit un besoin de reconnaissance et de définition du monde à l'aide d'un instrument sûr ; en deuxième lieu, la passion avec laquelle les hommes du xvie siècle se sont mis à l'étude de la théologie. La Réforme explique bien des choses, mais, dans le contexte de l'époque, le phénomène réformé est à la fois cause et effet. En effet la théologie — et donc la métaphysique — est elle aussi une forme de reconnaissance de l'univers :

cette passion avouée des hommes du XVIᵉ siècle traduit une anxiété peut-être, un désir de certitude sans doute. Ici encore, reconnaître, mesurer contours et surfaces, profondeurs et densités.

Les livres et les inventaires des bibliothèques nous apprennent aussi qu'une véritable curiosité pour l'univers physique, et donc une mentalité scientifique, n'a fait son apparition qu'en dernier ressort. Un renouvellement dans ce domaine passe par la transformation des études de médecine : il a fallu attendre que l'anatomie expérimentale et la chirurgie prennent assez d'assurance pour concurrencer la médecine ancienne, grecque et arabe. Le moment de la science se situe chronologiquement vers la fin du siècle.

Il y a enfin le domaine des idées : le XVIᵉ siècle n'est pas une « époque philosophique », on l'a souvent dit. Il ne fait en cela que prolonger les caractères du siècle précédent. Le cas de Ramus reste d'une portée limitée. L'exigence qu'il réaffirme dans sa *Dialectique* (1555) est celle d'un désaveu des critères heuristiques de la philosophie précédente, mais on aurait quelque peine à tirer un système cohérent de l'ensemble de ses remarques (souvent judicieuses). La partie la plus solide reste l'opposition à Aristote et au thomisme : en cela toutefois il ne fait que suivre l'orientation générale du temps.

La bataille philosophique s'engage donc au XVIᵉ siècle autour de thèmes traditionnels : encore et toujours Aristote. A l'enseignement du Stagirite on oppose plus ou moins explicitement celui de Platon. La grande vogue platonicienne en France date des années qui suivent 1540 ; elle se prolongera au-delà de 1550, la publication de la traduction française du *Banquet* étant de 1556. Connu d'abord en traduction latine (les œuvres complètes, traduites par Marsile Ficin, paraissent à Lyon dès 1533) et grâce à quelques éditions grecques d'ouvrages isolés, Platon est traduit

en français à partir de 1544 (traduction du *Lysis* par
Bonaventure Des Périers et de l'*Hipparque* et de
l'*Axiochus* par Etienne Dolet). C'est en 1546 que
paraît l'œuvre platonicienne la plus caractéristique de
la Renaissance, les *Commentaires de Marsile Ficin
sur le Banquet* (traduction attribuée à Simon Du
Bois).

Anti-aristotélisme, platonisme, syncrétisme

Pour s'en tenir à l'essentiel, le platonisme (ou le
plotinisme, le déguisement sous lequel Platon se
présente aux hommes de la Renaissance) signifie une
promotion de la mystique. La doctrine du souverain
bien qui rayonne à travers les choses se prête à
bien des applications de nature littéraire : la théorie
du cercle mystique, le rôle de la beauté qui réveille
l'âme endormie et par degrés successifs la ramène au
centre du grand tout. Elle a une portée idéologique,
comme le montre l'exemple de Marguerite de
Navarre (presque tous les traducteurs de Platon, Des
Périers, Dolet, Du Bois, sortent de son entourage).
Moyen de connaissance, il débarrasse l'âme de règles
et de préceptes qui affectent la substance de la vie
intellectuelle : catégories universelles et moyens de
les acquérir, procédés inductifs et rôle de l'expérience, structure du monde visible et invisible, tout
cela est comme aboli par une doctrine qui enseigne
l'amour. L'amour pénètre au fond des choses avec
une aisance qui se passe de propédeutique ; il remplace une vision rigide de l'univers par une vision
mouvante, aventureuse et poétique, qui implicitement projette l'homme, objet de l'amour divin, au
centre de tout. Si la consistance philosophique d'une
pareille conception n'est pas très solide, les dangers
qu'elle présente ne sautent pas immédiatement aux
yeux : le pieux évêque de Digne, Antoine Héroët,
n'est troublé d'aucun doute lorsqu'il publie en 1542
son *Androgyne*, non plus, d'ailleurs, que sa protec-

trice Marguerite de Navarre qui poussera jusqu'au bout sa problématique identification de l'amour divin et de l'amour humain. Pour en comprendre la signification, il faut replacer l'influence platonicienne dans le contexte historique des années 1540-1550, où elle vient à coïncider avec la polémique contre l'aristotélisme. Les dates sont concluantes : à partir de 1542 Vicomercato, élève de Pomponazzi, occupe la première chaire de philosophie au Collège Royal, créée pour lui par François Ier (il poursuivra son enseignement jusqu'en 1567) ; en 1543 paraissent les *Aristotelicae animadversationes (Remontrances à Aristote)* de Ramus, qui déclencheront une polémique mémorable.

Après avoir été considéré pendant des siècles comme le principal soutien de l'orthodoxie, Aristote apparaît aux hommes de la Renaissance comme un auteur dangereux : conséquence du retour au texte (et donc de l'humanisme), d'une nouvelle lecture d'un Aristote non expurgé. C'est un enseignement padouan : Pomponazzi s'était appliqué à distinguer ce qui, dans l'aristotélisme, appartenait à Aristote et ce qui, tout en appartenant à la tradition aristotélicienne, n'était pas authentiquement aristotélicien : dans cette seconde catégorie entraient notamment l'idée de l'immortalité de l'âme, la conception de la création et la notion d'un Dieu créateur et bon (et donc providentiel). Le raisonnement était impeccable : ces idées-là ne se trouvant pas chez Aristote, il ne fallait pas faire violence aux textes pour prouver qu'elles s'y rencontrent, ni chercher chez Aristote des choses que celui-ci n'avait pas pensées.

Vicomercato, qui prolonge en France l'enseignement de Pomponazzi, était probablement, ainsi que son maître, un esprit « déniaisé » (comme on dira un siècle plus tard), et sa polémique visait en même temps la philosophie traditionnelle et la religion qui recherchait son appui : le rationalisme padouan, aboutissant à une mise en question des fondements

mêmes de la raison, se rattache à un mouvement
d'idées qui aura son couronnement dans l'œuvre de
Montaigne. Mais cet arrière-goût de scepticisme n'a
pas été immédiatement perçu : nombre des contemporains s'arrêtèrent aux dehors brillants d'un système
qui exaltait l'honnêteté intellectuelle et se présentait
comme une apologie de la raison débarrassée des
déchets qui en avaient atténué l'éclat. Ce n'est pas
seulement la position de Rabelais, c'est aussi celle de
tous les « cicéroniens » italiens et français, de Bembo
à Sadolet et à Longueil. On en vint rapidement à
accuser Aristote d'impiété (Calvin, pour avoir mis en
doute l'immortalité de l'âme).

Un recul général de l'aristotélisme est, sur le plan
philosophique, le phénomène marquant de tout le
siècle, car cette retraite laisse un espace vide, aussitôt
rempli par des mouvements de pensée de toute sorte.
Le platonisme s'offre à remplacer l'aristotélisme et
aussi le rationalisme épuré qui voudrait se substituer
à celui-ci ; mais il reste des marges. Il y a place pour
des résurgences de l'ancien scepticisme ou de
l'incroyance éternelle ; pour de nouvelles créations,
ce qu'on appelle le syncrétisme de la Renaissance ;
pour des manifestations originales à la limite de
l'extravagance, où ancien et nouveau se confondent.
Le levain de tout le mouvement est bien l'esprit
platonicien qui souffle sur la Renaissance, si on le
comprend comme une promotion générale des composantes sentimentales, émotionnelles, enthousiastes
et, à la limite, mystiques de l'esprit humain. De la
stabilité au mouvement, même pour ce qui concerne
le xvie siècle : ce qui est en jeu est le passage de
l'ancien ordre communautaire, d'ascendance médiévale, à la règle nouvelle de l'individu seul. La raison
et l'amour de la gloire, l'homme qui se pose au centre
du monde, et reconnaît que ses buts sont dans ce
monde et rien que dans ce monde, représentent le
point d'aboutissement d'un processus qui n'est
encore qu'à ses débuts : le refus du point de départ,

toutefois, est maintenant acquis, l'abandon d'un héritage qui inclut la foi et la providence, l'explication du monde placée en dehors des capacités humaines, une raison ultime du destin régie par autrui. Le mouvement n'est pas net, les retours en arrière ne manquent pas ; mais lentement l'essentiel se dégage et l'individualisme acquiert le droit de se présenter comme le vrai protagoniste de l'histoire de ce temps.

Mais il faut aussitôt ajouter que le terme nouveauté, quand on parle de la pensée de la Renaissance, doit toujours évoquer le terme contraire, tradition. L'esprit profond de la Renaissance, bien qu'il soit à la recherche d'ordre et de clarté, est avant tout syncrétisme, tempérament, conciliation, intégration. On peut alors accorder la valeur d'un symptôme à la turgescence rabelaisienne, qui n'est pas seulement verbale : c'est le moment fiévreux et haletant d'une pensée emportée par un élan incontrôlé saisi sur le vif. La cristallisation et la décantation qui s'y rattachent auront lieu plus tard. Ambiguïté qui explique des attitudes contradictoires, culte de la raison et croyance aux prodiges, pratique de la dissection et foi en la médecine paracelsique, confiance simultanée dans la « virtù » et dans la magie.

Le syncrétisme de la Renaissance exprime une aspiration vers la totalité, il veut aboutir à une vision d'ensemble, car le monde est un. Cette unité relève essentiellement de l'esprit : on n'aura pas à enregistrer la naissance d'une vraie mentalité scientifique dans cette époque éprise de « Physie ». La description du monde et l'étude des phénomènes sont encore inconcevables en dehors d'une *explication* du monde qui est de nature philosophique.

On comprend ainsi l'émergence de la magie. Si le monde est un, et s'il est essentiellement de nature spirituelle, la magie est importante. On a pu écrire que l'ésotérisme est pour l'homme de la Renaissance

« une des formes de la transparence de l'univers ». La magie de la Renaissance révèle son vrai caractère si on la conçoit comme un instrument. Au-delà de l'extravagance, en tant que négation de l'esprit de système, des catégories closes et des explications toutes faites, elle se montre pour ce qu'elle fut à cette époque, promotion de liberté, libre domaine d'expérimentation pour l'homme des forces nouvelles qui se font jour en lui et que l'expérience affermira progressivement.

CHAPITRE III

ÉVOLUTION
DES IDÉES RELIGIEUSES

L'Eglise et le pouvoir au XVᵉ siècle

La grande affaire du XVᵉ siècle est la réforme de
l'Eglise : le conflit conciliaire, le grand schisme
d'Occident. La question a plus de poids, pour les
Français, que la guerre anglaise : le roi Charles VI,
dans les intermittences de sa maladie, s'y engage à
fond, entraîné par la Sorbonne, qui met au point la
thèse de la suprématie du Concile. Tous les protagonistes de l'histoire de cette période, le duc d'Orléans
et son rival le duc de Bourgogne, y jouent un rôle.
C'est à un grand théologien qui a une place aussi dans
l'histoire littéraire, Jean Gerson, que revient le
mérite d'avoir défini dans un texte célèbre (*De au-
feribilitate papae ab ecclesia*, « De la possibilité que le
pape soit déposé par l'Eglise », 1409) le droit du
Concile de déposer le pape. Les deux grands conciles
de Constance (1414-1418) et de Bâle (1431-1449)
restent en dehors de notre époque, mais on ne pourra
pas s'abstenir de mentionner au moins deux noms,
ceux de Nicolas de Clamanges et de Pierre d'Ailly.
Le premier est l'auteur d'un traité, *De ruina et
reparatione ecclesiae*, qui remonte à 1414, et qui aura
un destin singulier : traduit en français, il sera
republié, avec quelques additions seulement pour le

« mettre à jour », par Jean Crespin en 1560, 1561 et
1563 à Genève ; il sera encore republié au début du
siècle suivant en Hollande. Il est ainsi devenu un
« classique » de la littérature de propagande protestante, qui y a trouvé tout un arsenal d'argumentations contre la papauté et ses ambitions hégémoni-
ques. Quant à Pierre d'Ailly, qui a été le maître de
Gerson et qui est lui aussi auteur d'un traité, *Super
reformationem Ecclesiae,* il suffira de rappeler que
Luther déclarera un jour connaître par cœur un
certain nombre de passages de ses œuvres. Il y a donc
continuité substantielle entre les aspirations de
réforme du xve siècle et la Réforme du xvie, en dépit
des effets divergents.

C'est en s'appuyant sur les décrets défavorables au
pouvoir papal du concile de Bâle, qui siège à partir
de 1431, que l'assemblée du clergé français, réunie à
Bourges en 1438, procède à une manière de restauration — ou de réforme — de sa structure, en adoptant
des mesures qui seront promulguées unilatéralement
par le roi Charles VII sous le nom de Pragmatique
Sanction. L'importance des décisions adoptées
dénonce la gravité de la crise dans laquelle l'Eglise de
France se débat, et qui concerne quelques secteurs
des plus délicats. La Pragmatique déclare le Concile
supérieur au pape, et ce dernier soumis au tribunal
de l'Eglise universelle, mais s'efforce surtout d'assai-
nir la situation interne de l'Eglise française et de
réglementer ses rapports avec le Saint-Siège et le
pouvoir royal. Ce qui est supprimé ou réintroduit
indique où en étaient venues les choses. On abolit les
annates (le montant du revenu d'une année du
bénéfice, qu'il fallait verser au pape au moment de la
collation) et on limite les autres exigences financières
de la Curie ; on rétablit le principe de l'élection des
évêques, des abbés et des prieurs par les chapitres
des cathédrales et des abbayes et on prend des
mesures contre les dangers de simonie. La grande
question toujours ouverte de l'attribution des béné-

fices est réglée dans un sens favorable à la royauté, qui pourra désormais exercer des « sollicitations bénignes » en faveur des candidats qu'elle propose, mais devra renoncer aux « comminations et violences » (qu'elle avait l'habitude de pratiquer, évidemment). Il n'y aura plus de réserves en faveur du Saint-Siège pour ce qui concerne les dignités électives ; pour ce qui concerne les dignités non électives, le droit de réserve de la Curie est fortement restreint (une collation sur dix), tandis qu'on soumet à l'approbation royale la publication en France des bulles pontificales. Il est évident que derrière ces questions « techniques » se cachent de grandes possibilités d'abus que l'on s'efforce de pallier : la partie normative, directement inspirée des décrets de Bâle, est plus immédiatement instructive, même pour un lecteur non spécialisé en droit canonique. La Pragmatique rappelle des normes mises en oubli et flétrit des comportements abusifs dont on devine la diffusion : l'obligation de célébrer l'office divin, l'obligation d'être présent dans le chœur pour les réguliers qui ne célèbrent pas, la limitation du nombre d'heures que les chanoines peuvent passer en dehors de leur collégiale, le blâme pour ceux qui, au lieu d'assister aux offices, « *vagantur per ecclesiam* », pour ceux qui se réunissent en chapitre au lieu d'assister à la grand-messe, pour ceux qui organisent des spectacles profanes dans l'église, pour ceux qui vivent en concubinage... Nous choisissons au hasard.

Selon notre optique, la Pragmatique, dans son effort de soustraire l'église de France aux empiètements du Saint-Siège, accordait une trop grande autorité au pouvoir royal : en fait, la monarchie ne se montra guère attachée à la Pragmatique, utilisa sans intention moralisatrice des dispositions adoptées dans l'esprit d'abolir des inconvénients, et en fit une nouvelle source d'abus. Louis XI n'hésita pas à la supprimer, à son avènement, afin de se débarrasser de ce qu'elle pouvait contenir de gênant pour l'autorité royale, tout en conservant, au moyen d'ordonnances successives, des dispositions dont celle-ci pouvait s'avantager. Dans cette attitude désinvolte à l'égard de la Pragmatique, le roi trouve naturellement un allié dans la papauté, qui avait toujours refusé de reconnaître la validité de dispositions promulguées en dehors de son contrôle. Louis XI signera un concordat en 1472, qui déplaît aux Gallicans, défenseurs de la Pragmatique, mais ne satisfait pas encore les aspirations du Vatican à une totale abolition des dispositions de 1438.

On n'a pas à fournir ici une démonstration du désordre qui règne dans l'Eglise de France au xve siècle : le représentant du clergé à la réunion des états généraux de 1484 à Tours la dénonce en termes brutaux, « chacun sait qu'il n'y a plus règle, dévotion ou discipline religieuse » dans le clergé régulier et non plus dans le clergé séculier. Ce que l'on a appelé l'anarchie bénéficiale explique bien des choses, car c'est sans doute de la désignation aux grands offices (évêques, abbés) de personnages choisis par le pouvoir, et non sur la base d'une vocation religieuse authentique, que dépendent le relâchement des institutions et la décadence de la discipline.

Conséquences de tous ordres, qui affectent aussi la doctrine. Les querelles qui s'enveniment entre réguliers et séculiers amènent les premiers à adopter des positions hardies : par désir de popularité, ils n'hésitent pas à séduire le menu peuple par l'image d'une religion facile, pour soustraire de l'autorité aux curés ils promettent aux fidèles des solutions accommodantes. C'est vers 1480 qu'éclate une querelle qui aura des conséquences incalculables, quarante ans plus tard, au sujet des âmes du purgatoire : les séculiers de l'Université de Paris dénoncent avec aigreur les opinions défendues par les réguliers (jacobins, cordeliers), à savoir que les âmes du purgatoire sont sous la juridiction du pape, qui pourrait, s'il le voulait, vider d'un coup tout le purgatoire (« *animae in purgatorio existentes sunt de jurisdictione papae : et si vellet posset totum purgatorium evacuare* ») ; ou bien que toute âme du purgatoire s'envole au ciel contre le versement d'une donation congrue en faveur des fabriques du Saint-Siège.

La crise de la scolastique

Aux circonstances externes, qui affectent la structure des institutions, s'ajoutent aussi des causes internes. Dans le domaine de la réflexion théologique le xve siècle fait constater une décadence grave, liée au triomphe de l'ockhamisme. La réflexion de ce grand docteur s'était attaquée à la question des universaux, la fameuse question qui traverse toute l'histoire de la philosophie médiévale (les genres et les espèces — les universaux — existent-ils réellement, ou n'existent-ils que dans nos esprits ?) et sa conclusion avait été la négation de l'existence *réelle* des universaux, qui entraînait celle de la métaphysique. Ockham maintenait pourtant la théologie traditionnelle, qui sortait intacte de son œuvre de démolition : objet de foi, inaccessible à la raison humaine, non susceptible de démonstration logique, la révélation échappait à la logique mais ne perdait pas son emprise sur l'âme du croyant. Ce divorce entre raison et dogme aurait pu avoir des conséquences positives, en dirigeant la réflexion rationnelle vers le domaine de la réalité, jusqu'à donner naissance à une science de la nature, fondée sur l'examen des faits. Les conditions générales de la culture de l'époque ne le permirent pas, et la réflexion philosophique du xve siècle finissant se tourna vers un technicisme stérile, un intellectualisme abstrait qui s'apparente au jeu d'esprit. On enregistre alors l'apparition de la dernière école philosophique du Moyen Age, le « terminisme », qui se complaît dans l'exploration des apories et de l'absurde où nous entraîne le jeu effréné d'une raison qui n'a plus de répondant dans l'universel, c'est-à-dire dans la transcendance. C'est la philosophie avec laquelle entrèrent en contact les humanistes et qui fut aussitôt l'objet de leur mépris.

Les conséquences de cette évolution de la philosophie scolastique sur la vie religieuse de toute la communauté chrétienne furent considérables : comme l'a bien montré Augustin Renaudet dans un livre célèbre, le fait de souligner le caractère inconnaissable par les seules forces humaines du dogme chrétien menait inévitablement à une impasse :

> Désormais l'intelligence le subissait sans le comprendre et le pénétrer; le christianisme allait se réduire, pour la masse des fidèles, à un ensemble d'affirmations qu'il fallait croire, sans réflexion et sans amour.

Malaise dans les consciences, provoqué par une mésentente de la base avec la hiérarchie, auquel le bon peuple chrétien réagit par des manifestations d'une religiosité exagérée, qui caractérisent la période à cheval entre les deux siècles, et qui révèlent l'existence d'une piété populaire profonde et active. Le mouvement est canalisé par les « mystiques modernes », par les Frères de la vie commune, par quelques grandes figures d'hommes d'église (Standonck) qui s'efforcent aussi de réformer ordres et couvents. Plus que jamais, dans ce XVe siècle finissant, les pèlerinages sont en honneur, les foules se pressent aux représentations des drames liturgiques, partout les confréries, qui canalisent l'activisme religieux des laïcs, sont en activité et en expansion. On assiste même à un retour d'esprit prophétique, de l'attente apocalyptique d'événements décisifs : on a parfois souri du projet formé par Charles VIII d'une nouvelle croisade pour la libération des lieux Saints, dont le voyage de Naples aurait dû constituer une sorte de prémisse, mais l'histoire littéraire fait enregistrer en 1494 des œuvres comme la *Prophécie* de Jean Michel, qui annonce que le monde sera bientôt réformé par le roi très-chrétien, qui recouvrera la Terre Sainte (*De la nouvelle réformation du siècle et du recouvrement de la Terre Saincte à luy destinée* : le texte circule aussi en latin).

Ce besoin d'une religiosité plus intense, cette impatience à l'égard d'une institution ecclésiastique mondanisée et en pleine décadence, s'exprime aussi à travers la littérature : on peut mentionner Jean Bouchet, auteur des *Regnards traversans les perilleuses voies des folles fiances du monde* (1500) qui, s'inspirant du *Narrenschiff* (« La Nef des fous ») de Sébastien Brandt, décrit les vices et les folies du monde, en y ajoutant pour sa part d'amères plaintes sur la détresse de l'Eglise. Ou encore Pierre Gringore ; celui-ci n'est pas seulement l'auteur du *Jeu du Prince des Sots* (1512), qui met en scène le pape Jules II, sous les traits de l'Homme obstiné, pour dénoncer les perfidies d'une action politique laquelle déshonore le chef de l'Eglise ; il a écrit aussi des pamphlets comme *Les Folles Entreprises* ou *Les Abus du monde,* qui contiennent de véritables réquisitoires contre la débauche, l'avarice et la corruption du clergé.

Besoin de renouveau qui inspirera l'œuvre de certains grands esprits de l'époque, Reuchlin (1455-1522), Lefèvre d'Etaples (1450-1537) surtout, et qui produira des tentatives de réforme de la discipline des couvents, surtout dans le diocèse parisien. L'humanisme, qui fait sentir ses effets sur l'Université de Paris dans le dernier quart du XVe siècle, aura aussi sa part dans le mouvement : les humanistes se détachent du nominalisme « terministe » qui domine dans les écoles parisiennes et se tourneront vers une théologie plus libre, vers la spéculation métaphysique et morale, en s'opposant à l'étude exclusive des problèmes logiques. Bientôt l'enseignement d'Erasme (*Enchiridion militis christiani,* 1504) répandra l'exigence d'un christianisme libéré des cérémonies et des formules. Les piètres résultats de ces tentatives, qui correspondent à l'échec de l'initiative des « évangéliques » de Meaux groupés autour de l'évêque Briçonnet, comparés à l'ardeur du mouvement spirituel qui leur avait donné naissance, expliquent le sentiment désabusé, très répandu dans les milieux cultivés dans les deux décennies qui précèdent l'arrivée de Luther en France, en ce qui concerne la situation de l'Eglise et les possibilités de son renouvellement.

Le problème de la réforme de l'Eglise

On a parlé de réforme de l'Eglise « dans son chef et dans ses membres » dès l'époque de Catherine de Sienne : en un sens, rien n'est plus traditionnel dans l'histoire de l'Eglise que cette instance réformatrice. Pourtant, la Réforme apparaît comme un événement brutal et prend, en France, dans la seconde moitié du siècle, le caractère dramatique d'une crise nationale. Les causes étant anciennes, comment expliquer la place et le choc de l'événement dans l'histoire ? Les origines de la Réforme, la nature des « catalyseurs » qui ont pu en favoriser l'avènement ont fait l'objet d'amples débats. Selon les historiens, l'explication a été recherchée tantôt dans la situation économique, tantôt dans l'état des mœurs, particulièrement celles du clergé — les fameux abus —, tantôt dans la politique. Mais peut-être n'a-t-on pas tenu compte suffisamment du climat général de l'époque, marquée par une ferveur intellectuelle extraordinaire. On est frappé de cette alacrité de l'esprit, qui se jette sur toutes les nouveautés, qui assimile les apports les plus hétérogènes, qui intériorise et approfondit tout, qui renouvelle les données de la spéculation. Ferveur où l'humanisme entre pour quelque chose, mais qui est plus compréhensive que l'humanisme lui-même. Il y a de l'optimisme dans une démarche aussi originale pour approcher la réalité, une certaine réticence à l'égard de la notion traditionnelle de péché, une attitude nouvelle à l'égard de la nature ; il y a une sympathie, une bonne disposition à l'égard de l'idéal antique, qui déclasse et fait considérer comme barbare l'attitude contraire de défiance et de réserve vis-à-vis des « pauvres Gentils » ; il y a comme une impossibilité à recourir à l'ascétisme d'antan, un goût âpre et rénové pour la vie sous toutes ses formes. Par surcroît, un élément qui intègre et pénètre tout, un intérêt accru pour la vie de l'esprit, qui suppose une attention nouvelle accordée aux questions religieuses sans rapport avec ce qu'on peut constater dans le passé récent. Le formalisme exaspéré de la pré-Réforme parisienne est jugé insuffisant, et les esprits se tournent vers une nourriture spirituelle plus fraîche et plus vraie.

C'est dans un terrain de ce genre que peuvent germer des idées, aussi vagues et péremptoires à la fois, que celles qui donnent naissance à des mouvements de dissidence religieuse, où l'insatisfaction du présent s'allie à des espoirs imprécis d'une palingénésie, où l'enthousiasme, le courage intellectuel, la joie d'entreprendre dominent, qui laissent l'âme dans un état d'exaltation et de disponibilité. Un désir d'authenticité donne un goût très particulier à cette saison spirituelle et aide à comprendre les choses extraordinaires dont elle a été le lieu et le temps de convergence. C'est à des justifications de ce genre qu'il convient d'avoir recours si l'on veut comprendre l'aventure intellectuelle qui est à la source de la Réforme française. Il ne s'agit pas d'un mouvement de nature exclusivement religieuse ; toute l'époque y participe, et non seulement les sectateurs de Calvin. On s'explique ainsi que tant d'hommes, de François Ier au cardinal de Lorraine, de Rabelais à Ronsard, à un moment ou à un autre et pendant un temps plus ou moins long, aient pu être considérés comme « sympathisants de la Réforme ». La même attitude, plus ou moins accentuée, se retrouve dans les deux camps ; lorsque les positions seront raidies, elle dégénérera en intransigeance et en fanatisme. Mais, au début, il y a eu cette démarche, ce pas plus vif dont on marche vers des réalités plus vraies, plus intenses, qu'on veut s'approprier pour les vivre intimement, avec courage et cohérence. C'est dans une telle atmosphère spirituelle que baigne la génération de la Pléiade.

Ce que nous venons de dire n'exclut nullement les explications plus conjoncturelles, souvent rappelées, de l'éclosion de la Réforme, causes théologiques, circonstances socio-économiques. Le mouvement atteint très vite, entre 1555 et 1560, des proportions impressionnantes (le protestantisme aurait touché, selon les estimations, le tiers ou même les deux tiers de la population française) ; aussitôt après il marque le pas, au début des guerres, puis rétrograde progressivement. Ce succès ne s'explique pas par la seule force de prosélytisme des nouvelles idées : il doit être attribué aussi à la faiblesse de la partie adverse, aux conditions fâcheuses dans lesquelles l'Eglise traditionnelle est obligée de mener la lutte pour sa survie.

La politique impériale, mais aussi celle du roi de France, a lourdement pesé. Pour ne parler que du concile de Trente on rappellera qu'à la première session (1545-1547) peu de prélats français sont présents. Charles Quint ayant désavoué la décision de Paul III de transporter l'assemblée de Trente à Bologne, on aboutit à une crise entre le pape et l'empereur. L'Intérim d'Augsbourg (mai 1548), qui reconnaissait certains droits aux luthériens, n'était certes pas une victoire pour la cour de Rome. L'empereur, en 1549, va jusqu'à interdire aux cardinaux espagnols de se rendre au concile. Lors de la deuxième session, en 1551, c'est Henri II qui, estimant contraire aux coutumes françaises la bulle « Benedictus omnibus », annonce qu'aucun prélat français ne paraîtra au concile, et songe même à organiser un concile national. Ce n'est qu'à la troisième session (1562-1563), après la mort du roi, qu'une délégation officielle française ayant à sa tête le cardinal Charles de Lorraine siégera à Trente. Il s'agit toutefois de prélats envoyés par un gouvernement (celui de Catherine de Médicis) qui n'a pas renoncé à sa politique d'entente directe avec les huguenots, comme en témoigne l'initiative toute récente du colloque de Poissy. L'appui français à la politique réformatrice de la papauté sera donc plein de réserves et de précautions. Le gallicanisme du Parlement parisien s'opposera enfin, après la clôture des travaux, à l'application en France des décisions du concile.

C'est bien la confusion qui régnait sur le partage des deux pouvoirs qui a largement contribué à affaiblir l'autorité de l'Eglise. Les « abus » sur lesquels on insiste traditionnellement ont sans doute moins compté dans la crise religieuse, sur le plan des mœurs, qu'une certaine mentalité faite d'un mélange ambigu de sentiment national et d'idéologie monarchiste, d'une part, de dévotion et de discipline ecclésiale de l'autre.

Une spécificité française

Car il y a une spécificité française, qui réside dans la lente mise en branle d'un mouvement déclenché une trentaine d'années auparavant par le Concordat de Bologne (1516). Le droit, presque sans contrôle, que l'accord avec le Saint-Siège attribue au roi de France sur les plus riches bénéfices du royaume et la nomination des évêques, a peut-être, comme le veulent certains historiens, détourné la monarchie des Valois de la tentation d'introduire en France une réforme sur le modèle anglais ou germanique (l'adhésion des princes à la Réforme est souvent liée à des questions de contrôle des biens ecclésiastiques) ; mais l'application de ce droit, telle que les rois la conçu-

rent, a favorisé sans conteste la laïcisation du haut
clergé, grâce aux désinvoltes nominations royales,
alors que le bas clergé, mal guidé par des chefs
indifférents, sombrait dans la pauvreté et l'ignorance. La pratique de la commende (c'est-à-dire de la
jouissance d'un bénéfice ecclésiastique sans obligation de résidence, parfois même sans que les intéressés aient dû recevoir les ordres) affecte profondément le clergé régulier : on n'enregistre pratiquement pas de création d'ordres monastiques nouveaux
au XVIᵉ siècle et la décadence des couvents, désertés
par leurs abbés, devient un fait tellement habituel
que l'opinion cesse de s'en scandaliser. La vie
religieuse organisée devient progressivement, au
cours de la seconde moitié du siècle, l'apanage des
seuls jésuites, qui préparent de la sorte leur éclatant
triomphe du siècle suivant.

Le Concordat entraîne d'autres conséquences,
dont la formation d'une certaine mentalité ou d'une
attitude à l'égard des problèmes religieux. Il existe
environ une centaine d'évêques et quatorze archevê-
ques en France, au XVIᵉ siècle ; le fait que, au bout de
quelques décennies, à la suite du critère de recrutement introduit par le Concordat, tous ces personnages — ou presque — sont des créatures du
pouvoir, entraîne une modification de l'esprit qui
anime l'Eglise de France ; elle reste gallicane pour
son fond, mais donne désormais une autre signification à ce terme. Bientôt, pour un ecclésiastique
français issu du régime concordataire (destiné à durer
jusqu'à la fin de l'Ancien Régime), être gallican
signifiera moins défendre les droits de l'Eglise de
France contre les empiétements de Rome, que défendre une conception nationaliste de la vie ecclésiastique, qui trouve dans la politique royale un terme de
référence permanent. On n'en retiendra qu'un exemple. A l'occasion du colloque de Poissy (1561-1562),
Catherine obtient qu'une délégation de théologiens
réformés, ayant à sa tête Théodore de Bèze, vienne

discuter sur un pied d'égalité des questions de doctrine et de discipline ecclésiastique. L'intérêt du gouvernement à trouver un arrangement avec ses sujets réformés était évident, mais peu conforme aux vœux de la papauté. Le clergé de France, en fin de compte, se plia aux exigences de la cour, et fit voir que, même dans un domaine qui lui était spécifique, les intérêts nationaux prenaient le pas sur l'intérêt de l'Eglise. Une attitude analogue est à l'origine du retard, consenti pour complaire à la politique royale, avec lequel seront appliquées en France les décisions du concile.

Ce retard, soit dit en passant, aura des conséquences durables. Le concile de Trente tranche sur certains points du dogme, rétablit la discipline, restaure les droits de la hiérarchie et provoque un durcissement sensible de la politique de l'Eglise. On remet de l'ordre dans les monastères, on établit un contrôle sur la formation des nouveaux prêtres (grâce à la fondation des séminaires pour leur préparation théologique), on élargit encore l'index des livres défendus, on impose un serment de fidélité aux licenciés de l'université : en fait, on rétrécit les marges des vérités au sujet desquelles il est permis au croyant d'avoir des opinions personnelles. Un nouveau rigorisme prend place ; l'exemple de pays où les délibérations du concile sont appliquées sans ménagements et sans délais est instructif : que l'on songe notamment à l'Italie qui avait été le foyer de la Renaissance et où l'on finira pourtant, au début du siècle suivant, par faire un procès à Galilée.

La France échappe à ces conséquences, pour des raisons multiples. Les conflits religieux montrent à l'évidence le déchirement de l'unité spirituelle de la nation. La politique de la monarchie (le dernier Valois rencontrera dans les Guise et dans la Ligue, champions de l'orthodoxie catholique et de l'ultramontanisme, ses pires ennemis), l'incertitude qui règne jusqu'au bout quant au parti qui finira par l'emporter, enfin le caractère ambigu de la victoire du catholicisme (la conversion de Henri IV), autant de circonstances qui aident à caractériser la situation française, autant de touches qui contribuent à définir une originalité foncière. Ce n'est qu'au début du siècle suivant qu'une mentalité « contre-réformée » fera vraiment son apparition en France, et l'on sait que, même à cette époque, elle rencontrera sur son chemin des adversaires tenaces.

Les circonstances évoquées précédemment n'offrent qu'une explication partielle de la guerre civile. Que la guerre ait été, en définitive, une conséquence de l'adhésion à la Réforme d'une fraction importante de la noblesse, peu portée à souffrir sans riposter les violences d'une persécution où elle voyait un excès de la puissance royale, c'est là un fait évident, mais qui risque de nous faire négliger une donnée fondamentale, à savoir que la Réforme est, en elle-même, un mouvement révolutionnaire, qui a, dans la lutte politique et sociale, son domaine naturel de manifestation. Indépendamment de la volonté des prédicateurs, les hommes (petites gens ou bourgeois, en attendant les nobles) qui se groupent spontanément autour des novateurs et qui constituent la force du mouvement, s'attendent à ce que les changements escomptés sur le terrain religieux s'accompagnent de modifications dans d'autres domaines. Il tient à la nature même de l'institution religieuse du XVIᵉ siècle d'entraîner de telles conséquences : l'Eglise n'est pas seulement une réalité religieuse, elle est aussi une puissance politique, financière et économique : si elle doit changer, en ce qui concerne les rites et la doctrine, il est inévitable qu'un pareil changement comporte un bouleversement de ses autres rapports avec la société. Les modifications dogmatiques ont pour corollaires des transformations sur le plan social, par exemple la renonciation aux privilèges, à la richesse, etc., et que l'on provoque, là où les circonstances s'avèrent favorables : pillage ou confiscation des biens ecclésiastiques, refus de payer les dîmes... De ce fait, les « luthériens » (c'est ainsi qu'on appelle au début les réformés) constituent une menace pour l'ordre social établi, et c'est à ce titre qu'ils sont avant tout persécutés.

Les flambeaux qui éclairent les banquets et les fêtes de cette Renaissance si haute en couleurs se mêlent au fond de la scène à d'étranges lueurs provenant des bûchers et des incendies. Dans le cadre des réjouissances organisées par la municipalité à l'occasion de l'entrée solennelle de Henri II à Paris en 1549, le programme prévoyait aussi l'exécution de quelques hérétiques (six ou sept, au dire de De Thou) : le roi se rendit au spectacle des potences et des bûchers au sortir d'un banquet qui lui avait été offert à l'Hôtel de Ville. Singulier renversement de l'histoire, la guerre religieuse s'est imposée à une génération devant qui s'ouvraient toutes les possibilités et tous les espoirs. Ces événements la ramènent malgré elle à la tragique réalité, la poussent, comme à contre-destin, et la portée de son « aventure intellectuelle » en sera définitivement affectée. L'interminable guerre espagnole elle-même, malgré les ravages qui l'ont souvent accompagnée, ne saurait prétendre ravir au conflit religieux la première place dans les annales de ce siècle tourmenté. Et c'est pourquoi, à tout prendre, l'événement capital de l'année 1559 n'est pas la signature du traité de Cateau-Cambrésis (3 avril), mais bien la promulgation de l'édit d'Ecouen, le 2 juin, quelques jours seulement avant le tournoi de la rue Saint-Antoine où le roi fut mortellement blessé, édit par lequel Henri II proclamait solennellement son intention de livrer un combat sans merci à l'hérésie.

DEUXIÈME PARTIE

LE MONDE DES LETTRES

CHAPITRE I

LES INFLEXIONS DE LA POÉSIE

De Villon à Ronsard, la poésie française prend son véritable essor et envahit tout le domaine littéraire. Dresser le tableau d'un siècle et demi d'intense création exige que l'on ne se contente pas de vues trop cavalières ni des quelques noms toujours cités, mais au contraire que l'on essaie de rendre justice à toutes ces voix, souvent mal entendues, injustement méconnues, qui participent au concert, pour percevoir les inflexions et les tonalités originales qu'elles traduisent. C'est à ce prix qu'un panorama aura quelque chance d'être équilibré et équitable.

Jusqu'en 1550, la poésie se développe et se transforme de façon continue, sans heurts, sans brusques mutations, sans ruptures. Mais continuité ne veut dire ni uniformité ni immobilité. C'est ainsi que se dessinent quelques étapes assez nettement marquées, correspondant en gros aux règnes : les poètes des temps difficiles (sous Charles VII, 1430-1470 env.), l'âge des rhétoriqueurs (sous Louis XI et Charles VIII, 1460-1500 env.), la génération des poètes « bourgeois » (règne de Louis XII, 1500-1530 env.), le groupe des marotiques (règne de François Iᵉʳ, 1520-1550), doublé par celui des Lyonnais. Enfin viendra le temps de la Pléiade, marqué par le coup

d'éclat de 1550, hautaine proclamation révolutionnaire, insuffisamment réalisée et vite récupérée dans
un nouvel académisme de convention. Encore serait-
il nécessaire bien souvent de nuancer les passages
d'une étape à l'autre, ou à l'intérieur d'un même
moment, sans compter avec les inclassables.

En revanche, l'exercice du « métier » poétique
varie peu. S'il est toujours le lot des heures perdues,
il est évidemment dépendant de la position sociale :
un prince ou un noble peut s'y adonner en toute
liberté d'esprit ; un clerc pourra y voir le prolongement de son ministère. Pour tous les autres (ils sont
la majorité), la poésie ne saurait constituer l'activité
principale : la subsistance doit être assurée par une
place, plus ou moins honorifique, par un bénéfice.
Autrement dit, le poète est un quémandeur ; il n'a
pas, ou guère, d'indépendance ; il est et se sait au
service de quelqu'un. Et il écrit en pensant à un
destinataire précis : le protecteur, qui paiera une
dédicace flatteuse de bon argent comptant, le
confrère qu'il s'agit d'égaler ou de surclasser et par
lequel il faut être reconnu, la femme aimée, l'inspiratrice par excellence, le disciple à qui il convient de
transmettre une doctrine. Peu à peu cependant,
l'imprimerie assurera une diffusion plus large, plus
anonyme aussi, auprès d'un public moins présent,
moins proche de l'auteur. L'importance grandissante
des cours contribuera à modifier le statut de l'écrivain, en le plaçant dans la dépendance directe des
grands, en l'amenant à composer des œuvres de
commande ou des poésies de circonstance, mais aussi
en facilitant les échanges. La poésie s'ouvre sur le
monde, sur certaines littératures étrangères, et les
poètes ont conscience d'appartenir à une communauté. Ils ont d'ailleurs diverses occasions de
confrontation : les puys ou les concours (comme
celui des Blasons). Qu'ils se confinent dans une
studieuse retraite ou qu'ils vivent dans les cours, ils
multiplient au moins les contacts épistolaires, échan-

gent des compliments (et parfois se querellent). Ils écrivent par désir de gloire plus que par désir d'argent, et aussi par conviction d'utilité publique. Ils ont le sentiment d'avoir un rôle à jouer : éducateurs des princes, guides moraux des hommes, serviteurs des puissants et dispensateurs de gloire, défenseurs de la langue vulgaire et diffuseurs du savoir. Ils sont convaincus de l'excellence de la poésie et ils la mettent au service de la *dignitas hominis*.

Leur art (poétrie ou seconde rhétorique, et poésie seulement vers 1514) trouve tout d'abord sa codification dans un ensemble de traités (*Doctrinal* de B. Hérenc, 1432 ; *Art de rhétorique vulgaire*, de Molinet, entre 1482 et 1492 ; *Instructif* de l'Infortuné, v. 1500 ; *Le Grand et Vrai Art de pleine rhétorique*, de Pierre Fabri, 1521 ; *L'Art et science de rhétorique métrifiée*, de Gratien Du Pont, 1539) qui s'arrêtent à de sèches définitions, aux recettes de fabrication, aux détails techniques. Utiles sans doute, mais limités. Et il faudra attendre Thomas Sébillet (*Art poétique français*, 1548), Peletier, Pontus et même Du Bellay (*Défense et Illustration*, 1550) ou Ronsard (*Abrégé de l'art poétique français*, 1565) pour trouver enfin une réflexion sur l'inspiration et l'imitation, sur les catégories de sujets et sur la vocation poétique.

L'éventail des genres, reprenant diverses formes traditionnelles comme le poème, strophique ou non, ou les petites pièces à structure fixe (ballade, rondeau) ou libre (chanson), va s'ouvrir graduellement à de nouvelles variétés, plus souvent définies d'ailleurs par leur contenu et par leur allure. C'est ainsi que sont successivement cultivés le doctrinal et le débat, la déploration, le dit ou blason par les poètes du xve siècle ; l'épître, l'élégie, l'églogue, l'épigramme par les poètes marotiques ; le sonnet et l'ode par les émules de la Pléiade. Au xve siècle, on recourt volontiers au prosimètre qui fait alterner les passages en prose et les développements versifiés. A l'époque de Marot, une autre caractéristique est la place faite aux formes brèves, en particulier au dizain. Après 1550, on notera l'apparition envahissante du terme « poème » correspondant à toute suite versifiée d'une certaine ampleur, organisée par strophes ou librement construite.

La création poétique se nourrit de ce qui l'a précédée : la trame des références aux antécédents est fondamentale. Non seulement dans le respect manifeste des « autorités » poétiques, antiques ou récentes, mais dans un jeu constant d'allusions, de renvois, d'échos, d'imitations ou de réminiscences. Une œuvre nouvelle se greffe d'abord sur ce qui existe déjà : on ne peut mieux progresser qu'en prenant la trace. De nombreuses filières se dessinent ainsi : la tradition nationale, du *Roman de la Rose* à Alain Chartier, les modèles latins (Virgile, Ovide, Martial) puis grecs (Anacréon, Pindare, Homère), la lignée ininterrompue des poètes (néo-)latins (de Martianus Capella à Jean Second), enfin Pétrarque et ses émules italiens. La production nationale est abondante, sans « creux » ; la part des œuvres non signées reste assez importante. Enfin, il faut signaler l'apparition des premières anthologies (tel le fameux *Jardin de Plaisance et Fleur de Rhétorique* de 1501) dès la fin du XVe siècle, et la diffusion du lyrisme mineur par le biais de la chanson polyphonique puis monodique.

Les poètes des temps difficiles

Si la génération de 1430 prend le relais des Chartier et Pisan, comme aussi du *Roman de la Rose,* elle offre un visage singulier, que les circonstances historiques expliquent aisément. Ceux qu'elle rassemble sont des poètes d'arrière-saison, des « enfants perdus » aux vies malmenées par le destin, déchirées par les guerres, pauvres individus effrayés par les écroulements qu'ils contemplent, par les menaces dont ils sentent la proximité. L'angoisse est leur compagne, la peur de vivre et la peur de mourir, l'appréhension face à l'incertain du quotidien. Leur refuge est la foi et la vertu ; leur évasion, parfois, le rêve chevaleresque ou idyllique. Et souvent on perçoit la voix d'un homme derrière le chant du poète.

C'est le temps des derniers poètes courtois, dominés par l'admirable Charles d'Orléans. Ils sont confinés dans les cours, souvent brillantes et actives, mais coupées de la dure réalité (à Moulins, autour de Jean de Bourbon ; à Angers ou Tarascon, près du bon roi René ; à Blois, avec Charles d'Orléans ; ou à la cour du duc de Bourgogne). Esthètes élégants et virtuoses, ils cisèlent de belles formules un peu creuses en rondels et ballades. La poésie du cœur, que Christine de Pisan avait en partie arrachée à la convention, retourne aux lourdes machineries allégoriques et à l'académisme de débats tendant à l'exaltation du Bien Aimer. Les mouvements intérieurs deviennent des figurants dans une mise en scène un peu factice. On calcule et on joue, peut-être pour s'étourdir, pour échapper à l'inquiétude. Et l'on se montre un peu trop soucieux d'imiter le prince-poète pour que les réussites soient nombreuses (Blosseville, Frédet, Gilles des Ormes, le jeune Jean Robertet). Un autre poète princier présente un destin et une œuvre typiques : René d'Anjou (1409-1480). Il rassemble sur sa tête une pile de couronnes chimériques (Jérusalem, Hongrie) ou contestées (Naples et Sicile) ; il se contentera de l'Anjou et de la Provence. Politique maladroit et naïf, malchanceux aussi, il est, comme Orléans, la risée du réaliste Louis XI. « Plus paresseux que diligent », vite résigné aux échecs, il s'épanouit dans le rêve artistique. « Un roi sans divertissement est un homme plein de misères » : à ce compte, René fut assurément un homme heureux. A Angers, Aix ou Tarascon, il réunit autour de lui artistes et écrivains, il organise tournois, fêtes, bals, joutes nautiques, représentations de mystères. Affa-

ble et fastueux, il joue au mécène. Et il écrit, avec art
et même avec talent ; mais aussi dans un style diffus
et prolixe, pour redire à sa manière ce qui s'écrivait
quelques lustres plus tôt. Un austère dialogue mystique et moral entre le cœur et l'âme, *Le Mortifiement
de Vaine Plaisance* (1454), en prose mêlée de vers ;
une pastorale aimablement versifiée, *Regnault et
Jehanneton* (v. 1466), où l'on discute amour courtois
tout en jetant un coup d'œil sur un paysage idyllique ;
et surtout le *Livre du cœur d'amour épris* (1457),
prosimètre où se développent les aventures allégoriques de Cœur, aidé par Désir pour conquérir Douce
Merci, dans un long rêve amoureux et chevaleresque.
Attaché à un idéal en voie d'extinction, appliqué à
reproduire des codes, le bon roi René est vraiment
un épigone.

C'est à ce moment que déferlent sur la poésie, en
une soudaine floraison, les thèmes macabres. Depuis
l'*Histoire des trois morts et des trois vifs* (v.1295),
relayée par la célèbre *Danse macabre* du cimetière
des Innocents (1424) et son commentaire en vers par
Jean Gerson (1425), l'image de la Mort se fait
obsédante, grimaçant partout et enseignant à méditer
sur les fins ultimes de l'homme. Dans des œuvres où
la part du lieu commun est grande, mais que l'évocation réaliste ou l'émotion rendent souvent saisis-
santes et fortes, les poètes dégagent du thème trois
grandes orientations : la complainte élégiaque *(Ubi
sunt... ?)* sur la caducité des splendeurs terrestres
(thème de la *vanitas*), le spectacle affreux du cadavre
décomposé, du squelette nettoyé par les vers, du
charnier *(timor mortis),* enfin le triomphe de la Mort,
ange exterminateur conduisant une danse où personne ne manque, où les morts viennent entraîner les
vivants. Dans les *Vigiles des morts* (v. 1430), Pierre
de Nesson brosse un tableau brutal et saisissant de
l'homme, poussière et néant, charogne et pestilence ;
et cette description sans ménagement doit intensifier
la portée morale de la méditation, qui va s'apitoyer

sur cet être fragile et menacé. Elle tend un miroir au lecteur : c'est ainsi que tu seras, la mort est déjà à l'œuvre en toi, penses-y bien et prépare-toi. La *Danse macabre des femmes,* de Martial d'Auvergne (éd. en 1486) se veut la suite et la réplique de l'œuvre de Gerson. Chaque « tableau » se termine par une sentence et s'anime d'évocations familières : la villageoise a tant souffert dans sa vie qu'elle endure la mort « vaille que vaille, bien en gré et patience », la fillette demande que l'on range sa poupée, l'amante est surprise dans le jardin où elle cachait ses rencontres galantes. La Danse macabre permet une satire des états (comme dans *La Grand Diablerie,* d'Eloi d'Amerval, éd. en 1495) ou une vibrante exhortation à se mirer dans ce spectacle horrible (Jean de Castel, *Spécule (Miroir) des Pécheurs,* 1468). Elle rappelle à l'homme, trop souvent oublieux de son salut, qu'il convient de mépriser le monde pour éviter les peines d'enfer et que la Mort, accomplissant une mission divine, trie les âmes et ouvre les portes du paradis à ceux qui sont « bien morts » (anon., *Le Mors de la pomme,* v. 1450). Dans le *Miroir de Mort* de Chastellain, c'est l'agonie de la femme aimée qui révèle à l'homme ce qu'il est et ce qu'il sera et qui suggère une exhortation âpre et émouvante. On songe encore à la *Danse aux aveugles* de P. Michaut, au *Pas de la Mort* d'Amé de Montgesoie (1465) ou, plus tardivement, à la *Vision de Mort* de Robert Gobin (1504 ?). Les fins didactiques s'appuient sur l'évocation d'un spectacle poignant, « expressionniste » (le pathétique de l'agonie, le réalisme de la décomposition, le fantastique du squelette) pour rappeler l'égalité devant la mort et la nécessité d'une préparation. Dans ces variations de l'*ars moriendi* se perçoivent des accents étranges (malgré le côté un peu mécanique de ces revues), de sombres harmonies d'une frénésie morbide résolues enfin dans l'apaisement de la miséricorde divine.

A côté de l'évocation de l'humaine condition dans ce qu'elle a de plus commun et de plus terrible, on trouve aussi pendant cette période une riche poésie de la tribulation, où seul le « moi » individuel est mis en scène, où l'expérience vécue de la prison, de la captivité, de la guerre ou de l'infortune devient matière poétique (P. de Nesson : *Lai de guerre*). Dans ses *Fortunes et Adversités* (v. 1432), Jean Régnier, longtemps emprisonné, raconte ses misères et fait un retour sur son passé, cherchant une consolation dans la poésie ; après avoir évoqué l'exemple d'illustres malheureux et brossé un tableau de son temps, il dresse son testament spirituel avec une ferme simplicité et un juste sens du pittoresque. Michaut Taillevent, dans *La Détrousse* et surtout dans *Le Passe-temps* (1447), rapporte ses expériences décevantes et ajoute à ses plaintes et regrets une méditation sur l'existence. Pierre Chastelain, dit Vaillant, consacre son *Temps perdu* (1440) et son *Temps recouvré* (1451) aux souvenirs d'un pauvre hère, vagabond désabusé, qui déplore sa pauvreté et laisse deviner son amertume. Ce que font aussi Jean de Calais, Henri Baude ou François Garin. Tous ces infortunés, accablés par Faute de Pécune, par les revers et par les déceptions, s'apitoient sur leur sort avec une ironie moqueuse et se résignent à un fatalisme un peu désabusé.

Plus abondante encore est la poésie des « nouveaux moralistes » qui prolongent la tradition allégorique et satirique des âges précédents. Poésie doctrinale et sentencieuse à visées didactiques, dont le mode d'expression favori est le débat allégorique traduisant les grandes alternatives et les grands choix de l'existence. Dans *L'Estrif de Fortune et de Vertu* (1447-1448), prosimètre en trois livres, Martin Le Franc (v. 1410-1461) met en scène une dispute arbitrée par Raison afin de démontrer « que Vertu et Noblesse ne peuvent être sujettes à Fortune ». Il lui avait fallu les 24 000 vers du *Champion des dames* (1440-1442) pour exposer dans le débat entre Malebouche et Franc Vouloir les arguments contre et pour les femmes, en « corrigeant » les erreurs du *Roman de la Rose* pour aboutir à l'apologie des femmes et du mariage. D'une infaillible érudition et d'une élévation morale incontestable, Le Franc entasse les songes et les visions, les personnifications pittoresques et les arguments les plus piquants. Mais il donne souvent dans la poésie de catalogue, au flux interminable ; incapable de renoncer à une idée, il se croit toujours obligé de remonter au déluge. Ses longueurs lui font du tort, car il lui arrive d'être excellent poète, plein de verve souriante et capable d'élans lyriques au souffle généreux.

Défauts et qualités qui sont communs aux auteurs de cette catégorie, où se signalent encore d'autres poètes non négligeables. Ainsi Pierre Michaut, auteur d'une *Danse aux aveugles* (1464), belle vision du pouvoir de Mort, Cupidon et Fortune, qui mènent le monde, et sages leçons d'Entendement proposant une règle de vie. Dans un autre prosimètre, le *Doctrinal du temps présent* (1466), il imagine un voyage allégorique à travers les douze vices qui accablent la société contemporaine, qu'il satirise avec une ironie vigoureuse pour mieux rappeler les devoirs moraux de chacun. Enfin, il fait à son tour l'apologie des femmes dans le *Procès d'Honneur féminin,* conclu par la sentence très morale de Raison. Si Guillaume Alécis dénonce à nouveau les *Feintises du monde*, il se montre bien moins favorable à la femme dans son *Blason des fausses amours* (entre 1451 et 1486), long dialogue entre un amoureux et l'auteur qui réfute tous ses arguments sur un ton bonhomme, railleur et plein de malice et dans une langue sans surcharge, simple et directe. La femme et l'amour restent des thèmes de prédilection (*La Fontaine périlleuse* met en garde un jeune homme contre les dangers encourus ; *La Forêt de Tristesse* de Jacques Milet, 1459, se veut un plaidoyer en faveur des femmes, comme *Le Miroir aux dames* (1450) ou le *Dialogue de l'homme et de la femme* de Philippe

Bouton). L'un des meilleurs textes de cette veine est *L'Amant rendu cordelier en l'observance d'amours* (fin xve s., anonyme, attribué sans preuves à Martial d'Auvergne), ingénieuse mise en scène des doléances d'un amoureux déçu, badinage spirituel, souvent caustique, analyse malicieuse et brillamment écrite des faiblesses de l'amour. Quant à *L'Abusé en cour* (par Charles de Rochefort ?, v. 1460-1470), c'est un guide romancé pour éviter les pièges de la vie courtisane et galante, à travers l'exemple d'un pauvre miséreux qui a succombé aux tentations et qui s'est retrouvé dans la détresse.

Au déclin de la lyrique amoureuse (qui ne refleurira qu'avec Marot) correspond alors la prédominance de la poésie morale et raisonneuse, appuyée sur les images funèbres et « réalistes » ou sur les allégories. Les jeux poétiques sont cantonnés dans les milieux aristocratiques rétrogrades, alors que la note personnelle est souvent perceptible ailleurs. La matière épique ou héroïque est pratiquement absente. Quant à la forme, elle reste tributaire du *Roman de la Rose* ou de Chartier, avec un côté litanique qui fonde le lyrisme sur la redondance insistante.

L'âge des rhétoriqueurs

Forment-ils une école ? oui, sans doute, puisqu'ils ont en commun un idéal artistique et un « code » de formulation poétique ; oui encore, puisqu'il y a entre eux des analogies de situation et des relations littéraires. Mais à condition évidemment de ne pas confondre les uns avec les autres et de ne pas leur annexer les poètes qui prolongent la tradition moralisante de la génération précédente ni les représentants d'une poésie « bourgeoise » ou familière ; à condition aussi de mesurer l'écart qui sépare un Chastellain (mort en 1475) d'un Jean Marot (mort en 1526), voire d'un Bouchet (mort vers 1557 !). Longue période donc, dont l'acmé se situe entre 1460 et 1498, correspondant à l'apogée de la maison de Bourgogne puis au spectaculaire rétablissement du royaume de France. Elle est jalonnée par les noms de Chastellain, Meschinot, La Marche, Molinet, Octovien de Saint-Gelais, La Vigne, Cretin, d'Auton, Lemaire, Jean Marot et Jean Bouchet.

Ce sont des poètes engagés dans leur temps, qui vivent et commentent l'actualité et qui la dépassent, se consacrant à la grande poésie, celle qui a l'ambition de toucher aux sujets nobles, dans la contingence ou dans l'intemporalité, de traduire les grands élans, individuels ou collectifs. Ils ne rougissent pas de donner leur plume aux princes, de se considérer comme les porte-parole d'un état ou d'une nation : ils ont pour eux leur conviction. Leur volonté aussi de servir à quelque chose : ils revendiquent la place de la poésie dans la société. L'analyse de la réalité contemporaine conduit à dégager une éthique. Justifier les choix politiques, légitimer une cause consiste à rappeler un projet tendant à la paix, à la concorde, au bonheur des hommes. Rêve d'humaniste : le poète est le conseiller des souverains, l'instructeur des princes, l'éducateur des hommes. C'est pourquoi il doit allier à l'art le savoir, science et sagesse à la fois, ajouter la culture à la nature, avoir l'expérience des livres et celle de la vie. Les rhétoriqueurs prennent le ton de la grande satire au nom de l'idéal moral ; ils sont lyriques et passionnés dans leur réflexion sentencieuse.

La poésie est donc chose sérieuse à leurs yeux, même si elle s'accommode parfois de badinages. Ils ont une certaine idée de l'inspiration, « divine manière d'infusion de grâce » (Telin), et ils révèrent les grands auteurs de l'Antiquité en même temps qu'ils sont attirés par les autres arts. Ce qui constitue la poésie à leurs yeux, ce sont les fictions, mythologiques ou allégoriques, car ils ont beaucoup de réticence à manier les concepts, à penser par abstrac-

tions : il leur faut les psychomachies, les personnifications qui donnent une dimension concrète aux
sentiments et aux idées et qui facilitent les mouvements de la dialectique raisonneuse. Mais, en fin de
compte, l'essentiel reste le sens que véhiculent ces
fictions. Il n'empêche que les rhétoriqueurs passent
généralement pour les funambules du vers, les tara-
biscoteurs de la poésie. C'est les juger avec injustice
et trop partiellement. Tout d'abord, l'appellation
même de rhétoriqueurs (ou plus exactement « rhétoriques »), qui renvoie à une dénomination fréquente
de la poésie comme « seconde (ou grande) rhétorique », montre qu'ils entendent valoriser la technique. La poésie est avant tout affaire d'expression ; le
poète ne crée pas, il retrouve une vérité préexistante
et la traduit d'autant plus sûrement, d'autant mieux
qu'il s'applique au bien dire. Le rhétoriqueur fait
confiance à la majesté oratoire du style, à la déclamation solennelle qui s'efforce d'imiter les Latins,
Virgile en tête. La phrase a l'ampleur, les replis et les
inflexions, la dentelure compliquée d'une verrière
flamboyante. Le rhétoriqueur est l'ornemaniste du
vers : il recherche l'effet, l'ingéniosité et le brillant.
Et tous les exercices formels de virtuosité savante
auxquels il se livre traduisent le goût de la difficulté à
vaincre, de la contrainte à maîtriser, le plaisir de
l'arrangement et du maniement des mots. Il tend
parfois à l'autonomie du langage, et toujours il
affirme la valeur propre du français, dans sa texture
sonore, dans sa force expressive, dans son équilibre
harmonieux. S'il développe une poésie de la
prouesse, c'est qu'il a le culte de sa langue et la
conviction qu'elle forme un sens.

Ainsi, les rhétoriqueurs sont réellement des inno-
vateurs en matière d'art. Ils ont créé un langage
poétique et inventé une prosodie. Ils ont recherché
de nouveaux modes d'expression, favorisant entre
autres le prosimètre, forme souple et « somme » de
toutes les formes. Le respect des règles n'a pas

entravé la liberté inventive chez ces « inquiets de la forme belle » (J. Frappier), ces stylistes attirés par la richesse de l'ornement et par l'harmonie des ensembles qui ont eu « l'ambition des architectures grandioses » (J. Vier).

Ils ont vécu à l'ombre des puissants, changeant à l'occasion de maître après un deuil, une brouille ou une trop maigre gratification. Particulièrement accueillantes leur furent les cours de Bourgogne (Philippe le Bon, Charles le Téméraire) et de France (Anne de Bretagne), de Marguerite d'Autriche (à Pont-d'Ain ou à Malines), mais aussi celles de personnages moins importants (Bourbon, Lorraine, Amboise, Luxembourg-Ligny ou Louise de Savoie). En retour, les poèmes deviennent instruments de prestige ou de propagande et s'ornent de dédicaces flatteuses ; et quand celles-ci ne s'adressent pas au protecteur, elles honorent le confrère (qui évidemment rendra la pareille). En somme, c'est un petit monde, qui a ses règles et ses limites, avec des places à prendre et des relations à cultiver.

A la tête des rhétoriqueurs se trouve un écrivain prolixe et puissant, Georges Chastellain (1404 ?-1475), fidèle serviteur de Bourgogne, dont la manière est faite d'emphase, de gravité et d'ampleur ; ses vers religieux ont une allure lente et méditative *(Louange à la très glorieuse Vierge)*, ses vers moralisants sont animés d'une émotion frémissante *(Miroir des nobles hommes de France)* ; il sait être ingénieux et souriant dans ses œuvres familières ou galantes (rondeaux et ballades). Son contemporain, le Breton Jean Meschinot (1422-1490), dévot et sévère, rappelle avec fermeté les grandes règles morales *(Lunettes des princes)* tout en se peignant avec sincérité et sachant se montrer sensible aux faiblesses et aux misères humaines. Olivier de La Marche (1425 ?-1502), peintre de la vie de cour et grave précepteur des femmes *(Parement des dames)*, est un poète appliqué et un peu terne ; proche du

Téméraire, il est mieux inspiré par le tragique destin du dernier Bourguignon (*Le Chevalier délibéré,* 1483) qu'il évoque avec mélancolie. Disciple de Chastellain, Jean Molinet (1435-1507) servit le Téméraire, Maximilien, Philippe le Beau et Marguerite d'Autriche. Bon vivant et bon poète, c'est le grand virtuose du groupe, mais un intarissable bavard. Il sait être charmant de fraîcheur et d'entrain (*Débats, Testament de la Guerre, Ages du monde*), véhément et ému (*La Ressource du petit peuple*), comme il peut être ampoulé et contorsionné dans des recherches formelles éblouissantes et artificielles. Esprit assez superficiel, mais talent très varié, il est attiré par la singularité et le raffinement. Octovien de Saint-Gelais (1468-1502), attaché à la maison d'Angoulême, brillamment doué, écrit beaucoup et vite, traduit en vers habiles les Anciens et compose un ambitieux prosimètre moral (*Séjour d'honneur,* 1490-1494). L'étrange André de La Vigne (vers 1470-après 1515) se laisse aller à de surprenantes imaginations et à une véritable ivresse verbale sans perdre de vue ses intentions moralisantes (*Ressource de la chrétienté*). Quant à Guillaume Cretin (?-1525), c'est un artisan exemplaire et sans génie, sérieux, posé et honnête ; bon styliste sans doute, mais auquel manque l'élan de l'inspiration et l'aisance. Jean Marot (vers 1450?-1526) est à la fois un poète national et courtisan parfois effleuré par le souffle épique, l'élégant défenseur des femmes (*La Vrai-disant Avocate des dames*) et un versificateur bonhomme et malicieux. Jean Bouchet enfin (1476-1557), épigone abondant et obstinément fidèle à la vieille école, compose de lourds poèmes moraux (*Les Regnards traversans les perilleuses voies des folles fiances du monde ; Le Labyrinthe de Fortune*) et des épîtres familières, naïves et pittoresques, du plus grand intérêt pour la connaissance de la vie et des milieux littéraires au début du XVIe siècle.

Avec les rhétoriqueurs, l'éventail des genres et des

thèmes poétiques s'élargit considérablement. Dans leurs grands prosimètres se développent les psychodrames allégoriques, les sommes morales ou les doctrinaux des princes ; la poésie politique se veut proclamation de hauts faits, légitimation de desseins et transposition héroïque ; à la satire politique s'ajoute une éthique de l'histoire ainsi que l'expression d'un idéal de vie simple et paisible. Les chroniques versifiées rejoignent les *exempla* tout en poétisant les étonnements naïfs face aux événements extraordinaires. La mort des grands de ce monde, et particulièrement des protecteurs, inspire de solennelles épitaphes, des panégyriques dramatisés, d'amples célébrations ciselées comme autant de cénotaphes glorieux et nostalgiques. La poésie religieuse célèbre surtout le culte de la Vierge, trouvant parfois des accents d'une suavité franciscaine ou d'une carrure lyrique à la Péguy. Les débats sur la femme et sur l'amour sont légion, vibrant des échos d'une expérience personnelle (*L'Outré d'amour* de Chastellain), empreints de malice souriante, de passion oratoire ou de scrupule moral. En revanche, le lyrisme amoureux proprement dit marque un peu le pas. La poésie scientifique et philosophique organise et exalte des pans entiers de la connaissance pendant que la poésie didactique donne forme aux préceptes du bien vivre. Le genre nouveau de l'épître, artificiel dans l'héroïde, s'anime en saisissant une réalité familière, personnelle, voire intime. Et les petits genres lyriques (rondeaux, ballades, chants royaux), maniés avec brio, traduisent avec bonheur des instantanés poétiques. On a pu reprocher aux rhétoriqueurs leur prolixité, l'abus du lieu commun, la surcharge des ornements, la lourdeur de leur machinerie poétique (songes, allégories, prosopopées, mythologie conventionnelle). Défauts qui sont le revers de qualités très appréciables dans l'évolution poétique et qui traduisent le désir de donner une forme belle aux idées. Après décantation, leur manière deviendra celle de Marot, qui fera brillamment fructifier l'héritage.

La poésie « bourgeoise »

Dans les dernières années du xvᵉ siècle, et surtout sous le règne de Louis XII, le ton change, et l'esprit. Certes, la tradition des rhétoriqueurs se poursuit, principalement dans le domaine de la poésie morale (le doctrinal demeure un genre en vogue). Mais les poètes issus d'un milieu citadin, de bonne bourgeoisie souvent cossue, appartenant au monde de la justice, traduisent dans leurs vers une attitude qu'on dirait presque « de classe », tant s'y reflète le tempérament des couches moyennes de la population. La bourgeoisie prend conscience de son importance et de son pouvoir : elle contrôle le commerce et donc le mouvement financier, elle accapare les « offices » et détient les rouages de la vie administrative, elle entend défendre ses intérêts, qui réclament une France forte, unie, en expansion.

Les poètes bourgeois sont animés par un esprit nationaliste, « cocardier », volontiers xénophobe, par un loyalisme sans faille et par un goût de l'ordre fort marqué. La nouveauté leur inspire le sarcasme. Volontiers moralisants, ils satirisent avec une ironie mordante et parfois grincheuse une évolution de la société où ils ne voient que dégradation et pratiquent la *laudatio temporis acti*. Ils sont religieux, sentencieux et ergoteurs. D'idées assez étroites et terre à terre, ils sont dépourvus de lyrisme et d'élévation. Mais la vie quotidienne les attire : leur vision du monde est empreinte de quelque réalisme, ils ont le sens et le goût de l'observation. Qu'ils mènent une vie facile ou précaire, ils ne se départissent guère de leur bonhomie un peu lourde, d'une jovialité malicieuse et surtout railleuse. Ils appartiennent souvent aux confréries de clercs, comme la Basoche (qui rassemble les étudiants en droit) ou aux sociétés de

« fous » (les Enfants sans souci, conduits par le Prince des Sots et par Mère Sotte ; l'abbaye des Conards à Rouen, la compagnie de Mère Folle à Dijon, etc.). Ils participent activement aux distractions de leurs groupes : fêtes, représentations théâtrales, réunions facétieuses, telles ces « causes grasses » plaidées pour rire au temps du carnaval. On y goûte, non seulement le sel d'une plaisanterie plus ou moins fine, mais aussi la verdeur satirique des appréciations politiques, des allusions à l'état des mœurs ou des attaques *ad personam*. Toute cette matière se retrouve brassée dans une production poétique qui a de l'intérêt, mais qui n'offre jamais de chef-d'œuvre.

Le basochien Henri Baude (†v. 1495) dénonce le manège de la justice dans le sarcastique *Testament de la mule Barbeau*, la vie dissolue des gens d'église dans les *Lamentations Bourrien* dont Marot condensera le sel et les formules, et l'hypocrisie des courtisans et « gorriers de cour » (bons vivants) brocardés en ballades et en dits. L'amertume de l'expérience personnelle (Baude a passé une dizaine d'années en prison) donne à sa verve railleuse un côté un peu tendu et ses réactions sont âpres et nerveuses.

Guillaume Coquillart (†v. 1510), basochien lui aussi, est le meilleur représentant de cette veine. Avocat à Paris, puis chanoine à Reims, issu de la bourgeoisie provinciale aisée, c'est un poète réaliste et satirique à la langue bien pendue, qui dit son fait à chacun sans grands ménagements, mais de façon spirituelle et acerbe. Ce « composeur gaillard » a tendance à voir le mauvais côté des choses : les femmes et l'amour, l'esprit chevaleresque ne lui inspirent que piques méprisantes. Il se divertit aux « causes grasses » *(La Simple et la Rusée)* ou à la parodie des traités de jurisprudence (dans un long poème, qui est sa meilleure œuvre, les *Droits nouveaux*) : plutôt que dans la « lignée de Villon », il est dans celle de Martial d'Auvergne. Il compose aussi plusieurs monologues dramatiques, dont l'excellent *Monologue Coquillart,* ainsi que des œuvres liées à l'actualité historique (*Blason des armes et des dames,* diverses ballades). Adroit poète, un peu facile, à l'aise dans l'octosyllabe sautillant, Coquillart, qui ignore les subtilités de la rhétorique, est alerte et plaisant.

Dans son sillage se presse une cohorte de talents moyens, tels le mystérieux Maximien, satirique un peu lourd et résolu détracteur des femmes (*L'Avocat des dames de Paris,* v. 1500 ; *Débat des dames de Paris et de Rouen,* 1508), ou Laurent Desmoulins, auteur d'un long poème moral, appliqué et naïf, *Le Cimetière des malheureux,* dit aussi *Le Catholicon des malavisés* (1511), enseignant la détestation des vices à travers l'habituelle figuration allégorique. On y remarque l'écho de Sébastien Brant et de la *Nef des folles,* de Josse Bade, traduite par Jean Drouyn en 1498. Un peu plus tard, Jean Du Pont-Alais, des Enfants sans souci, ne craint pas, dans ses *Contredits de Songecreux* (1529), de dénoncer avec un franc-parler caustique un état de société peu satisfaisant à ses yeux ; sa rudesse et son exubérance habillent le sérieux d'une pensée parfois « révolutionnaire ». L'Astésan J. J. Alione entasse dans ses *Opera jocunda* (1521) des poésies de circonstance flattant les Français (*Voyage et conquête de Charles VIII, Conquête de Louis XII, Dit* sur Marignan), des exercices rhétoriques laborieux *(Chapitre de Liberté)* et quelques vers facétieux *(Dit du Singe).* Jean d'Adonville, bohème et « gorrier », appartient lui aussi aux Enfants sans souci ; dans des œuvres au style mal maîtrisé, il se fait l'écho des souhaits populaires, — paix et bombance —, sur un ton qui se veut à la fois badin et persuasif *(Regrets et peines des malavisés, Moyens d'éviter mélancolie, Les Approches du bon temps).* Tous ces poètes ont également écrit des œuvres dramatiques, moralités ou farces, comme Jean d'Abondance, dont plusieurs recueils poétiques semblent perdus et qui est surtout connu par son théâtre.

Pierre Gringore († 1538 ou 39) est « Mère Sotte » dans la confrérie des Enfants sans souci ; c'est un petit bourgeois parisien, pamphlétaire du roi, moraliste et satirique. Il est bon dans la polémique ou l'invective politique (*Entreprise de Venise*, 1509 ; *Chasse du cerf des cerfs*, 1510-11, *Espoir de paix*, 1511, *L'Obstination des Suisses*, 1510, *Blason des Hérétiques*, 1524), ennuyeux dans l'allégorie morale (*Château de Labeur*, 1499, *Château d'Amour*, 1500) et piquant autant que grincheux dans la satire du temps (*Folles Entreprises*, 1505, *Abus du monde*, 1509) ; plus plaisant enfin dans les *Fantaisies de Mère Sotte*, 1526. Rassis et conformiste, il a la vue courte et l'esprit grognon : tout se dégrade, les anciennes valeurs sont méprisées, le bon peuple (les bourgeois) est exploité par les nobles et par l'Eglise. Mieux que dans ces récriminations, Gringore sait allier la verve et le pittoresque dans le récit de petites anecdotes ou lorsque la passion politique l'enflamme en de vigoureuses diatribes.

Enfin, Roger de Collerye († v. 1450) occupe une place à part. Rien ne lui a réussi dans la vie : « pauvreté l'a couvé » constamment, Plate Bourse et Faute d'Argent ont été ses compagnons les plus fidèles. Avec sa bonne humeur, son entrain insouciant, le sourire dans l'infortune et le contentement de peu, il est le prototype de Roger Bontemps. Dans ses *Œuvres* (1536) sont réunies de nombreuses petites pièces pleines de verve et d'esprit, écrites dans un style très personnel et très direct, détendu et sans surcharge rhétorique : on y apprécie surtout ses monologues facétieux, des dialogues très vivants, ses « épithétons et dictons », sortes d'épigrammes, et tous les vers où il évoque les déboires de la vie de bohème d'une manière qui annonce Marot.

L'esprit de la grande rhétorique allié à celui des poètes moralistes du siècle précédent anime encore de nombreux auteurs du règne de Louis XII. Parmi eux, le Lyonnais Symphorien Champier († 1537 ou 39), savant humaniste, se fait l'écho des idées néo-platoniciennes dans son prosimètre *La Nef des dames vertueuses* (1503) et prolonge la tradition du doctrinal dans sa *Nef des princes* (1502). Ce que fait également Simon Bougoync dans *L'Epinette du jeune prince conquérant le royaume de Bonne Renommée* (1508), allégorie qui « réussit à rendre l'amour maussade » mais qui ne manque pas de finesse psychologique. *Les Loups ravissants* de Robert Gobin (v. 1503), autre doctrinal en prosimètre, dénonce les vices de la société. L'orientation de Guillaume Michel de Tours, fécond et rigoriste, est plus nettement religieuse : *La Forêt de Conscience* (1516) invite à accepter les vicissitudes de la vie chrétienne alors que *Le Siècle doré* (1521) appelle à la conversion et que *Le Penser de royal mémoire* (1518) est une exhortation à la défense de la foi et à la croisade. Jean Du Pré dédie à Marguerite de Navarre son *Palais des nobles dames* (1531 ?), divisé en treize chambres allégoriques. Guillaume Telin perpétue les sommes médiévales avec son *Bref Sommaire des sept vertus, etc.* (1534). Antoine Du Saix donne un doctrinal pédagogique, *L'Eperon de discipline* (1532) à côté de deux recueils (*Petit fatras*, 1537 ; *Marquetis*, 1539) où il entasse des poésies morales, dévotes ou de circonstance, de forme très variée et répétant les jeux de la Rhétorique. Gratien Du Pont se perd dans la prolixité qui trop embrasse de sa lourde *Controverse des sexes* (1534). Quant à Charles de Hodic, il en revient aux débats allégoriques avec son *Adresse du fourvoyé captif devisant de l'étrif entre Amour et Fortune* (1532). Décidément, les vieilles formules ont la vie dure...

Comme on le voit, le premier tiers du XVIᵉ siècle n'a pas connu de vide poétique en attendant Marot, sans qu'il y ait eu toutefois de véritables indices de renouvellement. Parmi les poètes qui peuvent malaisément se ranger dans les courants que nous avons évoqués, détachons encore deux noms. Celui de Michel d'Amboise tout d'abord († 1547), écrivain « d'une fécondité odieuse » (H. Guy) mais non dépourvu d'intérêt. Il consacre ses vers faciles, un peu prosaïques et d'un tour assez personnel, à ses amours (*Le Penthaire*, 1530 ; *Les Epîtres vénériennes,* 1536 ; *Le Secret d'amours,* 1542) en donnant à ses sentiments et à son désir une expression souvent directe et élégante ; mais aussi à ses tribulations et emprisonnements (*Babilon*, 1535) : il s'était donné le surnom d' « Esclave fortuné », autrement dit le jouet de Fortune. Il publia encore des complaintes, de nombreuses épîtres, des rondeaux et des épigrammes, d'une tournure qui n'est ni celle des rhétoriqueurs ni celle des marotiques. Dans ses épigrammes, il imite Angeriano, sans atteindre au piquant des pointes de Marot, en atténuant la liberté de son modèle et en y adjoignant quelque sensibilité.

Retenons surtout le nom de Jean Parmentier († 1529), de Dieppe, fort cultivé (« une perle en rhétorique ») et hardi navigateur. Il composa quelques chants royaux pour les puys normands, en faisant appel à son expérience et à son sentiment de la mer pour renouveler les images poétiques et les allégories. Chargé en 1529 par l'armateur Jean Ango d'une expédition vers Sumatra et le Cathay (la Chine), il écrivit, pour ses matelots et pour lui-même, une belle exhortation (*Description nouvelle des merveilles de ce monde et de la dignité de l'homme,* éd. en 1531), où sont évoqués, avec un tour constamment ferme et juste, les joies de la découverte, l'admiration des beautés de la nature, l'attrait de l'immensité et l'appel de l'inconnu en même temps que le désir de servir son Dieu et son souverain.

Les poètes de la génération marotique

Il est difficile de regrouper avec quelque cohérence les poètes qui, sous le règne de François Ier, reconnaissent la prééminence de Marot. Celui-ci n'a jamais entendu jouer le rôle d'un chef d'école et, pas davantage que ses émules, il n'a de « doctrine » poétique en forme. Son tour, sa manière mêmes seront plus facilement imités par un Voltaire que par ses contemporains. Mais auprès d'eux il jouit d'un indiscutable prestige et c'est souvent sur son modèle que s'écrivent les vers. Le deuxième quart du XVIe siècle a connu, lui aussi, sa « grande flotte » de poètes (pour parler comme Pasquier), parmi lesquels figurent quelques noms intéressants à divers titres.

Les principaux foyers d'activité poétique sont les milieux de cour, la ville de Lyon, et quelques centres provinciaux de moindre importance, comme Toulouse, Rouen ou Poitiers. A la cour de François Ier, aimable poète amateur lui-même, à l'aise dans les galanteries langoureuses, nombreux sont les poètes pourvus d' « offices » (Macault, Papillon, La Borderie) pour qui écrire ne constitue qu'un passe-temps. Ainsi Claude Chappuys († 1575), bon représentant de ce groupe, allant de la poésie de circonstance aux poésies fugitives, trouvant son inspiration dans le moment et dans le particulier. Deux d'entre eux se distinguent par un « fond » plus solide et par la maîtrise des formes. Victor Brodeau († 1540) passe pour le disciple favori de Marot, dont il a la facilité légère dans ses piécettes mondaines. Il vaut surtout par son lyrisme religieux au ton soutenu et aux graves accents évangéliques (*Louanges de Jésus-Christ,* 1540). Hugues Salel († 1553), que la Pléiade estimera, offre une œuvre riche et variée : humaniste, il traduit Homère, il innove dans le domaine de la poésie bucolique (*Eglogue marine,* 1526), il platonise dans ses *Chapitres d'amour* en tercets ; marotique, il étale son esprit et son ingéniosité dans ses épîtres ou ses épigrammes ; héritier de la Rhétorique, il consacre un ingénieux débat allégorique, le *Dialogue de Jupiter et Cupidon,* aux remèdes « pour obvier aux dangers amoureux ». La présence de poètes à la cour royale se perpétue sous Henri II avec Lancelot de Carle († 1568), favori du souverain et protecteur des jeunes talents (Ronsard et Du Bellay parleront de lui avec estime), auteur d'hymnes et de sonnets religieux de belle facture. François Habert, le « Banni de Liesse » († ap. 1561), trop abondant, appliqué et sans grâce, a cultivé la poésie de circonstance, la spéculation allégorique (*Temple de Vertu,* 1542 ; *Temple de Chasteté,* 1549), mais aussi tous les genres marotiques dans ses *Visions du Banni de Liesse* (1540-41). Traducteur, poète religieux et moral, inventeur de la prose poétique (*Contemplation poétique,* 1544), il est à la fois fidèle aux goûts de sa jeunesse et ouvert aux nouvelles tentatives.

Le personnage le plus curieux du courant de poésie aulique est sans conteste Mellin de Saint-Gelais († 1558), qui jouit en son temps d'une très grande réputation, rivalisant avec Marot puis avec Ronsard. Très attiré par les modes italiennes, il se fait une spécialité des petites pièces d'album, d'un tour de main ingénieux et élégant, alliant la préciosité madrigalesque à l'ironique rosserie. Il n'écrit que des mignardises, conventionnelles et assez froides, mais d'un poli souverain et d'un esprit agréablement fleuri : c'est un maître des formes brèves et l'ancêtre de Voiture. Sa renommée un peu surfaite ne survivra guère à la publication d'un recueil de piécettes et aux attaques des jeunes gens de Coqueret.

Dans l'entourage de Marguerite, se rencontrent les penseurs religieux, les érudits, les traducteurs et les poètes. Ces derniers ont en commun une attirance pour les idées platoniciennes et une orientation plutôt méditative, alors que pour la facture des vers ils sont tributaires de Marot. Bonaventure Des

Périers (1510 ?-1544), esprit inquiet et tourmenté, est un écrivain complet : traducteur de Platon, collaborateur philologique de la *Bible* d'Olivetan, conteur alerte et penseur audacieux dans son *Cymbalum mundi,* suite de dialogues lucianiques au sens particulièrement sibyllin. Poète, Des Périers est un virtuose témoignant de géniales inspirations dans sa poésie familière aussi bien que dans ses vers moraux *(Des Roses, L'Homme de Bien)* où s'affirme une vive sensibilité et une gracieuse mélancolie ; il allie la richesse de la pensée à l'équilibre de la forme. Mais au sein d'une carrière brève et mouvementée, cette œuvre poétique n'a pu occuper la place qu'elle aurait dû avoir. Charles de Sainte-Marthe (1512-1555), qui tenait Marot pour son « père d'alliance », fut le vrai disciple de Marguerite, rêvant comme elle de concilier platonisme et christianisme. Dans sa *Poésie française* (1540), il chante une Béringue sous toutes les formes marotiques, avec un talent sobre et gracieux, empreint de naturel et de charme ; il y combine adroitement l'ingéniosité de son maître, les images et les tours pétrarquistes ainsi que l'idéalisme platonicien, voire la mystique évangélique. Il s'inspire souvent des poésies de la reine et, professeur à Lyon pendant les vingt dernières années de sa vie, il représente un trait d'union entre Marot et Scève. Antoine Héroët (?-1568), autre doctrinaire des idées platoniciennes, qui finira évêque de Digne, célèbre le pur amour dans *La Parfaite Amie* (1542), sorte d'art d'aimer en forme de monologue sentimental. Il y analyse en beaux vers graves et coulants la nature et les effets de l'amour spiritualisé. A l'image d'Héroët, l'entourage de Marguerite se caractérise par sa soif d'idéal, sa quête d'absolu, ses préoccupations d'ordre philosophique. Ces écrivains sont des esprits plus profonds que la majorité de leurs contemporains. La poésie est pour eux affaire sérieuse : ils ne la parent que d'un minimum de charmes, sauf dans les pièces plus détendues de

stricte obédience marotique, mais ils lui donnent
solidité et profondeur, ne se lassant jamais de redire
les grandes idées du platonisme chrétien.

L'empreinte de Marot sur la poésie de son temps
se marque de diverses manières. C'est tout d'abord
une conception de l'œuvre poétique, qui accompagne
la vie et qui entend conférer aux faits divers comme
aux grandes actions, aux menus propos comme aux
graves réflexions une dimension esthétique. C'est un
art de dire fait de grâce légère, d'ingéniosité plaisante, d'élégance apparemment détachée mais où un
certain sourire laisse deviner l'émotion. C'est un
effort vers la simplicité de l'expression, vers une
intelligibilité directe, immédiate ; une prédilection
avouée pour les « petits » genres (épigrammes surtout) ou pour les genres de la poésie familière
(épîtres). Le ton se hausse un peu pour aborder le
domaine de la poésie religieuse, qui se voue aux
pieuses effusions ou aux réflexions méditatives ; ou
celui de la poésie officielle, qui participe aux grandes
heures de la vie nationale. La poésie d'amour oscille
entre pétrarquisme ou platonisme et moquerie
badine, entre la dénonciation de la coquetterie
féminine et la soumission galante. Sans grands desseins, sans ambitions démesurées, la poésie se veut
écho de l'existence, reflet des soucis et des satisfactions, de la vie affective et de la vie spirituelle. Elle
est surtout moyen de contact avec un destinataire
proche et familier, à qui l'on se confie, auquel on
veut plaire, avec qui l'on partage cette mise en forme
des instants de l'existence.

Trois moments particuliers ont marqué l'histoire
de ce courant poétique. Ce fut tout d'abord le
Concours des Blasons, suscité par Renée de Ferrare
en 1536 à la suite du *Beau Tétin* de Marot : variations
poétiques sur un procédé descriptif en choisissant
une partie du corps féminin. Y participèrent entre
autres Héroët, Chappuys, Brodeau, Des Périers ;
Scève, qui blasonna à cinq reprises, emporta le prix

pour son *Sourcil*. Sans doute, ce ne fut là qu'un
divertissement de cour, mais on peut relever dans ces
piécettes une ingéniosité spirituelle, piquante et vive
qui prouve que Marot avait appris à ses émules à
faire des vers. Le second épisode eut lieu peu après
(1536-37) : ce fut la querelle avec Sagon, médiocre
poète normand, jaloux et intolérant, qui dans son
Coup d'essai avait accusé Marot non seulement
d'être mauvais poète, mais surtout d'être impie et
hérétique. Marot lui-même cloua le bec du
« sagouin » dans une étincelante épître. Mais ses
amis et ses disciples intervinrent avec vigueur alors
que dans l'autre camp seuls quelques insignifiants
apportèrent à Sagon leur maigre renfort. Ainsi donc,
même alors que Marot était en exil, et ami assez
compromettant, il était fièrement salué comme le
« père des poètes français », le « Maro » (Virgile) de
son pays.

Enfin, la plus importante controverse poétique
ranima, entre 1541 et 1545, un vieux débat, l'opposition entre détracteurs et apologistes de la femme. Au
xve siècle, Martin Le Franc répondait à Chartier, et
P. Michaut ou G. Alecis lui répliquaient ; puis les
rhétoriqueurs prirent la relève, souvent apologistes
de la femme (Champier ; C. Agrippa, *De praecellen-
tia foeminei sexus;* Jean Marot), contredits par le très
violent Gratien Du Pont. Les marotiques vont s'en
mêler : après Almanque Papillon qui dénonce crû-
ment la vénalité de la femme, La Borderie fait
scandale avec son *Amye de Court* (1541), qui dresse
cyniquement le portrait d'une coquette fort réaliste,
soucieuse d'hommages mais surtout de présents,
méprisant la passion sincère et toute forme de
spiritualisation du sentiment. La Borderie visait des
textes idéalistes, en particulier le célèbre *Courtisan*
de B. Castiglione, traduit par J. Colin en 1537, où se
reflétaient les conceptions de Ficin. Le ton désabusé
et sceptique du poème était assez nouveau : ironique
et agressif, lucide reflet des mœurs du temps. Il

déclencha la « Querelle des Amyes » où s'illustrèrent de nombreux champions des dames : Charles Fontaine (*Contr'Amye de Court*, 1542), Sainte-Marthe, Habert, Bérenger de La Tour, et surtout Héroët (*La Parfaicte Amye*). L'amour y est défini comme provenant de « sûre élection » de vertu et élévation de l'âme vers le divin. La femme s'y montre parfaite amante et le poème est un beau chant d'amour, grave et serein, aux résonances profondément humaines, écrit dans une langue pleine de réserve et de densité. Les partisans des idées platoniciennes et de l'amour idéal eurent donc le dernier mot, avec le renfort du péremptoire traité de François de Billon, *Le Fort inexpugnable de l'honneur du sexe féminin* (1555).

L'influence de Marot est encore perceptible chez de nombreux poètes amateurs de province : à Angers, le délicat et discret Germain Colin Bucher, qui ne publia jamais ses vers ; à Rouen, Le Blond de Branville, auteur d'un *Printemps de l'Humble Espérant* (1536) ; à Dijon, Jean Martin (*Le Papillon de Cupido*, 1543), etc. Toulouse connaît plusieurs poètes, juristes de métier, moralisants comme La Perrière, pétrarquisants et spirituels comme Boyssonné, humanistes comme Forcadel. Ce dernier représente un cas assez rare : imitateur de Théocrite et de Virgile, disciple de Marot, il révisera ses œuvres à la fin de sa vie pour les adapter au goût ronsardisant. Méritent encore une mention Guillaume Haudent, auteur d'une traduction des *Apologues d'Esope* (1547) ; Jean Chaperon, « le Lassé de Repos », Parisien, poète d'inspiration populaire dans ses *Noëls* (1538) et marotique dans un recueil de 1537 environ qui contient un beau *Dieu gard à Marot* ; Gilles d'Aurigny († 1553) qui reprend tous les genres marotiques dans son *Tuteur d'amour* (1546) et qui traduit des psaumes (1549) ; Vasquin Philieul, premier traducteur de Pétrarque (*Laure de Avignon*, 1548-1555) ; Jean Maugin, dit « le petit Angevin », bon poète amoureux (*Le Plaint du Vaincu d'amour*,

1546), et le Parisien Gilles Corrozet, sentencieux dans l'*Hecatomgraphie* (1540) et dans les *Fables d'Esope* (1542), platonisant dans son charmant *Conte du Rossignol* (1542). Diversement doués, mais tous plus ou moins dépendants de Marot, ils attestent, à tous les horizons du royaume, la vitalité retrouvée et la nouvelle jeunesse de la poésie.

En 1548, Thomas Sébillet fait paraître son *Art poétique françois,* traité de versification qui résume les efforts et les réussites de la génération marotique en donnant de nombreux modèles « pour l'instruction des jeunes studieux et encore peu avancés en la poésie françoise ». On trouve d'abord dans cet ouvrage didactique une série de remarques, pleines de bon sens, de justesse et de pertinence, sur la prosodie et les rimes, puis sur les genres. Il traite ainsi du sonnet, de l'ode (qu'il nomme « chant lyrique »), de l'épopée, et analyse avec finesse les genres marotiques de prédilection. Mais il touche aussi à la poésie elle-même, « divine inspiration », art « divinement donné », qui ne doit et ne peut s'édifier que sur une « solide invention ». Il conseille au jeune poète une sage imitation : des anciens poètes français qui ont contribué à « l'illustration et augmentation de notre langue », « mais plus lui profiteront les jeunes », et encore plus les « nobles poètes grecs et latins, car ceux sont les Cygnes, des ailes desquels se tirent les plumes dont on écrit proprement ». Quant au style, Sébillet recommande la propriété, la « douceur » et la clarté des termes, ce qui ne l'empêche pas d'apprécier la *Délie*. Pour lui, la poésie française, loin d'être expirante, est pleine de vie et de promesses : il faut la continuer, non la bouleverser, pour la voir « dedans peu d'ans autant sainte et autant auguste qu'elle fut sous le César Auguste ». Ainsi, les principales idées de la Pléiade sont au moins esquissées par Sébillet : l'apologie de la langue nationale, la notion d'un progrès possible grâce à la traduction et à l'imitation des Anciens, la revendication d'une poésie qui est d'abord affaire de don, d'inspiration, puis de métier et de méthode, d'une poésie indépendante, originale et noble. Du Bellay et Ronsard ont été devancés par Sébillet, qu'ils ne surclasseront que par la surenchère, la prétention et l'intransigeance. Il manquera à leurs théories la bonhomie malicieuse, la sobre netteté et la raisonnable mesure dont sait faire preuve l'*Art poétique* de 1548.

Le milieu lyonnais

Active et prospère, la ville de Lyon rivalise depuis longtemps avec Paris : plaque tournante de l'Europe, centre d'échanges commerciaux, souvent résidence de la Cour, elle joue un rôle considérable dans la vie intellectuelle et artistique de la Renaissance. Elle compte de nombreux imprimeurs, un grand collège — celui de la Trinité —, de puissantes abbayes, de solides familles patriciennes ouvertes aux choses de l'esprit, qui favorisent les rencontres et les échanges. De Marot à Magny, de Rabelais à Peletier, la plus grande partie des écrivains du temps est passée par Lyon et en a gardé l'empreinte : une orientation spéculative ouverte aux courants de pensée les plus hardis, mais dominée par le néo-platonisme, un goût influencé par l'Italie de Pétrarque et de Bembo, un effort vers le renouvellement des formes et de la langue.

La poésie à Lyon, où les rhétoriqueurs n'ont pas rencontré un écho bien notable, se développe à partir de 1530 et brille l'espace d'une ou deux générations. Il est sans doute excessif de parler d'une « école lyonnaise » (y manqueraient l'unité de doctrine et la cohérence des réalisations) mais, au sein de ce milieu où il est facile de se côtoyer, des groupes se forment à partir de relations de famille, de milieu ou d'estime. Entre eux, point de barrières ; mais les fluctuations dues aux divergences religieuses, aux conflits de personnes, aux rivalités. Cependant, malgré quelques exceptions, le milieu littéraire lyonnais semble relativement homogène et irénique.

Etienne Dolet est la figure de proue d'un groupe humaniste, amateur de vers latins, attiré par la philologie, qui fréquente les ateliers des imprimeurs-libraires et à qui il arrive de composer quelques poésies françaises (tel Barthélemy Aneau). Dolet emboîte le pas à Marot dans son *Second Enfer,* où il parle de son emprisonnement, des accusations qui pèsent sur lui : il se justifie avec véhémence et noblesse d'âme ; mais dans les douze épîtres qui le composent, il renonce aux traits satiriques. Peu avant sa mort, il écrira encore un admirable *Cantique,* où s'exprime un courage serein et l'abandon confiant à la volonté divine.

Les marotiques de Lyon forment un second groupe, où figurent Philibert de Vienne, « l'Amoureux de Vertu » (*Devis amoureux,* 1545 ; *Indignation de Cupido,* 1546) ou Eustorg de Beaulieu (*Divers rapports,* 1537), le premier, délicat érudit (Scève donnera une pièce liminaire pour son *Philosophe de cour,* 1547), l'autre d'inspiration plus familière. Le meilleur d'entre eux est Charles Fontaine, à l'esprit riche et aux talents divers. Admirateur fidèle de Marot, il compose de fines épigrammes gaillardes ou épicuriennes, des épîtres et des élégies (*La Fontaine d'Amour,* 1545 ; *Les Ruisseaux de Fontaine,* 1555) ; platonisant notoire, il expose un idéal amoureux conforme aux théories ficiniennes (*Contr'amye de court,* 1543) ; attiré par l'évangélisme, il écrit tout un recueil, demeuré manuscrit, de pièces diverses « à l'honneur de Dieu ». Son vers a un charme gracieux et mélodique, léger et spirituel. D'abord piqué par les attaques de la *Deffence,* il répondit peut-être par le vif et ingénieux *Quintil Horatian* (1551 ; mais on attribue aussi cette mercuriale à B. Aneau) ; plus tard, il se rapprocha de la Pléiade. Naturellement conciliant, il imitera Ronsard dans des odes qui, dans un recueil de 1557, voisinent avec des énigmes, des épigrammes assez libres ou gentiment anacréontiques.

Mais c'est surtout au rayonnement d'un Scève que l'on pense en imaginant une école lyonnaise. Et même s'il est difficile d'imiter la démarche de pensée et la langue complexe et dense de *Délie* ou de *Microcosme,* il y a bien eu un groupe de poètes « péri-scéviens », poètes de compromis dont aucun n'a été imitateur servile. La plus proche de Scève est évidemment Pernette Du Guillet, inspiratrice de *Délie* et qui, dans un bref recueil de *Rymes* publié peu après sa mort (1545), fait écho à la quête scévienne de la Vertu. Elle conçoit l'amour comme une ascension vers l'idéal, vers la lumière, comme l'union des âmes dans le dépassement de soi ; mais elle est desservie par un style appliqué et embarrassé, pauvre en images. Elle réussit mieux dans une manière plus personnelle, élégiaque et mélancolique, teintée d'une tristesse voilée. Et elle cherche constamment à varier les genres, les mètres, la disposition strophique. Dans la mouvance scévienne encore, outre Philibert de Vienne, un autre lointain marotique : Bérenger de La Tour, dont *Le Siècle d'or* (1551) recherche la densité du langage poétique sans beaucoup d'aisance (il ronsardisera en 1558 dans son *Ami des amis*). Et surtout ceux que l'on considère comme les « vrais » disciples : La Tayssonnière, Bugnyon et Taillemont. Le premier est le plus indépendant : dans ses *Amoureuses Occupations* (1556), il ajoute aux sonnets et aux odes des strambots (huitains à l'italienne) pour célébrer sa « Divine » dans un registre détendu où affleurent constamment les souvenirs de l'expérience vécue ; la trahison de sa dame lui inspire de beaux vers touchants et nobles. Philibert Bugnyon, juriste mâconnais, cherche sa manière d'imiter Scève dans le recours envahissant à la mythologie, à l'allusion érudite et dans un langage hérissé de néologismes ou de tours rares (*Erotasmes de Phidie et de Gélasine*, 1557) : mais il s'applique trop et laisse deviner l'effort, alors que son agrément se fait jour dès qu'il renonce à être savant. Le meilleur des trois est sans doute Claude de Taillemont, qui se veut le défenseur de Scève attaqué par la Pléiade et qui, après le *Discours des Champs Faës* (1553), entretien campagnard sur le sentiment amoureux, donnera en 1556 *La Tricarite*, recueil méconnu et important. Dans une langue dense et forte, avec un rare bonheur dans l'invention des images, il développe une conception de l'amour originale par son ambiguïté même : sensualité et exaltation, galanterie et cynisme, intellectualisation et délicatesse. Alors que Bugnyon adoptait le sonnet ronsardien, il compose son « canzoniere » en douzains, forme intéressante qu'il maîtrise bien.

Quant à Pontus de Tyard et Guillaume Des Autels, ils représentent des cas singuliers. Disciple avoué de Scève, le premier est très sensible à l'influence italienne dans ses subtiles et langoureuses *Erreurs amoureuses* (1549), sonnets et chansons d'une belle fermeté de langage. Lui aussi allait du désir sensuel à la mystique du pur amour que lui inspirait sa Pasithée. Il ajoutait à la stylistique pétrarquisante une pointe d'obscurité scévienne et une bonne dose d'érudition. Après avoir traduit les *Dialogues d'amour* de Léon Hébreu (1551), il donna l'année suivante le « manifeste » du groupe scévien, *Solitaire premier ou Discours des Muses et de la fureur poétique*. Dans ce dialogue à l'italienne entre le poète et sa Pasithée est affirmé le caractère à la fois sacré, docte et mystérieux de la poésie, son étroite relation avec la musique, et le caractère de sainteté sublimante de l'amour honnête. Mais ce sont là également deux grands thèmes ronsardiens, et la Brigade annexa Pontus, qui d'ailleurs se rallia volontiers (*Second Livre des Erreurs amoureuses*, 1551). Bientôt il préféra se tourner vers la philosophie

(*L'Univers*, 1557, « discours de la nature du monde » et des « choses intellectuelles »). Son cousin Des Autels fut d'abord marotique (*Le Moys de may*, vers 1548), puis platonicien et scévien (*Repos de plus grand travail*, 1550) ; il se convertit aux idées et aux goûts de la Brigade (*Amoureux repos*, 1553), ce qui lui valut une mention élogieuse de Ronsard. C'est pourtant un poète sans grâce, parfait suiveur qui donne trop souvent l'impression du « déjà entendu ».

Bien qu'elle ait vécu dans le milieu scévien, bien qu'elle utilise le sonnet ronsardien et l'élégie marotique, Louise Labé († 1566) occupe une place à part. Cette riche bourgeoise, lettrée et musicienne, eut une vie sentimentale assez mouvementée et son tempérament ardent et passionné la conduisit à faire de l'amour le sujet unique de son œuvre littéraire. Dans un *Débat de Folie et d'Amour* en prose (vers 1552), elle discute, par le biais du dialogue allégorique, divers thèmes de la psychologie et de la casuistique amoureuses avant de conclure que l'amour ne saurait être qu'accompagné de quelque folie. Puis elle fait de son expérience (une liaison avec Olivier de Magny à la fin de 1553) matière de poésie (*Œuvres*, 1555). En tout 652 vers (3 élégies, 24 sonnets) qui traduisent l'épreuve de l'amour, qui cherchent à fixer le sentiment et le souvenir, qui sont aveu et confession en même temps qu'exhortation aux autres femmes pour qu'elles tentent d'échapper à cette fatalité dévorante de la passion. Au sein de l'absence et de l'abandon, l'amante éprouve la permanence du désir ; la rêverie qui s'attache aux souvenirs heureux n'endort qu'un moment le déchirement douloureux de la solitude. Dans la fièvre et le tourment, les vers miment un « vécu » marqué par le ballottement entre les plaintes et l'exaltation, et, puisque aimer c'est souffrir, par la chère douleur vitale de l'aimer. Ce lyrisme de la parole ardente, qui prend à parti tantôt l'ami absent, tantôt l'amante elle-même, et tantôt le destin, les astres et les dieux, dépasse vite les souvenirs de lecture pour préserver, dans une forme admirablement équilibrée et variée, la spontanéité de l'accent, l'un des plus personnels sans doute de toute l'époque.

La Pléiade

L' « école de 1550 » représente, à la date de son manifeste, une révolution moins radicale qu'on ne l'a dit. D'abord parce qu'elle ne bouleverse pas du jour au lendemain le paysage poétique et parce que l'on continuera longtemps à écrire « comme avant » ; ensuite parce que les idées nouvelles de cette poétique mettront du temps à s'imposer ; enfin, parce que les réalisations restent pour la plupart en retrait par rapport aux déclarations programmatiques. Parmi celles-ci, les plus importantes sont le désir de doter la France d'une poésie nationale et moderne correspondant à la poésie antique ou à ce que les Italiens ont su réaliser, la valorisation de la fonction poétique et de la mission éducatrice de l'inspiré, enfin la réflexion concertée sur l'acte d'écrire et l'apparition d'une conscience commune de l'œuvre d'art. Jusque-là, on écrivait sans trop se poser de questions ; dès lors, on s'interrogera sur la nature de la poésie et sur la place du poète dans la cité.

L'histoire du mouvement poétique communément désigné sous le nom de Pléiade commence peut-être le 5 mars 1543, aux obsèques de Guillaume Du Bellay, avec la rencontre au Mans de Peletier, Ronsard et Du Bellay, puis l'an d'après par les études communes de Ronsard et de Baïf sous la direction de Dorat. En 1547, Dorat prend la tête du collège de Coqueret, où le suivent ses deux élèves auxquels se joint Du Bellay. Ce que Ronsard nomme d'abord la Brigade est simplement un groupe d'amis de collège, réunis pour le voyage d'Arcueil (1549) : aux quatre noms cités s'ajoutent quelques comparses qui ne laisseront guère de traces. Après la parution de la *Deffense*, de jeunes écrivains se rapprochent de Ronsard, considéré comme le maître : Pontus et Des Autels se rallient dès 1550, Sainte-Marthe en 1551, Tagaut en 1552. Mais il faut attendre 1553 pour assister aux vrais débuts d'un groupe assez étoffé, grâce à une « fusion » avec le collège de Boncourt, maîtres (Galland, Buchanan, Muret, qui commentera les *Amours*) et élèves (Jodelle, Grévin, Belleau, La Taille, Vauquelin, La Péruse). S'y adjoignent encore Tahureau, Colet, Gruget, Maclou et Magny. En 1553, Ronsard cite les six poètes qu'il distingue à ses côtés : Du Bellay, Baïf, Tahureau, Des Autels, Jodelle, La Péruse. Deux ans plus tard, Peletier a remplacé Des Autels et Belleau a succédé au défunt La Péruse. Ce n'est qu'en 1556 que Ronsard emploie, occasionnellement, le terme de Pléiade (qui avait servi à désigner les sept grands poètes de la Grèce classique). Le règne de Henri II correspond donc à une période de conquête du milieu littéraire et de la cour : en 1558, Ronsard succède à son rival Saint-Gelais comme aumônier ordinaire du roi. Sous Charles IX (1559), la nouvelle école connaîtra la consécration officielle en même temps qu'un clivage dû aux querelles religieuses, avant d'évoluer vers le maniérisme.

Dans cette orientation nouvelle de la poésie française, il convient de souligner le rôle, souvent méconnu, joué par un initiateur, Jacques Peletier du Mans († 1582), dont la personnalité complexe et riche représente bien l'individu de la Renaissance épanouie. Esprit universel, homme de science, voyageur et poète ; intelligence mobile, constamment en éveil et attirée par la nouveauté ; insatiable et instable, exigeant et solitaire, « *varium et versatile ingenium* ». En 1545, il traduit en vers l'*Art poétique* d'Horace en y ajoutant une préface remarquable où il esquisse, avant tout le monde, les grands thèmes de la rénovation : plaidant pour l'usage du français et pour son anoblissement, montrant le désir de rivaliser avec les Italiens et indiquant le bénéfice à retirer de l'exemple des Anciens, qui peuvent donner le sens de l'art véritable et enrichir l'invention moderne. En 1547, il imprime ses *Œuvres poétiques,* dont la forme reste souvent marotique, mais qui contient, outre une *Ode à un poète qui n'écrivait qu'en latin,* tout un lot de traductions et des *Chants lyriques* inspirés par la nature ou par ses propres états d'âme. Le style en était soigné, mais appliqué, et la recherche des variations rythmiques n'atteignait pas à l'aisance souveraine. L'*Art poétique* de 1555, méthodique et équilibré, marque le point d'aboutissement de la « doctrine » nouvelle : Peletier affirme que l'imitation est insuffisante à assurer l'originalité de l'écrivain, que la matière poétique ne doit pas se cantonner au seul domaine amoureux, mais s'étendre à l'univers tout entier, et il réclame un style clair et intelligible. La même année, il s'efforce d'appliquer ses idées dans *L'Amour des amours,* où la passion individuelle se métamorphose en élan cosmique : il y invente la poésie scientifique de la nature, tentative qu'il prolongera en 1572 dans *La Savoie,* œuvre de géomancie poétique. Mais la réalisation restait inférieure aux ambitions : explorateur de l'esprit et des secrets de l'univers, poète de la connaissance curieuse, renonçant aux harmoniques personnels pour aborder le fond de la condition humaine, Peletier n'a pas su traduire avec l'éclat nécessaire toutes ses idées, toutes ses innovations. Ce penseur très avisé, neuf et original, ne fut qu'un poète moyen, trop impatient et trop inconstant pour se consacrer à la mise en œuvre,

> Toujours prêt à refaire voile,
> Suivant la carte, et le vent, et l'étoile.

Homme attachant du reste, admiré de tous pour la sincérité de son « engagement » littéraire et pour la noblesse de sa pensée, pour sa soif de progrès vers la beauté et la vérité. Semeur d'idées que d'autres feront fructifier, « il mit nos poètes français hors de page » (Pasquier). Deux autres esprits se partagent, à de moindres degrés, le rôle de guide : Pontus de Tyard, déjà rencontré, le philosophe du groupe, héritier de Platon et de Ficin, et Jean Dorat († 1588, humaniste et artiste, qui révéla à ses disciples Pindare et les Alexandrins et qui leur apprit à faire des vers antiques sur des pensers nouveaux.

Sans atteindre à la hauteur de Ronsard ou de Du Bellay, plusieurs poètes des premières heures ont marqué l'histoire de la Pléiade. Le premier compagnon de Ronsard, Jean-Antoine de Baïf († 1589) a été l'un des moteurs du groupe. Forte personnalité et grand chercheur de nouveauté lui aussi, cet érudit humaniste avait le culte des Muses auxquelles il consacra sa vie. Il donna deux chansonniers : *Les Amours de Méline* (1552) chantent une maîtresse imaginaire à grand renfort d'imitations et de réminiscences livresques, mais on lit déjà dans ces mignardises pétrarquisantes l'expression d'une sensualité vive. *Les Amours de Francine* (1555) sont issus d'une expérience vécue ; même si la place faite aux modèles demeure grande, s'y accentue la langueur voluptueuse, à peine voilée par les images mythologiques. En 1567, il toucha au domaine de la poésie scientifique avec ses *Météores*. Après avoir fondé en 1570 l'Académie de poésie et de musique, où il élabora sa théorie du vers mesuré à l'antique, Baïf réunit en 1572 toute sa production antérieure dans ses *Œuvres en rime*. 9 livres de *Poèmes* (souvent à sujets mythologiques, ou « pièces de contact » adressées à des amis), 9 livres d'*Amours,* 5 livres de *Jeux* (principalement des églogues) et 5 livres de *Passetemps* (caprices, poésies légères et épigrammes inspirées de Martial et de l'*Anthologie*). Doté d'une extraordinaire facilité (qui tombe parfois dans la verbosité gratuite et creuse), attiré par les recherches formelles (il a tenté de bouleverser le système de la versification française) et passionné par la musique, Baïf a essayé tous les genres et tous les registres ; il a tout imité, se souvenant toujours de quelque lecture. Trop savant, il manque souvent de naturel, sauf dans ses *Chansonnettes mesurées* qui reprennent fréquemment des thèmes populaires ; il est audacieux et inégal dans une production trop abondante.

Remi Belleau († 1577) fut l'ami le plus fidèle de Ronsard, bon compagnon, charmant et délicat. Poète gracieux et raffiné, il traduisit Anacréon, son vrai maître (*Odes d'Anacréon,* 1556), l'imita dans ses *Petites Inventions.* Simple et harmonieux, ce miniaturiste virtuose offre de belles évocations de la nature recomposée par un sens artistique qui le conduit également à s'intéresser aux œuvres plastiques. Il imitera Sannazar dans sa *Bergerie* (1565), prosimètre pastoral qui séduit surtout par ses descriptions et ses hymnes-blasons.

C'est son œuvre théâtrale qui vaut à Etienne Jodelle une place de choix au sein de la Pléiade ; pourtant, il laisse des *Œuvres et mélanges poétiques* (1574) dignes d'intérêt. Sa poésie amoureuse est faite de mystérieux appels, d'un érotisme quintessencié, d'un désir d'échange codé. Il donne de nombreux vers de circonstance inspirés par la vie de cour, par la vie littéraire, par les controverses religieuses : il y mêle l'éloge et la satire, les idées morales, les jugements littéraires et l'ornement mythologique. Esprit d'une intelligence supérieure mais mal maîtrisée, il est attiré par les profondeurs de l'âme humaine et son audace de « marginal » le porte souvent jusqu'au défi. A la densité des contenus correspond un langage poétique fort et original, heurté, souvent puissant et prenant.

Deux poètes morts jeunes laissèrent des œuvres pleines de promesses. Jacques Tahureau (1527-1555), très brillamment doué, donna en 1554 ses premières poésies, *Sonnets, odes et mignardises*

amoureuses de l'Admirée : recueil très varié de tons
et de formes, passant du goût anacréontique renouvelé par les *Baisers* de Jean Second au lyrisme
philosophique sans se départir d'une belle limpidité
et d'une sobre mesure du vers. On publia après sa
mort des *Dialogues* (1565) qui projettent sur l'existence humaine un regard lucide et sans complaisance.
Jean de La Péruse (1529-1554) a écrit des vers qui
souffrent un peu du succès de sa *Médée* : atteint d'un
mal incurable, il y révèle une grande délicatesse de
pensée et de sentiments dans une note mélancolique
et sereine à la fois.

Enfin, Olivier de Magny (vers 1520-1561), admirateur de Marot et secrétaire de Salel, emboîta le pas à
Ronsard dès 1553. Il donna lui aussi ses *Amours*
(1553), fortement teintés de pétrarquisme ; puis,
dans la lignée des *Folastries* de Ronsard, un recueil
de *Gayetez* (1554). Les *Souspirs* de 1557 présentent
dans leur inspiration de nombreux points communs
avec les *Regrets*. En 1559, il publia à son tour cinq
livres d'*Odes*. Poète à la sensibilité douce et à
l'inspiration un peu courte, il écrit avec facilité, sans
grande vigueur, mais avec une élégance raffinée.

Le bilan de cette première et grande volée est déjà
impressionnant. Cependant, il ne faut pas oublier
que la Pléiade n'est pas seule à occuper le terrain
poétique et qu'elle se heurte à des résistances et à la
persistance de l'esprit marotique. Certes, plusieurs
des poètes de l'ancienne école finissent par rejoindre
les rangs des novateurs ; mais d'autres poursuivent
leur route sans nécessairement s'opposer aux jeunes
gens de Coqueret, souvent même en entretenant
avec eux des relations amicales : ainsi le petit groupe
protégé par Jean Brinon. En réaction contre l'aristo-
cratisme de Ronsard, ils revendiquent une poésie
plus facile, plus détendue : c'est le cas de Maclou de
La Haye, ami de jeunesse de Ronsard, mais resté
obstinément fidèle au passé ; il blasonne encore en
1553 et ses *Œuvres poétiques* contiennent, à côté de

sonnets et de stances, des épigrammes et des chansons. François Habert poursuit jusqu'en 1561 son œuvre de poète édifiant. D'autres cherchent chez les strambottistes et les bembistes un renouvellement de leurs vers d'amour ou de leurs poésies fugitives.

Mais un autre courant s'oppose également à la Pléiade : les poètes chrétiens lui reprochent son paganisme, son laxisme moral, son esprit mondain, sa frivolité. Ils veulent consacrer la poésie à un devoir d'élévation spirituelle, à un idéal de vie religieuse. Parmi les catholiques : Nicolas Bargedé (*Odes pénitentes*, 1550), Nicolas Denisot (cantiques et noëls, 1553), Lancelot de Carle (†1568 ; *Cantiques de la Bible*, 1560 ; *Cantique des cantiques*, 1562), Pierre Duval (*De la grandeur de Dieu*, 1555), Anne Des Marquets (*Sonnets et Prières*, 1562). Plus nombreux encore les Réformés : Albert Babinot, dont la *Christiade* est un « canzoniere » chrétien, Guillaume Guéroult (*Chansons spirituelles*, 1548). Des Masures, Rivaudeau (*Œuvres poétiques*, 1566), Tagaut, sans parler de Théodore de Bèze, qui achève en 1561 la traduction complète du *Psautier*.

Pourtant, les œuvres de Ronsard et de ses compagnons font école : dès la fin du règne de Henri II, le goût nouveau se répand dans tout le royaume et fait éclore des vers qui ne sont pas tous dus à des *minores*. A preuve le beau « canzoniere » de Jacques Grévin, *L'Olympe* (1560), suivi l'an d'après de *La Gélodacrye*, les sonnets de Nicolas Ellain (1561) et les *Discours* de Nicolas Filleul (1560), ou *Les Foresteries* de Vauquelin (1555). A leurs côtés se presse la longue cohorte des Buttet, Pasquier, d'Espinay, Toutain, Turrin, Béreau, Belleforest, etc. Chez eux, la poésie amoureuse prédomine, sous la forme du sonnet en alexandrins, et organisée en « canzoniere » ; ils célèbrent souvent à la fois la femme aimée et le terroir natal ; plus rarement, ils s'essaient aux odes pindariques ; ils font alterner le style bas et le style tendu, en recourant aux *concetti* pétrarquistes et aux ornements mythologiques. « Vous eussiez dit que ce temps-là étoit du tout (= entièrement) consacré aux Muses » (Pasquier) ; cette grande profusion d'œuvres ne va pas sans une évolution du goût vers le mignard ou le raffiné : le maniérisme va bientôt s'affirmer avec Desportes et la poésie française s'ouvrir au baroque.

CHAPITRE II

LE THÉÂTRE DE PATHELIN
A GREVIN

La grande époque des mystères

« Plaisir ignoré de nos dévots aïeux », selon Boileau, le théâtre au contraire représente l'une des manifestations de la vie littéraire les moins soumises aux vicissitudes de l'histoire, à toutes les époques : la deuxième moitié du xv⁰ siècle n'y fait pas exception.

Une production abondante, des réalisations scéniques nombreuses, quelques vrais chefs-d'œuvre : ces trois données, qu'on ne saurait mettre en doute, nous permettent de passer outre rapidement, sans reprendre des discours qui paraissent surannés. Il est évident aujourd'hui qu'on ne devrait parler d'ingénuité, au sujet du théâtre du Moyen Age finissant, ni de technique primitive ou grossière : la mise en scène d'un mystère comporte la parfaite maîtrise de techniques difficiles qui ne s'improvisent pas et une répartition de rôles et de compétences (décors, machines, costumes, « jeux de théâtre », effets spéciaux) qui suppose une vraie organisation. Quant à la scène à « mansions » simultanées, on trouverait de nombreux théoriciens contemporains disposés à l'interpréter comme une conquête de nature intellectuelle et non comme une forme de primitivisme.

A propos du théâtre du xv⁰ siècle, il faudrait plutôt

abandonner une nomenclature qui gêne au lieu d'apporter de la clarté : distinction entre théâtre « profane » et représentations « sacrées », constitution de genres séparés, qui oppose la moralité au miracle, le mystère à la passion, la sotie à la farce. Cette terminologie « positive » contribue à voiler une circonstance importante : le *fait théâtral est un* et n'est pas affecté dans sa nature profonde par les sujets qu'il traite ; il s'ensuit que l'on peut mettre en scène des sujets religieux avec l'âme la plus laïque du monde, sans que cela provoque un conflit intérieur. De même, les distinctions de « genre » n'intéressent que la morphologie et en rien le caractère original de ce théâtre, qui réside dans le fait de préférer à la notion de *drame* — que la Renaissance a généralisée et finalement imposée — celle d'*histoire*.

Raconter une histoire reste en effet le but principal du théâtre médiéval. Une dimension morale est incorporée aux vicissitudes mondaines, du fait que la vie n'est pas le fruit du hasard et que les choses s'agencent entre elles suivant un dessein providentiel, impénétrable parfois mais indéniable : l'histoire racontée, qu'il s'agisse d'un miracle de Notre Dame, d'une vie de saint ou d'une aventure purement humaine, doit ainsi nous transmettre un enseignement, et cela fait passer le souci de l'art en second lieu : dans les pièces « sacrées » (les mystères, par exemple), on écartera même la préoccupation de l'originalité, l'histoire à mettre en scène étant toujours la même, le grand cycle, l'immense fresque de la légende du Sauveur (descendu sur terre, mort pour les pécheurs, ressuscité et réintégré dans la gloire).

Le tableau d'ensemble que présente la deuxième moitié du siècle est tellement foisonnant qu'il faut se contenter d'indications sommaires. Une soixantaine de mystères et miracles, presque autant de moralités, plus de cent cinquante farces : une production immense qui n'a été jusqu'ici étudiée qu'en partie (plusieurs textes sont restés manuscrits).

Dans le domaine des mystères et des miracles, à côté de nombreuses œuvres anonymes, on connaît un certain nombre de personnalités à qui l'on peut attribuer avec certitude des ouvrages. Mais parmi les œuvres anonymes, on ne saurait passer sous silence le *Mystère du Vieil Testament* : un ensemble de près de cinquante mille vers, qui résulte de la réunion d'un grand nombre de textes indépendants, une quarantaine de petits mystères, qui ont en commun le fait de mettre en scène des épisodes tirés des livres de l'Ancien Testament, l'attention portant particulièrement sur les prophéties concernant la venue du Christ. Réunis vers le milieu du xve du siècle, imprimés dès le début du xvie, ces textes ont été joués aussi séparément (une dernière représentation a lieu en 1542) : ils sont d'une valeur inégale, certains seulement d'une grande beauté (l'histoire d'Esther, de Joseph, du sacrifice d'Abraham). Bien connus des auteurs du xvie siècle, ils leur fourniront des modèles : c'est le cas, notamment, pour Théodore de Bèze.

Quelques auteurs.

Jean Du Puis, valet et fonctionnaire de René d'Anjou (le « roi René »), qui opère entre 1450 et 1480, est l'auteur d'un *Mystère du Roy Advenir* (quinze mille vers), représenté en 1455 : il met en scène la légende célèbre de l'ermite Barlaam qui convertit Josaphat, fils du roi païen Avenir. On lui attribue aussi une part dans la confection — ou la réélaboration — du *Mystère des Actes des Apôtres*, le plus long de tous les drames liturgiques français (plus de soixante mille vers), qui est dû pour l'essentiel aux deux frères, Arnoul et Simon Gréban, et qui a été composé peu après la moitié du siècle (1460-1470). Selon les normes de la culture de l'époque, les auteurs utilisent non seulement les *Actes* mais aussi d'autres sources apocryphes et entraînent le spectateur, à la suite des apôtres, de Jérusalem aux Indes, de l'Espagne à l'Ethiopie, de la Scythie à Rome, en donnant un exemple particulièrement significatif d'intégration de la mythologie, de l'histoire et de la littérature classiques dans le merveilleux chrétien (dans cet immense recueil, divisé en neuf « livres », il y a place aussi pour une imitation des *Métamorphoses* d'Ovide). Détail intéressant, nous possédons des renseignements sûrs au sujet de la représentation de ce mystère, attestée en 1536 (Bourges) et 1541 (Paris). La représentation de Paris se déroula en trente-cinq journées ; elle fut accompagnée de la publication du texte (1540) et donna lieu à des incidents qui sont peut-être à la source de la décision du Parlement de défendre aux Confrères de la Passion la représentation des « mystères sacrés » (1548).

On tient Simon Gréban pour l'auteur de la plus grande partie du *Mystère des Actes des Apôtres* (1470 ?-1472 ?) alors qu'on attribue intégralement à son frère Arnoul le *Mystère de la Passion,* qui est considéré comme le chef-d'œuvre du théâtre du XVe siècle (daté 1458, d'après le plus ancien manuscrit). Encore une œuvre immense (près de trente-cinq mille vers), divisée en quatre journées (nativité, vie, passion et résurrection du Sauveur). Arnoul Gréban était clerc (organiste de Notre-Dame mais aussi bachelier en théologie) : il utilise largement les ressources de sa formation universitaire pour commenter, s'appuyant sur la philosophie scolastique, l'histoire la plus grande du monde qu'il met en scène. Il est aussi homme de lettres et il manie adroitement les différents registres dont il a dû se servir pour orchestrer le récit. Il appuie sur l'horrible ou le macabre (le massacre des Innocents) mais il offre aussi des intermèdes qui allègent la tension (les bergers qui folâtrent après la naissance de l'enfant Jésus) ; il connaît l'effusion lyrique, l'indignation comme l'attendrissement ; il se livre à des analyses de nature psychologique qui sont en grande partie originales (Lazare revenu des Enfers, les multiples repli de l'âme de Pilate). Quatre journées (la représentation se faisait le dimanche, avec des intervalles d'une semaine), deux cent vingt-quatre personnages ; un accompagnement musical était prévu, dont on retrouve l'indication dans les marges des manuscrits : on a pu parler du *Mystère de la Passion* comme de l'un des sommets de l'art théâtral de tous les temps.

A côté des Gréban, les autres personnalités pâlissent. On ne rappellera le *Mystère de la Passion* de Jean Michel que pour fournir une preuve supplémentaire de la popularité du genre et du succès durable qui le caractérise. Il s'agit d'un remaniement en trente mille vers de la deuxième et troisième journée de la *Passion* d'Arnoul Gréban : on connaît la date de quatre représentations, entre 1486 et 1507, et on possède dix-sept éditions du texte, s'échelonnant entre 1488 et 1550. Comme on le voit, on déborde largement le xve siècle : avec Antoine Chevalet, qui fait jouer en 1527 à Grenoble son *Mystère de saint Christophe* (imprimé en 1531) nous sommes en pleine période humaniste. Et n'est-ce pas en 1547 que l'on représente à Valenciennes, en présence de François Ier, un *Mystère de la Passion* anonyme, de quarante-cinq mille vers, en une mise en scène destinée à rester mémorable par sa somptuosité ?

On rappellera enfin que les mystères connaissent, assez tôt, une évolution intéressante : en se détachant de leur matrice religieuse ils deviennent un genre littéraire au vrai sens du mot, qui se prête à accueillir des contenus de toute nature. C'est ainsi que l'on voit apparaître un *Mystère du siège d'Orléans,* consacré à la vie de Jeanne d'Arc et à peu près contemporain de l'événement, un *Mystère de saint Louis* (vers 1472) et même *L'Histoire de la destruction de Troye la grant* (milieu du siècle) : l'histoire nationale comme la mythologie pouvait fournir des sujets susceptibles de transfiguration dans un langage théâtral qui comporte l'intervention d'anges et de démons et la collaboration du ciel et de l'enfer.

On retiendra aussi quelques titres parmi le groupe des mystères qui s'inspirent de la vie d'un saint et qui peuvent se rattacher à des traditions locales : *Le Mystère de saint Quentin* (1482), qui est dû à un grand poète contemporain, Jean Molinet (vingt-quatre mille vers ; une représentation encore en 1510, à Mons) ; ou encore *Le Mystère de saint Martin* (1496) d'André de La Vigne, un poète qui a été de l'expédition de Charles VIII à la conquête du royaume de Naples.

Moralités, farces et autres pièces laïques

Les moralités du xve siècle et du début du xvie qui ont survécu sont en général anonymes : elles présentent un intérêt certain par leur nombre, qui indique la popularité du genre, par leur évolution (les personnages se transforment de pures allégories en hommes en chair et os), par l'introduction de la mythologie classique. Bon nombre d'entre elles ont un développement limité, et se réduisent à quelques centaines de vers ; seules celles qui ont des dimensions plus étendues possèdent un vrai intérêt dramatique (*Un Empereur qui tua son neveu, Le Chevalier qui donna sa femme au Diable*). On a aussi quelques exemples de moralités qui atteignent la dimension des grands mystères (*Bien Avisé, Mal Avisé, L'Homme juste et l'homme mondain*) : dans ces cas, il y a aussi affinité de technique, avec utilisation de procédés spectaculaires et intervention de personnages accessoires qui prolongent la durée de l'action. Peu de noms d'auteurs (Nicole de La Chesnaye a publié *La Condamnation de Banquet* en 1507, Simon Bougouyn est l'auteur de *L'Homme juste et l'homme mondain,* déjà cité, publié en 1508) et dans l'ensemble une honnête application rarement illuminée par un sens exigeant de l'art.

Il en va autrement avec les farces et les soties. On sait que les soties étaient destinées à « ouvrir le spectacle » et se jouaient en lever du rideau, tandis qu'aux farces était réservé le mot de la fin. Destinée à créer une ambiance d'euphorie, la sotie utilisait des procédés codifiés : calembours, répétitions incohérentes, jargons peu ou prou probables, ainsi que les ressources éternelles du répertoire comique, acrobaties, gambades et culbutes. Les personnages, qui étaient obligatoirement des « sots » (le Prince des Sots ou la Mère Sotte faisaient plus rarement leur apparition), avec un entourage de figures allégoriques et de comparses, se permettaient toutes les libertés dans leur satire des mœurs et des institutions (Gringore mettra en scène le pape Jules II) : le tout devant être contenu dans cinq cents octosyllabes au maximum.

Les farces ont à peu près les mêmes dimensions (de trois cents à quatre cents vers) et utilisent en principe des personnages symboliques qui incarnent une condition (le mari, la femme, le marchand), mais qui n'ont pas nécessairement un nom. A la différence des soties, elles ont toujours une intrigue, qui amène une conclusion (les soties peuvent être purement descriptives). Les procédés utilisés pour faire rire sont efficaces mais volontiers élémentaires, voire grossiers : les coups et les injures, les déguisements approximatifs, le langage bizarre ou contrefait. La farce devait laisser le spectateur sur une impression réjouissante : on explique le caractère outré du comique qui la caractérise, qui lui soustrait réalisme et même vraisemblance, par un besoin de rassurer le spectateur en lui offrant le spectacle d'un monde manifestement hors du réel.

Le statut des acteurs qui jouaient les soties et les farces n'est pas bien connu : ils étaient groupés en « bandes » (qu'il serait inexact d'appeler des confréries ou des troupes) ayant en partie un caractère bénévole, les Clercs de la Basoche et les Enfants sans souci à Paris, les Conards (ou Cornards) à Rouen, les Suppôts de la Mère Sotte à Dijon, qui font assez tôt leur apparition (début du xve) et qui sont encore florissantes au début du siècle suivant. Ici encore nous sommes en présence d'une vaste production en grande partie anonyme : quelques noms émergent, d'acteurs qui se sont fait auteurs pour la nécessité de leur « troupe ». C'est le cas d'André de La Vigne (1468-1525), auteur de *La Farce du Munyer,* de Pierre Gringore (1475-1538), auteur du *Jeu du Prince des Sots* (1512) et de la *Sotie nouvelle des chroniqueurs* (1515), de Jean de L'Epine ou Jean du Pont-Alais (? — 1540), auteur du *Contredit de Songe-Creux,* autrefois attribué à Gringore. Comme on le voit, on passe sans solution de continuité d'un siècle à l'autre, on l'avait déjà constaté à propos des mystères et des moralités. Le caractère malgré tout unitaire du théâtre du Moyen Age finissant est souligné aussi par des circonstances de nature purement extérieure : par exemple, le fait qu'un écrivain comme André de La Vigne, que nous avons mentionné à différentes reprises, soit l'auteur à la fois d'un mystère (*Le Mystère de saint Martin,* représenté en 1496), d'une farce (*La Farce du Munyer,* jouée dans la même occasion) et d'une moralité (de *L'Aveugle et du Boiteux* : elle reprend la légende célèbre de deux gueux qui fuient l'approche du saint de peur d'être guéris et d'être obligés de renoncer à une vie misérable mais somme toute oisive).

Dans le domaine des soties et des farces le théâtre du xve siècle fait enregistrer des réussites littéraires de grande valeur. En dépit des servitudes structurales (ni les sots ni les personnages des farces ne possèdent un vrai statut de personnages au sens moderne du mot ; ils ne devaient être que des types sans individualité propre), du manque d'originalité pour le fond des sujets de ce genre « mineur » (les ressorts du rire sont toujours les mêmes), on peut sans peine proposer une longue liste de pièces d'une surprenante richesse, de la *Farce du pauvre Jouhan* (où fait son apparition le personnage d'Affriquée, la coquette, destiné à une carrière sur la scène qui se prolongera jusqu'à nos jours) à celle du *Cuvier*, de *La Cornette* à la *Farce du Pâté et de la Tarte*, du *Meunier* à *Maître Mimin*. Personnages conventionnels et histoires frustes parviennent aisément à faire bon ménage avec finesse dans l'analyse psychologique, bonne humeur malicieuse et savant dosage des ressources de l'art. Des pièces élaborées, en effet, dont l'ingénuité est trompeuse, et qu'il faut déjà appeler comédies (de plus en plus souvent les personnages sont désignés par leur nom propre, et deviennent ainsi de vrais individus), derrière lesquelles on entrevoit des auteurs connaissant parfaitement la technique de la juste proportion des effets et du découpage de l'espace scénique.

Le chef-d'œuvre du genre, on l'a souvent répété, est *La Farce de Maître Pathelin*, d'un auteur anonyme, dont la première édition date de 1485 mais qui aurait été composée une vingtaine d'années auparavant. Un avocat rusé et sans scrupules, un marchand qui joue au plus fin et qui se retrouve dupé, un juge qui se soucie fort peu de rendre la justice, un berger qui a plus d'astuce que son avocat et qui parvient à berner le tribunal, sa partie adverse, les institutions, l'ordre établi. Un comique appuyé (la grossièreté n'est pas exclue), mais principalement de l'ironie, à l'aide de techniques spécifiquement littéraires (Pathelin, à un certain moment, « parle » dans la langue du diable.) Tableau de mœurs qui s'élève rapidement à des significations plus générales et durables, un éclairage sans indulgence des motivations intimes, des constantes et des penchants de l'homme de toutes les époques : la comédie de mœurs, en d'autres termes.

Avec le nouveau siècle, la sotie voudra emprunter le chemin de l'engagement politique : on le constate avec Pierre Gringore, qui écrit tour à tour contre le pape (*Jeu du Prince des Sots*, 1512) à l'appui du gouvernement royal, et contre les mainmises de ce même gouvernement (*La Sotie nouvelle des chroniqueurs*, 1515) après la mort, il est vrai, de Louis XII dont il avait été le poète à gages. Gringore, qui est contemporain de Luther (il écrira un *Blason des hérétiques*, 1524 : nous sommes déjà entrés dans l'époque de la Réforme), a aussi composé un mystère sur saint Louis (le titre exact est *La Vie Monseigneur Saint Loys par personnaiges*), une œuvre de plus de 6 500 vers, qui met en scène, à côté de personnages historiques, des figures allégoriques, Outrage, Bon Conseil, Chevalerie, dans la plus pure tradition médiévale, et qui aurait été composée en 1527, quelques années seulement avant le premier livre de Rabelais. Gringore, d'ailleurs, n'est pas le seul à écrire des mystères dans la première moitié du XVIe siècle : en 1541 Louis Choquet publiera à Paris un drame liturgique ayant pour titre *L'Apocalypse de saint Jean Zebedée ensemble les cruautés de Domitien* qui aurait été représenté cette même année dans la capitale.

En ces mêmes décennies s'élabore l'œuvre théâtrale de Marguerite de Navarre, qui utilise le théâtre pour une défense passionnée de ses convictions religieuses (on connaît ses sympathies pour le groupe des évangéliques de Meaux et la protection accordée à des personnalités comme Lefèvre d'Etaples, le traducteur du Nouveau Testament). Le théâtre « militant », qui sera l'un des résultats de la « révolution de 1550 », dans son double registre, politique et religieux, fait donc son apparition dans la première moitié du siècle, comme bien d'autres manifestations littéraires que les hommes de la Pléiade penseront, à tort, avoir « inventées ».

La restauration du théâtre et l'œuvre de la Pléiade

La « restauration » du théâtre figure au nombre des recommandations formulées par Du Bellay dans sa *Défense,* mais elle n'occupe pas un rang éminent. Du Bellay ne mentionne le théâtre qu'après avoir conseillé l'adoption de genres variés (sonnet, ode, satire, églogue, etc.) et subordonne l'intervention du « poète futur » à une initiative du pouvoir civil (« si les Rois et les Républiques voulaient restituer en leur ancienne dignité les tragédies et les comédies... je serais bien d'opinion que tu t'y employasses »). Ce texte circonspect est pourtant à l'origine de l'une des réussites de la « révolution » de 1550 : les odes pindariques ou le poème épique de Ronsard sont aujourd'hui bien oubliés, mais l'esprit nouveau qui s'est glissé dans la littérature française grâce à l'adoption de ces formes inédites (tragédie, comédie) n'a cessé de donner des fruits.

L'œuvre de la Pléiade a été facilitée par une préparation sur laquelle nous nous sommes déjà arrêté. Malgré tout, une certaine désaffection à l'égard du théâtre traditionnel (miracles surtout, qui essuient les critiques des humanistes et des protestants à la fois) se généralise dès le règne de François Ier ; en même temps la première génération de l'humanisme, avec un intérêt et une curiosité grandissants, se penche sur le théâtre des Anciens dont elle étudie les formes et les contenus.

La postérité a donné la palme à la tragédie, mais une nouvelle hiérarchie de valeurs ne s'est établie que très lentement. Dans le théâtre du XVe siècle apparaissent déjà la plupart des éléments qui caractériseront le théâtre à l'antique introduit par la Pléiade. Sans qu'on puisse affirmer qu'ils aient agi en s'appuyant sur l'enseignement d'Horace, les auteurs des moralités et des miracles en étaient venus à concevoir une action ramassée et rapide ; tout en ignorant l'expression « unité d'action », ils nous donnent souvent l'impression de connaître la chose. De même, l'idée que les hommes du xvie se feront de la tragédie — sujet historique ou légendaire, à situer dans une antiquité très reculée et qui met en scène des personnages nobles — n'était pas inconnue des auteurs des moralités. L'idée que l'œuvre d'art doit aussi contenir un enseignement est une vieille idée chrétienne qu'il n'est pas nécessaire de redécouvrir chez Horace ou Aristote : les auteurs de mystères n'ignoraient pas l'art d'émailler leurs discours de belles sentences morales ou d'agrémenter leurs tirades de lieux communs inspirés de la sagesse des Anciens. Personnages nobles parlant noblement : les discours emphatiques que l'on rencontre dans les mystères ne diffèrent pas beaucoup des monologues ou des longs récits des tragédies de la Renaissance. Quant à la mythologie, on ne saurait, là encore, parler de nouveauté au sens absolu : les mystères de la fin du xve siècle sont remplis d'allusions mythologiques, et l'œuvre d'un Jean Lemaire de Belges montre bien avec quelle facilité s'accomplit l'intégration des mythes et des légendes que l'antiquité nous a légués. On comprend mieux pourquoi les tragédies et les comédies auront, dans la période qui nous occupe, un rayonnement somme toute limité. Aux yeux des contemporains leur nouveauté ne paraît pas bouleversante : en fait, elles s'insèrent assez bien dans un tissu culturel qui n'est nullement déchiré. On se rend compte aussi que ce n'est pas par mimétisme que, vers la fin du siècle, des moralités ou des mystères prennent l'appellation de tragédie.

Quant aux farces, non seulement leur vogue ne faiblit point, par rapport à l'époque précédente, mais elle augmente encore. L'imprimerie répand désormais les textes, même ceux du xve siècle (c'est au xvie que le mot « patheliner » entre définitivement dans l'usage) : le succès s'accompagne d'un assouplissement de la formule, qui ajoute aux recettes de la tradition les ressources de l'analyse psychologique. L'évolution intéresse également la sotie, où l'on remarque la spécialisation d'un ou plusieurs « sots » dans le rôle de « spectateurs de l'action » : le commentaire, souvent désabusé, par lequel ils accompagnent le jeu des autres personnages prend la valeur de l'intervention d'un chœur.

La curiosité et l'intérêt pour le théâtre des Anciens se manifestent de bonne heure. Curiosité pour l'édifice : la structure circulaire du local où se déroule la représentation est peut-être la « découverte » qui cause le plus de surprise. La célèbre gravure qui décore le *Térence* de 1502 de l'éditeur lyonnais Trechsel montre bien que le théâtre des Anciens était un lieu de délices douteuses, car le théâtre en rond qui y est reproduit abrite également un lupanar, mais cela n'empêche pas que le modèle archéologique ne devienne un modèle culturel : dans le Prologue de son *Eugène,* Jodelle s'excusera auprès des spectateurs du fait que la représentation, faute de moyens et de structures adéquates, n'a pas lieu dans un local « en demi-rond, comme on le compassait ».

Viennent ensuite les théoriciens si souvent cités : Scaliger, Aristote, et même le *De arte grammatica* de Diomède et le *De tragedia et comoedia* de Donat. La *Poétique* d'Aristote, toutefois, ne sera traduite en français qu'au xviie siècle, et n'est pas imprimée en France, en grec ou en latin, avant 1538 ; il vaut donc mieux se contenter du témoignage d'Horace. Dans son *Art poétique* (Peletier en donne une traduction française en 1541), celui-ci rappelle que la tragédie doit être divisée en cinq actes, que le nombre des personnages doit être restreint (trois interlocuteurs au plus dans un dialogue) ; qu'il faut concentrer le sujet et faire commencer l'action quand on est assez près du dénouement (c'est la règle de l'*in medias res,* qui concerne aussi l'épopée, et qui comporte la technique du *flash-back*) ; il faut aussi respecter les bienséances et cacher aux spectateurs les événements sanglants, déplaisants ou prodigieux *(multa tolles ex oculis...).* Bientôt, certains humanistes invoqueront la nécessité d'une adaptation française de ces formules anciennes, comme Jodelle, qui se fera un titre d'honneur de ne pas avoir voulu « remouler du tout l'antiquité ».

Initiative érudite, la restauration du théâtre antique passe avant tout par l'école, c'est-à-dire par le théâtre de collège : on devine quelle influence un fait de ce genre a dû exercer sur le goût des jeunes générations. L'intervention de l'école signifie l'apparition du pédantisme et, par là, la réaffirmation du caractère aristocratique de la nouvelle poésie, qui s'éloigne du vulgaire en même temps, peut-être, qu'elle s'éloigne de la vie. « La gentille Poésie, dit Grévin dans le Prologue de sa *Trésorière,* veut une matière choisie » et ne s'adresse qu'à « ceux qui ont meilleurs esprits ».

Mais l'autre aspect du problème est plus positif : le théâtre classique roule autour de questions très élevées, présente des conflits éclatants, met en action les passions les plus profondes des hommes. Il y avait là de quoi séduire une époque éprise de grandeur ; c'est par le biais du théâtre que la mentalité contemporaine a pu entrer en contact avec un idéal humain nouveau, que nous appelons classique et qui suppose l'exaltation du héros et de l'héroïsme. Cet homme qui est au centre de tous les conflits de l'univers et qui se dresse toujours vaincu mais finalement invincible contre le destin qui l'humilie, cet homme nouveau si profondément pénétré du sentiment de sa dignité, est bien plus aisément saisissable à travers l'œuvre des grands tragiques de l'antiquité que grâce au message des élégiaques latins. Message de grandeur, qui est aussi message d'éternité : les histoires des hommes sont innombrables, mais, à elles seules, elles ne suffisent pas à construire ce que nous avons le droit d'appeler l'histoire de l'homme : au contraire, les quelques ressorts profonds de cette histoire, unique en sa diversité, sont simples et toujours les mêmes. L'homme est un, et qui le connaît dans son essence, au-delà de la chronique et de l'éphémère, est en mesure de le reconnaître dans toutes les époques et sous toutes les latitudes. Un message de ce genre devait naturellement passer par la médiation de l'école : là est la vraie justification du théâtre scolaire du XVIᵉ siècle.

Régents de collège, humanistes et traducteurs se rejoignent par le sens de leur action ; souvent, ces trois qualités se trouvent réunies en une seule personne. C'est vers les Grecs que l'on se tourne, mais en passant de préférence par l'intermédiaire de Sénèque, connu dès le Moyen Age, et qui jouit au XVIᵉ siècle d'une fortune extraordinaire. Pour l'homme de la Renaissance, Sénèque le tragique est aussi le pieux auteur qui avait parlé de la Providence, dont on avait conservé une correspondance (apocryphe) avec l'apôtre Paul et qui avait écrit un *De clementia* que Calvin lui-même n'avait pas dédaigné de republier en l'enrichissant d'un commentaire. Restituer la tragédie ancienne est donc une entreprise conçue dans le cadre d'une intention de moralité et d'enseignement : inviter les hommes à réfléchir sur leur destin. De là le ton sentencieux, qui nous ramène à cette matrice, l'école, le pédantisme, une culture orgueilleuse qui perd en affabilité ce qu'elle gagne en noblesse d'apparat.

Les traducteurs qui opèrent dans la période qui nous intéresse ont parfois des noms illustres, comme Thomas Sébillet (*Iphigénie à Aulis* d'Euripide, 1549) ou Jacques Amyot (ses traductions d'*Iphigénie* et des *Troades*, d'Euripide encore, ne seraient pas parvenues jusqu'à nous) ; plus souvent, il s'agit de personnages obscurs comme Guillaume Bochetel (*Hécube* d'Euripide, 1544) ou Louis-François Le Duchat (*Agamemnon* de Sénèque, 1571, précédé d'un autre *Agamemnon*, traduit par Charles Toutain dès 1556). C'est sur la personnalité d'un régent de collège, humaniste accompli et parfait homme de lettres ainsi que traducteur, qu'il convient de fixer l'attention. L'Ecossais Georges Buchanan (1506-1582) a joué un rôle déterminant dans la naissance de la tragédie française du xvɪe siècle. Professeur au collège de Guyenne, à Bordeaux, il fera paraître sa traduction latine de la *Médée* d'Euripide en 1544, et celle d'*Alceste,* d'Euripide également, en 1556 ; mais il donnera l'exemple décisif, en composant deux tragédies (en latin) entièrement de son cru, *Jephtes* et *Baptistes* (qui verront le jour respectivement en 1554 et 1557). *Jephtes* sera aussitôt traduit en français (et dans d'autres langues) et jouira d'un grand succès tout au long du xvɪe siècle (grâce aux protestants, qui reprennent à leur compte la polémique de l'auteur contre les vœux religieux). La pièce de Buchanan montrait que l'aboutissement de tant de recherches sur le théâtre des Anciens devait être la création d'œuvres nouvelles. Dans le cas de Buchanan, l'école et même le pédantisme prennent donc une valeur tout à fait positive.

Il en est de même pour Marc-Antoine Muret (1525-1585), lui aussi professeur et auteur d'une tragédie latine (*Caesar,* 1553). A la différence de Buchanan qui vit surtout en province, Muret, avant de se retirer en Italie, vit à Paris, où il enseigne au collège Boncourt ; il se lie avec Jodelle et Baïf, peut-être avec Grévin, sûrement avec La Péruse. Nous ne mentionnons que pour mémoire le nom de Jean Dorat : il est vrai qu'il reste peu de traces de son activité théâtrale (il aurait traduit le *Prométhée* d'Eschyle et l'*Hippolyte* d'Euripide ; nous savons qu'il a, à une certaine époque, expliqué à ses élèves le théâtre de Sophocle), mais on ne saurait douter que son influence a été déterminante.

Malgré de si complexes préliminaires, la décision de Jodelle de faire jouer devant la cour, en février 1553, à l'occasion des fêtes organisées pour célébrer la victoire de Metz, une tragédie à l'antique, reste un fait marquant. La représentation sera répétée quelques semaines plus tard dans la cour du collège Boncourt, en présence cette fois des humanistes et des étudiants, ce qui amplifia le retentissement. Ce fut en effet l'un des grands événements littéraires du siècle : quarante ans plus tard, Pasquier se souviendra avec un certain orgueil d'y avoir assisté.

Les réserves qu'on formule sur la valeur esthétique de *Cléopâtre* perdent une partie de leur importance si l'on replace l'œuvre de Jodelle dans le contexte qui l'a vu naître. Il est évident que le poète s'évertue à appliquer une formule : division en cinq actes (un peu forcée, eu égard aux dimensions des deux derniers), respect de l'unité de temps, limitation du nombre des personnages, caractère éminemment narratif de la pièce (tous les événements sanglants se passent loin des yeux des spectateurs) ; ainsi s'explique surtout le ton général de l'œuvre, son intention affichée de proposer un enseignement et d'inviter à la méditation. Jodelle n'utilisera l'histoire de Cléopâtre que pour introduire un discours sur l'incertitude de la fortune et, en fin de compte, sur le malheur de vivre, sujet bien austère, certes, pour un jeune homme de vingt ans et à l'occasion de réjouissances de carnaval !

Entreprise de jeunes gens (Jodelle, Grévin, Baïf n'ont guère que vingt ans), cette restitution du théâtre reste marquée par des limites évidentes : beaucoup de lectures, une admiration sans bornes pour les Anciens, mais peu ou prou d'expérience de la vie, une connaissance de l'âme humaine toute livresque, et donc un recours systématique aux lieux communs d'une sagesse acquise à peu de frais. Grâce à cet enthousiasme, pourtant, un certain cadre a été créé, au sein duquel d'autres initiatives pourront un jour mener à de plus heureux aboutissements.

La deuxième tragédie de Jodelle *(Didon se sacrifiant)* n'est pas datée et n'a été publiée qu'en 1574. Il faut cependant la rattacher à notre époque, car elle paraît prolonger au théâtre la vogue de Virgile qui est

grande, vers les années 50, dans les milieux humanistes (Du Bellay traduit en 1558 le IVe livre de
l'*Énéide,* le livre même qui fournit à Jodelle le sujet
de sa *Didon;* Louis Des Masures entre 1552 et 1560
traduit tout le poème virgilien, etc.). On se le
rappelle, quand il avait dû répartir les tâches entre les
différents membres de la Brigade (Jodelle n'en faisait
pas encore partie), Ronsard avait pensé, pour le
théâtre, à J.-A de Baïf. Baïf ne témoignera pas de
beaucoup d'empressement, et il se laissera devancer
par Jodelle, puis par Jacques Grévin (1538-1570).
Baïf, au théâtre, n'attachera plus son nom qu'à des
adaptations de quelques comédies; Grévin, lui, donnera en 1561 son *César,* qui se veut tout à fait
indépendant du modèle qui avait été fourni dès 1553
par Marc-Antoine Muret. Toutefois, si la tragédie de
Grévin se signale par son sujet (les Romains qui
montent sur la scène française renouvelée ouvrent la
voie aux personnages de Corneille et de Racine),
dans l'ensemble elle maintient les caractères généraux que nous avons déjà rencontrés dans ce théâtre
à l'antique à ses débuts : la gravité naturelle de
l'auteur rend parfois sincères ses accents, mais
comme il convient moins d'amuser que d'instruire, la
tragédie se constitue de lieux communs inspirés par la
sagesse des Anciens. Mêmes remarques au sujet de la
Médée de Jean Bastier de La Péruse (publiée en
1556, elle est probablement contemporaine, pour sa
rédaction, de *Cléopâtre*). La Péruse fut, avec Baïf, un
des acteurs bénévoles qui jouèrent l'œuvre de Jodelle
lors de sa deuxième représentation dans la cour du
collège Boncourt : ce simple détail souligne la communauté d'intentions et de poétiques qui unit ces
deux auteurs (La Péruse a, lui aussi, moins de vingt
ans, sa *Médée* est, elle aussi, une adaptation de
Sénèque).

Un cas particulier : celui de *La Sultane* de Gabriel
Bounin (1561). Nous ignorons à peu près tout de cet
auteur (1520-1604 ?), sauf le titre de quelques-unes

de ses œuvres (entre autres, une traduction des *Oeconomiques* d'Aristote, 1554), et nous manquons donc d'éléments pour comprendre par quel chemin il en est venu à écrire une tragédie moderne, dont le sujet est emprunté à la chronique scandaleuse de la vie du sérail. Bounin montrait ainsi la voie à l'auteur de *Bajazet ;* le genre dramatique à ses débuts s'incorpore déjà la dimension de l'exotisme.

Une autre voie a été ouverte par les protestants. C'est à Théodore de Bèze qu'il faudrait reconnaître le mérite d'avoir le premier composé une tragédie en langue française. Dès 1550, en effet, donc trois ans avant Jodelle, il fait représenter son *Abraham sacrifiant* (à Lausanne toutefois, et non à Paris). La pièce est imprimée à Genève cette année même et aura par la suite une grande diffusion (elle sera réimprimée une douzaine de fois au cours du XVIe siècle, à Genève et dans d'autres villes protestantes). Bon helléniste, Bèze respecte la structure de la tragédie grecque, il n'introduit pas la division en actes ; mais il utilise la structure ancienne au service d'une intention de prédication et construit une pièce rigoureusement religieuse qui doit expliquer au peuple (plutôt qu'aux doctes) les mystères suprêmes de la foi. Si sa tragédie contient un chœur, celui-ci est composé de bergers qui chantent des cantiques...

L'œuvre de Bèze ne manque pas de mérites du point de vue littéraire ; par son caractère elle se maintient dans la ligne du théâtre précédent (les mystères, notamment, dont elle ne dédaigne pas de reprendre quelques formules) : son intérêt véritable, toutefois, réside dans l'alternative qu'elle propose, en opposition à la tragédie « laïque » et païenne de la Pléiade. La formule aura une certaine fortune : les *Tragédies saintes* de Louis Des Masures (1563 : il s'agit d'une trilogie consacrée à l'histoire de Saül et de David), l'*Aman* d'André de Rivaudeau (1566), le *Josias* d'un certain Philone (1566) et enfin la tragédie anonyme et restée manuscrite du *Sac de Cabrière et*

Mérindol qui remonte également aux années soixante, essayeront avec plus ou moins de bonheur d'en vérifier la validité. Ces œuvres ne s'écartent pas beaucoup de la poétique de la tragédie selon Jodelle ou La Péruse : ici et là, on propose aux spectateurs un enseignement d'ordre moral, les protestants s'appuyant sur la Bible, les autres auteurs sur la sagesse des Anciens. Tel qu'il se présente dans ses manifestations, qui ne furent pas trop abondantes (il faudrait ajouter à la liste les deux traductions de *Jephté* de Georges Buchanan, qui parurent en 1566 et 1567), ce théâtre protestant des années soixante, en dépit des beautés de détail qu'il renferme, n'est pas une vraie réussite. Il lui manqua un public ; en outre, la justification transcendante qu'il aimait à se donner entraînait un certain mépris des règles (Des Masures utilise encore la scène à compartiments juxtaposés des mystères), d'où la réprobation des doctes. Il est intéressant de constater à ce propos que Grévin, protestant militant, n'écrit pas de pièces religieuses ; et que Jean de La Taille, lui aussi calviniste, condamne le théâtre de ses coreligionnaires pour son caractère irrégulier.

La comédie de la Renaissance

La comédie, genre « mineur », a beaucoup moins retenu l'attention des théoriciens contemporains (et, par la suite, des critiques). Sans doute, il y a moins de différence entre une farce et une comédie qu'entre un mystère et une tragédie. La comédie de la Renaissance par la force des choses n'apporte pas un message bien original : elle s'appuie sur une philosophie éternelle où il entre de la bonhomie et du cynisme, de la révolte et de l'acceptation. Ce monde moral quelque peu terne est le même que celui qu'avaient connu les auteurs des farces : on rit des mêmes travers de la condition humaine et en général de ce qui rapproche les hommes, de ce qu'ils ont en commun de plus modeste et de plus bas. C'est ainsi que la comédie de la Renaissance, dans la mesure où elle retrouve et réintroduit en France la comédie des Anciens, ne s'engage pas en territoire inconnu : sans le savoir peut-être, farceurs et bateleurs du Moyen Age ont souvent utilisé les mêmes recettes que Plaute ou Térence.

Les traductions, même dans le secteur de la comédie, ont précédé les créations originales : c'est à Térence que l'on s'est surtout adressé, parmi les Latins, et à l'Arioste parmi les Italiens (Plaute est pratiquement absent de la Renaissance française). Elles sont peu nombreuses, ainsi que le nombre des comédies originales que l'on peut enregistrer dans notre période : l'*Eugène* de Jodelle (1552), les deux comédies de Grévin, *La Trésorière* et *Les Esbahis* (1561), peut-être *La Reconnue* de R. Belleau, qui a été publiée en 1578 mais qui a été composée peu après le sac de Poitiers en 1562. Quant au *Brave* de Baïf, joué en 1567, bien qu'il s'agisse d'une adaptation du *Miles gloriosus* de Plaute, il mérite d'être enregistré parmi les œuvres originales : Baïf y a en effet déployé un effort considérable en vue d'adapter le sujet de son modèle aux conditions de la société française du XVIe siècle.

Il faut reconnaître que la mise en forme du monde de passions et de sentiments élémentaires auquel avaient recours les auteurs des farces donne des résultats appréciables : Jodelle fait évoluer sur la scène des personnages qui ont une certaine densité psychologique ; Grévin prête volontiers à ses créations une partie de son indignation devant la corruption des mœurs contemporaines et il en fait les porte-parole de ses dénonciations et de ses impatiences. Belleau et Baïf prennent au contraire leur distance par rapport aux scènes de la comédie humaine dont ils nous exposent le détail, et cachent leur désenchantement derrière un sourire de bon aloi.

Cette comédie de la Renaissance : une série de

réussites, sur lesquelles on n'insiste pas assez. L'idéal noble que la tragédie nous propose, dans sa double version, laïque ou religieuse, ne descend que difficilement de l'empyrée où il choisit de se cantonner, alors que la vision existentielle sur laquelle la comédie se fonde a bien plus de chances d'être immédiatement perceptible pour les hommes de toutes les époques. Vision purement immanente et laïque qui, dans un siècle de religiosité convulsive et tracassière, se place tranquillement en deçà de toute aspiration transcendante et remet froidement l'homme à sa place : sur cette terre, au cœur de la grande danse du monde, assez différente de la « folie mondaine » médiévale, car elle ne comporte aucun jugement sur la nature de cette aventure. Le monde de l'homme est bien celui-ci ; et s'il y a apparemment peu de place dans ce cadre pour un véritable renouvellement, il y reste assez d'espace pour un recommencement éternel, pour la leçon du courage, pour la capacité de regarder sa condition sans révoltes inutiles.

Comme dans le cas de la tragédie, il faut faire une part à la comédie protestante. Les ressources du genre ont été découvertes et exploitées par Marguerite de Navarre, dont il est parlé ailleurs ; mais *La Comédie du pape malade et tirant à sa fin* de Conrad Badius (1561) fournit à son tour un modèle qui sera largement exploité. Grossièreté et grivoiserie sont désormais employées au service d'une cause : on en tirera l'autorisation de ne pas reculer devant les outrances. En dépit de son caractère assez particulier, la comédie protestante illustre l'une des possibilités, et la plus redoutable, du genre qui vient de naître : les pamphlétaires protestants exploreront en effet, avec une considérable avance sur les littératures modernes, ses replis les plus cachés et découvriront qu'il peut être placé au service de la haine.

Le tableau que nous venons de tracer peut paraître assez riche : en réalité l'invention des genres nouveaux, tragédie, comédie, reste un événement margi-

nal. Le mot tragédie n'entre dans le dictionnaire
latin-français de Robert Estienne qu'en 1543 ; il
n'était pas enregistré dans l'édition de 1539. Le
mouvement théâtral n'a été que marginalement
affecté par les grandes nouveautés introduites par les
hommes de la Pléiade, les pièces prestigieuses furent
représentées rarement, dans des circonstances spé-
ciales, avec des mises en scène coûteuses. Elles ont
besoin d'un public consentant, qu'elles ne trouvent
généralement que dans les collèges. Ce que l'on
continue de jouer, c'est le théâtre de toujours : les
farces, qui n'ont même pas eu à changer de nom, les
moralités et les mystères, à peine déguisés sous des
appellations postiches. Le phénomène le plus significatif des années 50 est peut-être l'apparition en
France des troupes professionnelles, en grande partie
formées d'acteurs italiens. « Commedia dell'arte »
signifie comédie de métier : les acteurs qui les
composent jouent des rôles fixes, dans lesquels ils
sont spécialisés. La vision du monde qu'ils illustrent
ne peut être que stéréotypée : il reste peu de place,
dans un pareil cadre, pour les nouveautés délicates
apportées par la Renaissance.

Chapitre III

L'UNIVERS DES RÉCITS

LES hommes, comme les enfants, aiment qu'on leur raconte de belles histoires à rire, à pleurer, à rêver. Pour une société encore fortement marquée par l'oralité, le plaisir de conter ou d'écouter des contes est au moins aussi grand que celui d'en écrire ou d'en lire. Dans une société qui cherche à s'inventer des distractions, il n'est pas étonnant d'assister à une grande floraison de textes narratifs, qu'il convient de mesurer non seulement au nombre de titres nouveaux mis en circulation, mais plus encore à la masse de rééditions, sans omettre la part de la transmission orale. L'âge médiéval a fait une grande consommation de récits, qu'ils soient épiques ou facétieux, chevaleresques ou triviaux : le XVe siècle marquera à la fois un aboutissement et un nouveau départ. Les formes narratives vont évoluer et se transformer graduellement, sans que soit remis en cause le goût, le besoin même du récit, acte social essentiel qui est à la fois divertissement et enseignement, miroir et réflexion. Mais on ne raconte pas de la même façon à tous les publics : sans exagérer les différences, on devine que persistera longtemps un ton aristocratique, un ton « bourgeois » et un autre, plus « populaire » encore. Les nobles chercheront dans le conte (ce mot étant pris dans son sens le plus large) une idéalisation de l'existence, des modèles ou des mythes prolongeant et favorisant le rêve. les bourgeois se complairont à des évocations proches de la réalité qu'ils connaissent, à la relation piquante d'épisodes desquels se dégage une leçon (de comportement ou de morale). Le peuple aimera une satire encore plus vive des états privilégiés, le rire grivois et le merveilleux des contes de fées ou de géants. Mais cette catégorisation n'est pas rigide, et bien souvent les œuvres ne visent pas un seul public, ou alors ce public a des goûts mêlés. Retenons surtout cette attente, cette avidité de récits, qui aura pour corollaire l'affirmation graduelle d'un art de conter, sur des registres divers.

Le phénomène majeur est le passage des vers à la prose, l'invention de la prose narrative, qui s'impose autour de 1450. Cette évolution est due à une certaine régression de l'oralité (la déclamation cède lentement le pas à la lecture visuelle, la veillée collective à une « consommation » individuelle) ; celle-ci sera accentuée par la diffusion de l'imprimerie (l'incunable profane procurera essentiellement des romans de chevalerie, genre qui, même rimé, a toujours été plutôt fait pour les yeux). Elle correspond aussi à un souci plus marqué de condensation et de vérité : c'est pour se rapprocher de la réalité ou de l'histoire que l'on renonce aux conversations et aux contraintes du vers. Mais on n'évitera pas la lourdeur déclamatoire de la rhétorique. En même temps, la réduction en prose permet une actualisation de la langue qui renouvelle la lecture.

Deux grandes orientations se distinguent sans peine (et sans qu'il soit nécessaire de distinguer entre « sous-genres », arbitrairement cloisonnés, dont l'époque n'eut jamais conscience). D'un côté, une veine aristocratique, courtoise et sentimentale, où la distraction est d'abord évasion dans un romanesque qui perpétue des idéaux en voie d'extinction. De l'autre, un courant « bourgeois », facétieux et réaliste, dont le passe-temps consiste à jeter sur le monde environnant un regard moqueur. Ce n'est là qu'une approximation : on s'en convaincra en constatant que les *Cent Nouvelles nouvelles* sont issues de la cour de Bourgogne et que les romans de chevalerie dont se moquera Rabelais ont été très vite répandus dans un milieu roturier, voire populaire.

Les récits d'aventures héroïques et sentimentales
Les romans de chevalerie

Une grande partie des textes narratifs médiévaux (plus de la moitié) reparaît dans le public au XVᵉ siècle sous une forme modernisée : les grands et longs romans en vers sont « dérimés », mis en prose et abrégés pour correspondre aux exigences et aux goûts des lecteurs. Ceux-ci s'intéressent avant tout à l'histoire dépouillée de certains ornements (épisodes tels que les interminables batailles, procédés épiques, trop longues harangues). Le récit gagne en clarté et en ordonnance logique : les remanieurs ajoutent des divisions en chapitres et des rubriques, des précisions spatio-temporelles. Mais on ne touche guère au fond de l'histoire (tout au plus est-elle assaisonnée de tours sentencieux, de réflexions pieuses ou de détails grivois) ; les seules innovations sont du domaine technique, comme parfois le goût du discours direct et des dialogues. Très vite l'imprimerie va diffuser très largement cette production (le premier roman édité, *Fierabras,* 1478, connaîtra 26 rééditions jusqu'en 1588), puis la « populariser » grâce à des versions encore allégées : elle finira au XVIIIᵉ siècle dans les livrets de la *Bibliothèque bleue.*

Parmi les œuvres ainsi rajeunies et rhabillées, on retrouve les épopées de la « matière féodale » (mais non pas la *Chanson de Roland*) et les romans antiques, la « matière de Bretagne » (romans de la Table Ronde, qui véhiculent toute la thématique

courtoise et que leur côté aventureux, romanesque et
merveilleux rend populaires dans tous les milieux, tel
le *Perceforest*, écrit directement en prose et véritable
encyclopédie chevaleresque) ; enfin les romans
d'aventures qui utilisent situations et motifs folklori-
ques et qui offrent une ouverture sur des horizons
étranges et lointains *(Blancandin, Cléomadès, Robert
le Diable, Richard sans peur,...)*. La production ne
s'interrompt pas : *Pâris et Vienne* est composé en
1432 par P. de La Cépède et édité en 1487 ; Raoul Le
Fèvre, chapelain de Philippe le Bon, écrit vers 1455
le *Roman de Jason et Médée* puis en 1464 le *Recueil
des troyennes histoires* (éd. en 1477) où Grecs et
Troyens sont transformés en paladins et accomplis-
sent « merveilleux faits de chevalerie ». Des arguments nouveaux apparaissent, utilisant souvent les
éléments de la tradition : on imagine des suites, on
invente des descendances, on combine les souvenirs
historiques aux prouesses obligées des héros. Ainsi
Mabrian, petit-fils de Renaud de Montauban, qui
devient roi de Jérusalem et d'Inde la majeure (éd. v.
1480) ; *Meurvin*, fils d'Ogier le Danois (éd. 1498) ;
Gérard d'Euphrate, duc de Bourgogne, roman peuplé de fées, de nains et de démons et qui sera adapté
par Herberay Des Essarts en 1549 ; *Giglan*, fils de
Gauvain, de Cl. Platin (v. 1520, éd. 1539) ; ou encore
Le Chevalier doré et la Pucelle Cœur d'acier, imprimé
en 1542. On adapte le *Morgante maggiore* de Pulci
dès 1519 ; *Guérin mesquin* sera traduit de l'italien en
1530. Parmi ces derniers fidèles, le Lyonnais Pierre
Sala, tout imprégné de l'esprit arthurien, qui récrit
un *Chevalier au lion* en vers et imagine un nouveau
Tristan en prose à la demande de François Ier (1525-
29), resté manuscrit comme tout le reste de son
œuvre. L'intrigue nouvelle insiste sur les aventures et
le livre « tient plus du roman de cape et d'épée que
du roman courtois » (L. Muir) ; il est bien construit,
avec un constant souci de l'enchaînement et une
humanisation des personnages fabuleux, ainsi que

d'une relative brièveté. Il sera encore suivi du
Nouveau Tristan de Jean Maugin (1554). Le succès
rencontré par ces œuvres de fiction idéalisante montre qu'elles répondent à une réelle attente : celle du
dépaysement, de la compensation par les rêves
d'aventure, de gloire et d'amour. Il sera relancé par
la découverte des romans espagnols du cycle des
Amadis.

Certaines de ces œuvres nouvelles peuvent être
considérées comme les prototypes d'une forme romanesque plus brève et où domine l'élément sentimental. D'anciennes histoires d'amour, de jalousie et de
mort, comme *La Châtelaine de Vergi* ou *La Fille du
comte de Ponthieu* sont remaniées (cette dernière
dans le *Roman de Jean d'Avesnes*). Ecrit à la cour de
Philippe le Bon, peut-être par Jean de Wavrin, le
Roman du comte d'Artois (v. 1460) exploite une
donnée orientale en l'intégrant dans un cadre historique. Le comte, fâché que sa femme ne lui ait pas
donné de fils, la quitte en jurant de ne la revoir qu'à
trois conditions fort hasardeuses : qu'elle soit
enceinte de lui sans qu'il en sache rien, qu'il lui
donne son meilleur cheval et son plus beau diamant.
Il guerroie en Espagne, où l'épouse rusée le rejoint
sous des habits masculins et réalise les trois conditions. Les aventures romanesques et les exploits
guerriers « dignes de mémoire et de recommanda-
tion » sont contés pour faire rêver, pour passer le
temps et pour « fuir les fantaisies qui grèvent la
nature oisive », car « c'est chose bonne et profitable
que d'entendre les plaisantes lectures d'anciennes
histoires ».

Le plus célèbre de ces récits, l'*Histoire de Pierre de
Provence et de la belle Maguelonne* (1438, éd. en
1492, une trentaine de rééditions) dérive d'un thème
populaire et fait la part belle au sentiment. Pierre
s'est enfui de la cour de Naples en enlevant la fille du
roi. Les amoureux se reposent dans une forêt quand
un oiseau emporte la bague de Maguelonne endor-

mie. Pierre s'égare en le poursuivant et Maguelonne,
à son réveil, se croit abandonnée. Après maintes
tribulations, Pierre retrouve Maguelonne en Provence et il l'épouse. Donnée simple, on le voit : la
séparation de parfaits amants, les épreuves et les
retrouvailles. Elle est ici contée avec fraîcheur et
émotion, sans prolixité et sans complication alambi-
quée ; le lecteur partage les inquiétudes des héros. Ce
bref roman annonce la veine du roman sentimental
qui se développera surtout au XVIᵉ siècle.

Le Petit Jehan de Saintré

Mais voici le premier roman et le premier roman-
cier modernes. Antoine de La Sale (1385 ou 86-après
1460), qui fut au service de la maison d'Anjou et fit
de nombreux voyages en Italie, est un coureur
d'aventures qui prend la plume sur le tard. Parfaitement informé de la vie curiale, il aime enseigner
autant que conter et il glisse plusieurs narrations dans
son œuvre didactique (*La Salade,* 1444, qui contient
le curieux *Paradis de la reine Sibylle* ; La Sale, 1451 ;
Le Réconfort de Mme de Fresne, 1458). On lui a
attribué, sans doute à tort, la rédaction des *Cent
Nouvelles nouvelles.* Mais son chef-d'œuvre est le
roman du *Petit Jehan de Saintré,* dédié au duc de
Calabre, fils de René d'Anjou, dont il était le
précepteur.

Ecrit entre 1456 et 1459, le livre est à la fois un
roman de formation (« le *Télémaque* du temps de
Charles VII »), un récit chevaleresque, un roman de
mœurs et un roman plaisant. L'intrigue en est
entièrement inventée et moderne : l'action est censée
se dérouler dans la première moitié du XIVᵉ siècle,
dans un cadre de fiction historique. Peut-être même
est-ce, au moins en partie, un roman à clef ? Mais on
n'a pu identifier la « jeune dame des Belles Cousines », ni savoir si le héros, qui porte le nom d'un
vaillant chevalier du siècle précédent, désignait un

contemporain. Du moins, la description de la vie de cour traduit une expérience personnelle directe auprès du roi René.

Une jeune veuve désœuvrée à la cour de France jette les yeux, pour se désennuyer, sur un tout jeune page de treize ans à qui elle fait quelques aguicheries. Puis, voyant qu'il est simple et droit, avisé et fier, elle entreprend son éducation et se sent de plus en plus attirée vers lui. Entre cette femme, qui veut être à la fois l'initiatrice et la mère, et cet adolescent au cœur noble, dont les sens s'éveillent, se noue un amour un peu trouble, à travers des jeux plus ou moins innocents. Mis hors de page, le jeune chevalier fait merveille lors de tournois avant de prendre la tête de l'armée qui va combattre les Infidèles en Prusse. Il tue le Grand Turc et revient en triomphateur. S'ennuie-t-il auprès de la dame ? il préfère bientôt repartir jouter en Allemagne. Malade de dépit et de chagrin, la dame se retire sur ses terres, où elle rencontre un jeune abbé sensuel, riche et effronté. Elle a tôt fait de paillarder avec lui, refusant de regagner la cour. A son retour, Saintré va être fort mal accueilli par la dame et battu traîtreusement par Damp (Dom) Abbé. Il prend sa revanche et perce la langue et les deux joues du moine. A la cour, il raconte, sans donner les noms, l'histoire de ses amours trahies et demande aux dames de juger : toutes blâment celle qui a trompé l'amant loyal, sauf la Dame des Belles Cousines qui cherche à accuser celui-ci. Outré, Saintré la démasque et la couvre de honte et de réprobation.

Le roman se divise donc en trois parties : les enfances Saintré, son éducation et le service amoureux, les exploits, tournois et croisade, du chevalier, la tromperie de la dame et la vengeance de l'amant. Il ne faut pas exagérer la différence de ton et d'esprit entre elles. Certes, on rencontre au début de longs passages pédagogiques consacrés à l'enseignement du « petit » Saintré (c'est ainsi qu'on appelle les pages), dans lesquels la dame parle comme un pédant (elle passe en revue les 7 dons du saint Esprit, les 7 œuvres de miséricorde spirituelle et les 7 autres de miséricorde corporelle, etc.). A ce « doctrinal de courtoisie » l'auteur ajoute, complaisamment détaillé, le rituel des joutes et des combats ; il aime visiblement évoquer la vie de cour de la façon la plus méticuleuse. Puis il prend le ton de la nouvelle pour raconter la « chère lie » que mènent la dame et l'abbé, les mésaventures de Saintré, moqué, battu et finalement victorieux sans avoir perdu sa dignité. Et il est vrai que la Dame connaît une métamorphose assez radicale. Mais dès les premiers instants, La Sale a soin de poser les jalons qui expliqueront la conduite de Saintré et le revirement de la dame. C'est-à-dire qu'il sait suggérer le fond d'un caractère et en suivre finement l'évolution : les personnages sont campés de façon très vivante et très juste. Ce sont même les premiers caractères du roman français. La Dame des Belles Cousines est une jeune veuve qui se divertit à jouer avec le page, à s'en laisser courtiser « pour farcer », puis qui doit s'avouer troublée et qui lui accorde son cœur en espérant mieux. Elle dirige la formation de Saintré : il sera son œuvre. Mais elle ne supportera pas qu'il veuille s'émanciper et prendre l'initiative : délaissée par le chevalier qui lui préfère les jeux guerriers, elle tombe dans un état dépressif. Et elle n'offre guère de résistance à l'abbé qui lui apporte enfin la satisfaction des sens. En face de cette femme despotique, impérieuse, à la sensualité longtemps refoulée ou dérivée, Saintré est le jeune chevalier accompli, d'abord page timide, ingénu, appliqué, puis élève docile et sensible, livré aux premiers émois de la chair mais cédant à l'appel des armes et de la gloire. Sa personnalité s'affirme de plus en plus nettement : il mûrit au cours du livre ; fier et décidé, il saura se venger avec une ironique politesse. Il est « le plus prudent et vaillant des chevaliers ». Damp Abbé lui-même est brossé avec une finesse railleuse et une netteté savoureuse. Son portrait physique est bien détaillé : gaillard robuste, éclatant de santé mais livré à ses appétits sensuels et gourmands, ce moine lubrique est un bourgeois vulgaire et sans élégance, plein de suffisance, hypocrite et rusé — exactement l'opposé du chevalier. Il est haut et cru en couleurs. Les deux protagonistes sont plus fouillés encore : on devine, à tout le moins, que La Sale s'intéressait aux états d'âme et aux vibrations charnelles. Tout en s'inspirant de faits réels ou de romans courtois, il a su imaginer une histoire pleine de scènes ou de situations originales. Il a le sens de la dramatisation, animant son récit dès lors qu'il ne se croit plus tenu aux énumérations didactiques ou aux longues descriptions (qui n'étaient pas nécessairement une faiblesse aux yeux de ses contemporains). Il a le goût du détail finement observé : en face de celle qui le taquine et le traite de « failli » pour n'avoir pas encore (à treize ans !) élu de dame, le petit Saintré a « perdu toute contenance, fors d'entortiller le pendant de sa ceinture entour ses doigts ». Il raconte avec un « flou » romanesque dont la discrétion allusive est très suggestive les entrevues secrètes et nocturnes du page et de la dame (on n'y parle sans doute pas uniquement de « salutaire doctrine ») ou les tête-à-tête galants avec l'abbé. Son dialogue a de la vivacité et du naturel et la narration abonde en indications pittoresques et vivantes.

Mais ce roman est aussi un témoignage : la glorification un peu désuète de l'esprit chevaleresque (tel qu'essaie de le perpétuer le bon roi René, « patron » de l'auteur) que nourrissent, non sans quelque nostalgie, les souvenirs personnels. La Sale a passé toute sa vie dans ce milieu tourné vers le passé : son observation est réaliste, mais ingénue, « du dedans » ; le tableau des mœurs contemporaines qu'il offre est dépourvu de recul et d'ironie. Il révèle malgré lui la dégénérescence de l'idéal courtois que n'animent nul grand devoir, nulle ambition élevée :

existence assez vide, qui se dépense en joutes et en
entretiens galants et qui s'étiole en vase clos. La
satire qu'en fait Damp Abbé n'est pas sans portée,
même si l'auteur la conteste.

Roman de formation, disions-nous : le page y
reçoit un enseignement direct de morale, de civilité
mondaine, de courtoisie amoureuse, mais aussi un
enseignement fondé sur l'expérience de la vie. A
travers les deux visages de la Dame se marque tout
d'abord l'importance du rôle éducatif de la femme
dans le monde chevaleresque, puis sont dénoncés les
dangers d'une passion déshonnête, le vertige des sens
soumis à la « vive contrainte d'amours » : sévère
mise en garde contre la femme, capable du meilleur
et du pire, mais qui déjà se plaît à être dame galante
et qui toujours veut être maîtresse.

Malgré ce que nous ressentons aujourd'hui comme
des longueurs, ce roman est plein d'intérêt. Plaisant
et sérieux tour à tour, moral et récréatif, il offre des
caractères bien dessinés et une action finement
conduite. C'est un jalon d'importance dans l'histoire
du genre romanesque.

Jehan de Paris

Un tout autre esprit anime ce curieux récit, dont la
technique est encore, malgré sa brièveté, celle du
roman d'aventures. Le *Roman de Jehan de Paris* a
été composé vers 1495, sans doute à Lyon, par un
familier de la cour d'Anne de Bretagne (on a pensé à
Pierre Sala, ce qui n'est pas invraisemblable, mais qui
resterait à démontrer).

Le roi de France a aidé le roi d'Espagne à réprimer
la rébellion de ses sujets : il promet que son fils, alors
âgé de trois ans, épousera la princesse d'Espagne.
Quinze ans se passent : le jeune Jean est monté sur le
trône ; la promesse a été oubliée. Or, le roi d'Angleterre a demandé la main de la princesse. Avant de
gagner l'Espagne, il passe par Paris faire emplette de

joyaux et de draps d'or. Reçu par la reine régente, il vante les mérites de sa fiancée, ce qui rappelle à la reine la promesse d'antan. Elle avertit son fils, qui décide de gagner incognito l'Espagne pour voir si la princesse lui convient. Dès lors, il sera Jean de Paris, riche bourgeois qui voyage pour son plaisir sur la même route que l'Anglais qu'il précède. Il prend un malin plaisir à étonner celui-ci par sa magnificence insolente et son élégante désinvolture. Rendus à Burgos, le roi d'Angleterre doit assister à l'entrée solennelle du mystérieux voyageur, qui surclasse de loin toutes les merveilles connues. C'est un défilé interminable, et d'autant plus beau qu'il est interminable. D'autant plus humiliant pour l'Anglais, d'assez pauvre prestance et de mince apparat. La princesse est séduite ; elle est belle : évidemment, Jean de Paris, reprenant enfin son titre, l'épouse au grand dépit de son rival. Il rentre dans son royaume et il a deux fils, dont le cadet devient roi d'Espagne alors que l'aîné lui succède.

Cette fois, c'est bien un roman à clef, qui transpose les événements de l'histoire contemporaine : le mariage de Charles VIII et d'Anne de Bretagne (le roi d'Angleterre désignant Maximilien d'Autriche), les guerres d'Italie et l'entrée à Florence de 1494. On y retrouve aussi des thèmes de la tradition narrative (devinettes, défilé) et une parenté assez étroite, quoique partielle, avec un roman du XIIIe siècle, *Jehan et Blonde,* de Ph. de Beaumanoir. La conception est proche de celle de la nouvelle, centrée sur un épisode, dans un cadre limité et sans analyse des caractères. L'auteur se révèle excellent conteur, graduant ses effets et ménageant l'intérêt ; il sait filer une scène grâce au procédé de la surenchère et narrer malicieusement les mystifications du roi d'Angleterre ou les « gabs » de Jean de Paris. Son écriture a de la bonhomie et du naturel, de l'aisance et du piquant : c'est déjà tout un art du récit qui se traduit dans ce style.

Mais l'œuvre est surtout révélatrice d'un climat. Celui des rivalités nationales : l'orgueil des Anglais (et des Impériaux) est bien rabattu ; le roi d'Angleterre est caricaturé sans grande méchanceté sous les traits d'un vieux bonhomme rustaud et crédule : c'est une aimable revanche. Le climat d'allégresse du début du règne de Charles VIII et des premières campagnes d'Italie : avec un peu de jactance, une belle confiance en soi, une joie de vivre exubérante et juvénile, qui fait de Jean de Paris le « champion » du royaume, par son excellence, sa supériorité dans tous les domaines. Or ce roi se travestit en bourgeois, et c'est le bourgeois qui a tout le panache, le riche marchand et non pas le noble. Peut-être faut-il voir là un écho du prestige d'une classe montante, une certaine sensibilité à l'évolution sociale, en même temps que la traduction romanesque d'une fierté nationale, savourant la prospérité retrouvée à travers l'étalage de la magnificence royale.

Amadis de Gaule

Dans le prolongement des récits arthuriens, l'Espagnol Montalvo avait composé une réfaction utilisant d'anciens textes perdus de l'histoire complexe et mouvementée d'Amadis, le chevalier amoureux (éd. en 1508). Le début de l'ouvrage, les huit premiers livres, fut traduit, ou plutôt adapté, par Herberay Des Essarts (éd. en 12 vol. in-folio, 1540-46 ; la suite sera translatée par d'autres, tels Gohory ou Chappuys). Herberay est persuadé que l'œuvre a d'abord été écrite en français : ce sont donc les exploits et les amours d'un parangon de chevalerie française qu'il exaltera.

Amadis, fils du roi Périon, confié aux flots, a été recueilli et élevé sous le nom de Damoisel de la mer ; il devient amoureux de la princesse Oriane. Séparé d'elle, le Beau Ténébreux accomplit une foule d'exploits romanesques au milieu de paysages enchantés, rencontrant des fées, des géants, des magiciens, des ermites, s'aidant d'anneaux ou de lances magiques pour vaincre des adversaires redoutables, toujours en quête de l'aimée, vivant de fabuleuses aventures où l'amour devient l'inspirateur des prouesses, avant d'épouser enfin la belle Oriane.

L'œuvre eut un immense succès ; elle était bien écrite, dans un langage mondain et raffiné ; son action aux constants rebondissements tenait en haleine à travers une cascade d'épisodes ; on y voyait persister l'esprit chevaleresque. Elle devint le manuel des élégances morales pour les seigneurs et les dames. Elle fut aussi un répertoire de types et de scènes souvent exploité. Herberay traduisit ses suites, *Esplandian, Amadis de Grèce, Don Florès de Grèce*. On lut encore avec passion les versions françaises du *Palmerin d'Olive* (par J. Maugin, 1553), de *Primaléon de Grèce,* son fils (par Vernassal, Landré et Chappuys, 1550 sq.), du *Palmerin d'Angleterre* (par J. Vincent, 1553) ou de l'*Histoire palladienne,* traduite par Cl. Colet (1555). On mesure à la fortune de l'*Amadis* et de ses suites la permanence du goût pour le roman médiéval d'aventures chevaleresques.

Le roman tragique et sentimental

On ne sait où chercher l'origine de ces histoires graves et douloureuses, de passion et de violence, d'amours contrariées et de morts sanglantes : il s'en rencontre dans la tradition française *(La Châtelaine de Vergi)* et il se peut aussi que la lecture de Boccace ait joué son rôle en même temps que la découverte des romans sentimentaux italiens ou espagnols. Dès la fin du XVe siècle, les traductions se succèdent de façon ininterrompue et forment tout un rayon de la littérature romanesque française. Les deux pathétiques nouvelles du *Décaméron, Grisélidis* et *Guiscard et Gismonde* sont adaptées pour les dames d'après les traductions latines et comprises comme contes moraux, l'une en 1484, l'autre (en vers, par J. Fleury) en 1493. L'*Histoire d'Euryale et Lucrèce,* d'Æneas Sylvius Piccolomini, connaîtra plusieurs traductions, l'une en vers par Octovien de Saint-Gelais (1493), une autre en prosimètre par Antitus (1497), peut-être une troisième en 1537, enfin la version de J. Millet (1551) : les lecteurs « sensibles » y suivaient une série d'incidents « réalistes » émaillant une liaison qui se termine mal pour la femme abandonnée. L'insistance sur le sentiment féminin destine ce texte, comme la plupart de ceux qui appartiennent à cette catégorie, à un public de dames. La *Flammette* de Boccace (traduite en 1532) offre l'un des modèles du récit à la première personne : longue confession de l'amoureuse coupable et délaissée, qui raconte ses malheurs et qui analyse ses sentiments. On lit aussi beaucoup les romans d'aventures sentimentales, tels le *Philocope* de Boccace (tr. 1542) ou le *Pérégrin* de Caviceo (tr. par Fr. Dassy en 1527), sans omettre le *Roland furieux,* traduit en prose en 1543, comme s'il s'agissait d'un roman.

En même temps, les Français découvrent le roman espagnol, aux teintes plus sombres, mélancolique et désespéré, au ton élégiaque si particulier. Ce sont la *Prison d'amour* (de Diego de San Pedro, tr. par Fr. Dassy en 1526), *Arnalte et Lucenda* (du même, tr. par Herberay sous le titre *L'Amant mal traité de s'amie,* et qui aura au moins 17 éditions), le *Jugement d'amour* (de Juan de Flores, tr. en 1530, 18 éditions), *Grimalte et Gradisse* (du même, que Scève traduit en 1535 : *La déplorable fin de Flammette*), la *Complainte que fait un Amant contre Amour et sa dame* (de Juan de Segura, tr. en 1554). Quant aux romans grecs, ils sont eux aussi adaptés en français. Colet traduit Achille Tatius (*Les Devis amoureux,* 1545) et Héliodore (*Théagène et Chariclée* 1555), qu'Amyot avait déjà adapté (1547). Le même Amyot rendra célèbre *Daphnis et Chloé* (1559). Louveau traduit les

Amours d'Isménias (1559) et Belleforest à nouveau *Clitophon et Leucippé* (1568).

Nous avons vu que les Français connaissaient des œuvres analogues, plus rares, moins pathétiques. Un ami de La Sale, Rasse de Brunhamel, avait adapté, dans le second tiers du XVe siècle, une nouvelle tragique, l'*Histoire de Messire Floridan et de la belle Ellinde* (éd. en 1518), où l'on voit deux amoureux qui fuient ensemble pour éviter un mariage forcé; ils sont attaqués par des bandits qui tuent Floridan; pour échapper à leurs violences, Ellinde se tue. Mais un tel argument reste isolé dans la production narrative du temps : il faut attendre le règne de François Ier pour assister à un développement de cette veine, allant de pair avec une certaine émancipation de la femme. En 1512, Lemaire avait introduit dans ses *Illustrations de Gaule* le récit idyllique et sentimental des amours de Pâris et d'Oenone. Les traits romanesques seront plus accentués dans le *Palamon et Arcita,* d'Anne de Graville (1521), adaptation de la *Teseida* de Boccace, qui exalte les vertus courtoises et la noblesse du cœur féminin à travers l'histoire d'une rivalité amoureuse. Dans la *Pénitence d'amours* (Lyon, 1537), René Bertaut de La Grise offre, par-delà une trame romanesque assez lâche, un manuel de civilité pour tous ceux « qui veulent tâcher à honnête conversation avec les femmes ».

Plus importants, plus singuliers aussi sont les deux livres majeurs du temps de François Ier. D'abord, les *Contes amoureux* de Madame Jeanne Flore (pseudonyme non déchiffré, Lyon, v. 1537) qui offrent, en même temps que le premier « cadre » véritable avant l'*Heptaméron,* quatre nouvelles d'amour fatal, deux nouvelles chevaleresques et une histoire tragique. Ces histoires sont racontées par un groupe de Lyonnaises qui les « moralisent » en faisant une apologie de l'amour (hors mariage : les maris sont vieux, jaloux et dépourvus de tout sentiment). L'amour est source de joie ; qui veut s'y soustraire s'expose à la

colère et à la vengeance des dieux. Ces femmes
revendiquent au contraire les droits du cœur et
affirment le devoir d'aimer. Morale assez libre, on le
voit : « aimez, tout le reste n'est rien »... En adaptant divers textes anciens, médiévaux ou modernes
« Jeanne Flore » exalte les voluptés du sentiment et
des sens à travers les élans d'une imagination com-
pensatrice du désœuvrement et de la déception
vécue.

Il en va autrement dans les *Angoisses douloureuses
qui procèdent d'amour,* d'Hélisenne de Crenne
(1538), roman original et en partie autobiographique : l'auteur s'y met en scène, raconte sa propre
expérience et s'adresse à « toutes honnêtes dames
pour les exhorter à ne suivre fol amour ». L'action en
est réduite : une jeune dame s'éprend d'un inconnu,
ni noble, ni courtois, ni discret. En cachette du mari,
elle l'entrevoit et lui écrit. Commérages des voisins,
vantardises de l'amant, jalousie du mari : elle se
retrouve séquestrée sans qu'il y ait eu faute autre que
du cœur. Puis on suivra l'amant dans des aventures
guerrières qui le réhabiliteront : il reste fidèle à son
amour, mais doit accepter le renoncement. Bien
qu'assez lourdement écrit, ce roman est une tentative
remarquable d'analyse psychologique dont les maladresses ne doivent pas masquer le ton sincère et
vibrant, la franchise lucide de cette attention au moi
déjà toute moderne.

Relevons encore l'*Histoire de l'écuyer Girard et de
damoiselle Alyson, contenant l'honneur, fidélité et
intégrité des dames,* de Blaise de Changy (1545), qui
fait écho à la Querelle des Amyes, les *Devis amoureux traduits du grec* (?), de Philibert de Vienne
(1545), et surtout un livre méconnu, *L'Amant ressuscité de la mort d'amour,* de Théodose Valentinian
(pseudonyme encore, 1555). Après une tempête et
un naufrage, le narrateur rencontre un homme qui se
meurt d'un chagrin d'amour et qui va raconter son
histoire. C'est celle d'une passion dévastatrice : après

la laborieuse conquête du cœur d'une dame, après les moments heureux mais brefs d'une liaison chaste, intervient une longue séparation pendant laquelle l'amie se fiance à un autre. D'où le désespoir de l'amant, qui finit par guérir, mais au prix de la mort du cœur. Ce long récit à la première personne, qui s'inspire de modèles espagnols et dont l'action est restreinte aux deux protagonistes, est empreint d'une pesante tristesse et d'une noble gravité qui ne met en cause ni la grandeur du sentiment amoureux ni le respect dû à la femme.

Le récit tragique et sentimental forme également une part importante de l'*Heptaméron* et connaît une nouvelle fortune avec les *Histoires tragiques* de Bandello adaptées par Boaistuau (1559) puis par Belleforest (1568 sq.) adroites réécritures du modèle. Ces récits d'amour et de mort, montrant les excès de la passion, se veulent à la fois « réalistes » et exemplaires : « étant le miroir de notre vie et le patron où faut que se rapportent nos actions ». La morale est ici implicite et l'on constate que le narrateur (Boaistuau surtout) introduit une certaine distance, ne manifestant ni émotion ni compassion pour ses personnages, affichant son mépris de l'amour et insistant sur la misère de l'homme. Cette atmosphère froide renforce le caractère tragique de récits bien agencés et bien conduits par un excellent écrivain.

Le récit bref et plaisant
Les débuts de la nouvelle

L'autre grand domaine de la prose narrative est celui du bref récit divertissant, « réaliste », visant surtout un public masculin et plus proche de la tradition orale. La nouvelle va connaître un essor spectaculaire à partir de la fin du xve siècle ; d'abord à cause de la tournure d'esprit générale (« Veulent les gens de maintenant avoir chose abrégée et plaisante, car les esprits deviennent tous les jours plus aigus et subtils », Ph. de Vigneulles), mais aussi grâce à la confluence de diverses formes nationales ou étrangères. Certains sous-genres caractéristiques du Moyen Age se transmettent et se transforment. L'*exemplum,* qui se maintient longtemps, n'est en soi qu'une brève illustration d'une pensée sentencieuse. Il va évoluer, soit dans un sens encore plus strictement moral, où le récit perdra toute valeur propre, ne servant que de confirmation édifiante (ainsi dans le *Triomphe et Parement des dames,* d'Olivier de La Marche, réédité encore en 1532 à Lyon sous le titre *Source d'honneur*), soit en oubliant son but et en se consacrant surtout au récit, accompagné *in fine* d'une rapide remarque de justification morale (qui ressemble fort à une convention ou à un alibi). L'*exemplum* devient alors conte édifiant, comme dans les *Nouvelles de Sens* (2ᵉ moitié du xvᵉ siècle). Dans ce qui veut d'abord instruire, il n'y a souvent qu'une esquisse de narration, assez sèche et sans beaucoup de préoccupations artistiques. Ce n'est que plus tard que l'on cherchera à plaire pour mieux instruire. Mais l'habitude de la moralisation à travers le récit est tenace : l'édition Vérard du Boccace traduit par Premierfaict (1485) ajoute à chaque nouvelle un commentaire moral. Pierre Gringore adapte 27 *exempla* des *Gesta romanorum* dans ses *Fantasies de Mère Sotte* (1516) ; on imprime en 1521 le *Violier des histoires romaines,* traduction des *Gesta* dédiée à Louise de Savoie.

Le fabliau, ce « conte à rire en vers » (Bédier) empreint de réalisme et d'esprit satirique, est un genre à peu près mort depuis le milieu du xivᵉ siècle. Mais ce goût de la peinture d'une réalité toute proche, cette concentration sur un seul épisode au sein d'une intrigue rudimentaire, ce ton incisif, acide ou jovial qui le caractérisaient se retrouveront dans des formes narratives un peu imprécises qui servent de relais (ainsi les *XV Joies de mariage*, satire didactique à allure narrative). Le fabliau offre une narration alertement conduite, des sujets limités à l'anecdote, une concision qui tend vers la chute, dont l'effet de surprise est fortement marqué, des caractères sommairement brossés en types, un style plein de mouvement et de vivacité, de niveau trivial : de tout cela, la nouvelle fera son profit.

Faisons encore une place aux joyeux devis, ces recueils d'anecdotes, d'histoires brèves et comiques. Le modèle est ici le Pogge et ses *Facéties* (en latin, début du xve s.), recueil célèbre où voisinent des nouvelles d'une extrême concision (la matière d'une quinzaine d'entre elles se retrouvera dans les *Cent Nouvelles*), des bons mots, des faits singuliers, des fables, traitant « de rebus quotidianis et vulgaribus » dans un style à la fois condensé et recherché, soucieux d'élégance. Le Pogge inspirera plus ou moins tous les conteurs français : dès 1480, le moine lyonnais Julien Macho adapte sept facéties ; Guillaume Tardif le traduira pour Charles VIII, avant 1496, en accordant plus d'importance aux faits narrés qu'à l'élégance du style. Il a le goût du détail, du dialogue et de la mise en scène, malgré les limites très resserrées de ces contes. Il y ajoute une moralité qui rapproche la facétie de l'*exemplum*. Tardif traduit encore les fables ésopiques de Laurent Valla (éd. vers 1495) ainsi que les *Dits moraux* de Pétrarque. Pierre Gringore est lui aussi très attiré par ce genre (*Dits des Sages philosophes*, v. 1490 ; *Menus propos,* 1521). Les recueils de bons mots seront largement répandus au xvie siècle : *Paroles joyeuses et dits mémorables de Pétrarque* (1531), *Divers propos mémorables* de Corrozet (1556) ou *Questions énigmatiques récréatives* de Du Verdier (1568).

Un peu en marge de ce courant, Martial d'Auvergne compose vers 1465 ses *Arrêts d'Amour,* petites scènes de la vie quotidienne qui fournissent la matière de procès expéditifs, selon une structure

uniforme (plaidoyers et sentence). Empruntant ses
sujets à la vie amoureuse, il présente des situations
conflictuelles courantes, allègrement narrées et déga-
geant une impression de vérité pittoresque. On
déboute le vieillard qui demandait qu'une dame soit
contrainte de l'aimer pour son argent, ou les héritiers
d'un amant qui réclamaient pour eux la poursuite des
faveurs de la dame ; on condamne la femme qui,
après avoir ruiné son ami, lui refusait ses bonnes
grâces, à les lui accorder gratis, etc. Martial utilise un
fonds commun souvent exploité par d'autres œuvres ;
il met en scène des types sommairement mais vive-
ment croqués : son observation est très fine. Son
expression est empreinte de naturel ; les reproches,
plaintes, invectives, prêtés aux personnages sont
savoureusement traduits et le narrateur ne se départit
pas d'une bonhomie un peu narquoise, mais indul-
gente. Toutefois ce ne sont là que des ébauches de
récit (sauf l'arrêt XXII, authentique nouvelle), tout
comme les *Arrêts nouveaux* de G. Coquillart, qui
exploitent en vers la même veine (fin du xve s.) avec
une verve abondante et parfois grossière, rude, mais
âpre et colorée.

Si l'on ajoute que le lai médiéval, traitant une
aventure romanesque avec fond sentimental, offre un
autre modèle au récit courtois, si l'on rappelle le
prestige de Boccace, connu des Français depuis le
début du xve siècle, on conclura qu'il est vain de
vouloir retrouver « le » prototype de la nouvelle
française. Elle ne peut être que le résultat d'une
« polygénèse » (Frappier) qui combine les éléments
de la tradition scolastique, des divers genres narratifs
brefs du Moyen Age français et de la nouvelle
italienne.

Les Cent Nouvelles nouvelles (1462)

Voici un livre important, qui marque le vrai début
de la forme moderne du récit bref, qui se donne

toujours comme relation de faits récents et authentiques, comme « conte à plaisance » sans portée
morale ou didactique explicite ; il introduit en France
le terme même de « nouvelle ». L'œuvre est issue de
la cour de Philippe le Bon, au moment où le futur
Louis XI est réfugié à Genappe. Elle s'inspire
évidemment des modèles italiens, de Boccace surtout, et d'abord dans le choix du nombre cent ou
dans l'intervention de narrateurs. L'auteur (ou le
rédacteur de ce qui a fort bien pu être, au moins en
partie, narré oralement en société) est inconnu ; on a
songé à A. de La Sale ou à Philippe Pot : tous deux
apparaissent parmi les narrateurs, tout comme le duc
et le dauphin, à côté de celui qui se nomme
« l'Acteur ». Mais aucune attribution n'est pleinement satisfaisante.

Le cadre, s'il ne reproduit pas une donnée réelle,
est une pure convention, peu contraignante d'ailleurs, qui situe la narration à la cour de Bourgogne.
On n'y perçoit nul écho des grandes déchirures
civiles, des misères de la guerre ni des préoccupations
du quotidien ; société d'oisifs à peine entrevue, le
groupe des narrateurs ne manifeste ni émotion ni
participation affective aux histoires racontées. Le
pathétique est ici presque totalement absent, au
profit d'un comique salace, voire d'une insensibilité
un peu cynique. Nul système narratif, nul effort de
contextualité : tout au plus, çà et là, une esquisse de
transition d'un conte à l'autre. Ce qu'on rapporte, ce
sont généralement des faits divers empruntés à une
actualité récente (ou donnés pour tels) et puisés aux
souvenirs personnels (ou prétendus tels).

Les sujets appartiennent au fonds commun d'histoires drôles ou égrillardes, ou simplement curieuses,
singulières, parfois romanesques (100 : éloge de
l'amour chaste) et même tragiques (98). Belle collection de tromperies de toute espèce, de trompeurs
trompés, de mariages mis à mal, d'exploits sexuels
(« les choses de la nuit ») où ne manque pas l'évoca-

tion la plus crue du corps inférieur : comment se
débarrasser d'un gêneur, comment punir, corriger ou
supprimer une femme trop chaude, comment profiter
des occasions offertes ? Le recueil offre la vision d'un
monde dominé par la concupiscence, la fourberie et
l'intérêt égoïste. Les vertus sont mal récompensées,
la naïveté des braves gens « lourds sur la taille » est
copieusement moquée. La gausserie se veut sans
arrière-pensée, mais elle est révélatrice d'une rudesse
des mœurs encore bien mal contenue. On passe de la
mésaventure du gentilhomme qui enfourne sa tête
dans le retrait, à l'histoire « désopilante » du curé qui
se fait châtrer par Tranchecouille, de ce fils qui
souhaite la mort de sa mère à ce gentilhomme qui
accepte que sa sœur épouse le berger avec lequel elle
couche plutôt qu'un noble qu'elle n'aimerait pas
(57). Contes à rire donc, visant un public masculin,
empreints de prosaïsme et où l'image de la femme
n'est guère flattée. Nous sommes loin de l'esprit
courtois.

La technique est d'ordinaire assez simple, rudimentaire parfois : linéarité et économie. Tout l'intérêt porte sur les circonstances et les situations ; on
n'accorde guère d'attention aux sentiments ou à la
psychologie. L'ensemble s'attache à relater la vérité
des « cas décrits et racontés » en montrant un
constant souci de vraisemblance. L'auteur veut
s'inscrire dans la lignée de Boccace, qu'il cite à
plusieurs reprises, tout en insistant sur la nouveauté
de son propos, manifestée dès le titre, sur ce que sont
ces nouvelles, à la fois inédites et d'une actualité
récente : « l'étoffe, taille et façon est d'assez fraîche
mémoire et de mine beaucoup nouvelle ». Mais le
livre n'a pas encore l'art de la construction narrative,
développant une donnée jusqu'à son aboutissement à
travers une action logiquement conduite : l'allure est
nonchalante, s'attardant aux détails ou sautant à
l'essentiel en juxtaposant les scènes. L'élément le
plus frappant est une facture « épigrammatique » qui

met en relief le trait final, dont l'effet de surprise répond à la tension ménagée par le récit. L'importance primordiale de la chute est un élément proprement français. La nouvelle garde encore certains tics du récit oral : apostrophes ou concessions, excuses aux auditeurs, appels à l'attention, surabondance de coordinations, cascades de subordonnées ou de circonstancielles. En même temps apparaissent les formules du conte écrit : « les deux amants dedans le très beau lit [...] firent ce pourquoi ils étaient assemblés, qui mieux vaut être pensé des lisants qu'être noté de l'écrivant » (27). Le dialogue est transcrit avec un sens du naturel souvent heureux. La narration est fréquemment relevée d'expressions familières savoureuses, de proverbes, vers de chansons, équivoques érotiques qui lui confèrent tout son piquant. Et il arrive même que soit développée une nouvelle-roman (26), plus fouillée, avec un essai d'approfondissement psychologique, où l'inconstant est opposé à la femme fidèle.

Les bases du genre sont donc bien établies dans les *Cent Nouvelles* : la nouvelle sera brève, moderne et se donnant pour vraie, sans prétention moralisante, mais visant le divertissement. Elle racontera un fait singulier, un « cas », avec un certain souci de réalisme et de dramatisation qui résout la tension du récit par l'effet de surprise ou de paroxysme de la chute, et qui dans le meilleur des cas suscite des réactions affectives de la part de l'auditeur-lecteur. Sur des sujets appartenant au répertoire universel, les *Cent Nouvelles* ajoutent la forme d'esprit franco-bourguignonne, un certain type de rire.

Les recueils de nouvelles du xvie siècle

Point de départ, les *Cent Nouvelles* sont aussi le maillon d'une chaîne qui va des fabliaux (dont plusieurs nouvelles reprennent des arguments) aux conteurs du xvie siècle qui ne se feront pas faute

d'exploiter pareil filon, à commencer par Rabelais
(*L'Anneau de Hans Carvel,* etc.), Marguerite de
Navarre et, plus tard, La Fontaine.

Dès lors, la nouvelle tendra à devenir le genre
central de la prose narrative, empruntant çà et là des
éléments vite intégrés. Elle s'orientera dans trois
directions principales : la nouvelle-exemple, la nou-
velle-facétie (fondée sur un bon mot ou un bon tour :
beffa et *burla*) ou la nouvelle-aventure.

Les recueils sont des compilations, des anthologies
qui, tout en réutilisant inlassablement les mêmes
matériaux, se donnent toujours pour « nouvelles ».
Les *Cent Nouvelles* connaissent douze éditions entre
1486 et 1532. Puis on lira l'adaptation qu'en donne
La Motte Roullant en 1549, qui abrège le modèle et
qui en renforce le côté plaisant et même grivois.
Cette réfection *(Facétieux Devis)* sera souvent mise
au pillage par les recueils destinés à un public
populaire. Après la première édition du *Décaméron*
traduit par Premierfaict (1485), version souvent
reproduite et adaptée dans *La Fleur de toutes nouvelles* (1547), on préférera la traduction beaucoup
plus intelligente, savoureuse et fine d'Antoine Le
Maçon (1545).

Entre 1505 et 1515, un marchand de drap et
chaussetier de Metz, Philippe de Vigneulles, compose pour son propre usage et celui de ses amis un
florilège original, resté manuscrit jusqu'à nos jours,
également désigné sous le titre de *Cent Nouvelles
nouvelles.* Il connaît Boccace et ses devanciers
franco-bourguignons, mais il entend faire autre
chose. Ses récits proviennent de la réalité contemporaine, de l'expérience personnelle ou de la tradition
orale et locale. Ses sujets préférés sont les joyeuses
tromperies, les bons ou les mauvais tours. Il enregistre ces historiettes afin qu'elles puissent ensuite être
racontées de vive voix : son recueil est à la fois un
aide-mémoire et un passe-temps. Si l'expression
littéraire reste gauche, un peu hésitante entre l'allure

directe et populaire et les formules conventionnelles de l'écrit, le livre est précieux par la peinture de la vie rurale et provinciale qu'il offre avec des couleurs authentiques.

Un recueil lyonnais de 1531, le *Parangon des nouvelles honnêtes et délectables* reprend des arguments de Boccace, Valla ou Pogge déjà traduits et y ajoute cinq contes adaptés du *Till Ulenspiegel* (dont une version intégrale paraîtra en 1532). Il en fait des récits littéraires déjà bien élaborés ; il omet les moralités, laissant au récit sa valeur exemplaire implicite. Il souligne à la fois le caractère plaisant et récréatif, mais aussi la bonne tenue, la décence de ses propos. Mais il n'offre pas de cadre, se contentant de juxtaposer les nouvelles. Le tout sera remanié dans un recueil « commercial » de 1557, les *Joyeuses Narrations advenues de notre temps*. La même année 1531, Charles de Bourdigné narre en 49 contes en vers la *Légende joyeuse ou Faits et Dits joyeux de Maître Pierre Faifeu*. S'inspirant du *Recueil des Repues franches* (fin XVe siècle), il relate les plaisants tours d'un écolier retors et malicieux, jetant sa gourme aux dépens des bons bourgeois et sachant mettre les rieurs de son côté. Sa seule faute est finalement de se marier, ce qui le tue. Malgré une forme d'esprit un peu archaïque et les contraintes du vers, ces récits facétieux ne manquent pas d'agrément.

Après 1532, les conteurs auront tous lu Rabelais et en porteront la marque. A moins que, comme Nicolas de Troyes, artisan messin, ils ne vivent à l'écart. Du *Grand Parangon des nouvelles nouvelles*, resté manuscrit jusqu'au XIXe siècle, on n'a conservé que la seconde moitié : 180 récits, dont les trois quarts sont repris de diverses sources ; le reste est composé d'anecdotes venues à la connaissance de l'auteur, retrouvant parfois des éléments de la tradition populaire, mais les racontant à neuf. Nicolas est intéressé par l'intrigue, les situations, et son récit, d'une composition ramassée, sans grands développements, suit l'essentiel de la trame, allant d'une péripétie à l'autre. Sa langue familière a de la naïveté et de l'allant. Ici encore, l'œuvre intéresse par la qualité du regard jeté par l'artisan sur le monde proche et familier.

Un petit gentilhomme breton, Noël Du Fail, instruit et bon vivant, a recueilli dans ses *Propos rustiques* (1547) les échos de la vie paysanne d'alors. Si la matière narrative proprement dite est assez restreinte, la transcription d'entretiens divers, sans ordre ni économie autre que la fantaisie, évoque avec bonheur une ambiance : propos de table ou de veillée, querelles de clocher, conseils des vieux villageois attachés aux traditions et tournés vers le « bon vieux temps », finissent par composer un éloge de la vie rustique qui sait se tenir à l'écart des grandes agitations comme des grandes passions. Les *Baliverneries d'Eutrapel,* du même auteur (1548), très pénétrées des souvenirs de *Pantagruel,* ne sont qu'une série d'épisodes mal reliés et d'une verve un peu traînante. Du Fail donnera le meilleur de son talent dans les *Contes et Discours d'Eutrapel* de 1585.

Avec les *Nouvelles Récréations et Joyeux Devis,* de Bonaventure Des Périers (éd. en 1558, mais composés une bonne quinzaine d'années plus tôt), le genre narratif fait un progrès indiscutable. Empruntant à la tradition orale et folklorique, mais aussi à divers textes antérieurs, l'auteur intrigue avec habileté des scénarios souvent très ramassés et que vient animer un dialogue pétillant de vie. Excellent styliste, il sait recourir à point nommé au parler quotidien le plus pittoresque, dont il offre une savoureuse imitation (disons même un pastiche). Une seule de ses nouvelles est tragique ; le comique l'emporte donc très largement. Comique des mots (Des Périers a le goût de la fantaisie verbale) ou comique des situations et des comportements. Mais il donne au rire une signification et une portée morale qui rapproche son œuvre de la facétie humaniste. Il souligne les faiblesses de la nature humaine et les misères de la vie en suggérant une sagesse de l'abandon au vouloir divin. Son ironie a valeur éducative, mais elle ne porte pas atteinte à la qualité de la narration, dont elle ne fait que renforcer l'intérêt.

Ce sont ces arrière-pensées, cette épaisseur de la personnalité créatrice qui manquaient souvent aux conteurs. C'est cela même qui fait toute la richesse de l'*Heptaméron,* divertissement narratif qui éveille la réflexion : le mensonge, l'hypocrisie, les pièges de la chair y sont dénoncés ; un regard interrogateur se pose sur le monde, en scrutant des apparences pour parvenir à sonder les cœurs (voir p. 303 et suiv.).

Les *Contes du monde aventureux,* signés A.D.S.D. (Antoine de Saint-Denis ?) et imprimés en 1555, comportent 54 nouvelles, souvent inspirées des Italiens (du *Novellino* en particulier), accompagnées de leçons morales et insérées dans un cadre comparable à celui de l'*Heptaméron.* Ecrits pour un public féminin, dans un style un peu gauche, mais bonhomme et savoureux, ils manifestent un esprit satirique assez vigoureux, dénonçant les vices et les travers du milieu urbain grâce à la facétie et au romanesque. D'autres œuvres se situent en lisière du genre narratif : ainsi les *Dialogues non moins profitables que facétieux* de Jacques Tahureau (écrits v. 1555, publiés en 1565), satires morales abordant les sujets les plus variés ; on y a noté le goût de la vie et la soif de liberté, l'attrait de la nature et la rigueur de la pensée. En 1557 ont paru les anonymes *Discours non plus mélancoliques que divers,* ramassis de facéties satiriques où l'on ne relève qu'un seul chapitre d'allure vraiment narrative. La *Mythistoire barragouine de Fanfreluche et Gaudichon,* de Guillaume Des Autels (peut-être éditée dès 1559) est une assez lourde bouffonnerie satirique d'inspiration rabelaisienne, qui enregistre avec une verve souvent

obscène et parfois cocasse, les désordres et
débauches des écoliers. Un des meilleurs recueils
italiens va être traduit à partir de 1560 et connaîtra un
large succès : les *Nuits* de Straparole, d'abord adaptées par Louveau, puis achevées par Larivey (1573
sq.).

Enfin, il faut faire une place à l'*Apologie pour
Hérodote,* de Henri Estienne (1566), recueil de
nouvelles, fables, anecdotes et traits plaisants, qui se
veut la somme de toutes les folies de l'humanité.
Utilisant à pleines mains ses devanciers, mais aussi la
Légende dorée, les sermons, les fabliaux, les *Colloques* d'Erasme, les *Cent Nouvelles*, Boccace et l'*Heptaméron,* le très érudit Estienne entend dénoncer les
superstitions des papistes, les abus des religieux et les
vices de la société du temps. *Tumultuarium opus*, le
livre est sans composition et sans mesure : le rire s'y
veut vengeur et agressif, massif et accusateur. Le
style est celui de l'improvisade, négligé et bigarré.

Embrasser d'un seul regard l'ensemble de cette
production abondante et diverse, faisant la somme
d'un acquis et prometteuse de développements, n'est
pas chose aisée, d'autant qu'il serait injuste de s'en
tenir aux rares titres qui soient encore vraiment
connus. Pas d'unité, pas de forme dominante : autant
de variétés que d'œuvres ou presque, et ce sont donc
presque toutes des hybrides ; à cela s'ajoutent de
constantes convergences, qui rendent hasardeuse une
classification trop stricte. On remarque la vitalité
d'un fonds commun, sans cesse réutilisé, réajusté et
finalement renouvelé : la part de création originale
est limitée, au profit de ces inlassables réfections,
qu'il s'agisse de mises à jour ou de traductions. Bien
souvent d'ailleurs elles deviennent des œuvres nouvelles à la suite de l'intervention de l'adaptateur, des
grandes libertés qu'il se donne, voire de sa mécon-
naissance des intentions du texte original. De plus,

d'un texte à l'autre, que de croisements et de rencontres (sans qu'il faille toujours parler d'emprunts ou de compilations) dans les sujets, les situations, les motifs ou les « moralités » ! Dans ce contexte, il est vain de surestimer l'influence italienne, même bien réelle : mieux vaut y voir une stimulation et une confluence.

Cette floraison présente quelques traits saillants. Tout d'abord, une première affirmation des formes narratives, brèves ou longues, plaisantes ou graves, divertissantes ou instructives, à travers des modes durables (celle du roman sentimental et courtois, celle du récit amusant). En second lieu, les débuts d'un art « moderne » du récit : déclarations d'intention des prologues, effort de construction (notamment avec les « cadres » des recueils de nouvelles), présence du narrateur et prise en compte du destinataire, débuts de l'introspection narrative (soit omniscience de l'auteur perçant le secret des âmes, soit narration à la première personne), intérêt naissant pour la peinture et l'évolution des caractères. Certes, la technique du récit repose encore sur des habitudes figées (les procédés épiques dans la littérature chevaleresque, les tours oraux de la nouvelle — ce que G. Pérouse nomme le « lien de nature entre la narration brève et la conversation joyeuse » —). Mais le goût de la circonstance précise, de la particularisation grâce au détail typique, le sens quasi visuel de la réalité, l'attention nouvelle aux sentiments et aux réactions passionnelles animent les formes narratives.

L'esprit qui conduit les auteurs opère également un clivage : d'un côté, la réaction contre l'idéalisme un peu candide de l'univers courtois déjà bien lézardé, qui explique entre autres le goût obscène, grivois, sarcastique (et qui satisfait plutôt un public masculin). De l'autre, la réaction contre une vision trop mesquine, brutale ou désabusée du monde, qui conduit à l'idéalisation romanesque (plutôt destinée aux femmes). Le penchant à la moralisation, insistant sur l'exemplarité de la matière traitée, qui reste longtemps une constante, offre néanmoins un déplacement d'accent : au souci d'instruire en plaisant succède le désir de plaire pour instruire, avant qu'apparaisse la simple volonté d'enregistrement d'une prétendue réalité. Enfin, ces œuvres ont une précieuse valeur documentaire, fournissant une foule de détails sur la vie quotidienne, les mœurs, les habitudes de comportement, les mentalités, et mettant sous les yeux du patient lecteur êtres et choses. Au début de leur histoire moderne, romans et nouvelles sont bien des « images de la vie du temps ».

CHAPITRE IV

LA MÉMOIRE DU TEMPS :
DE LA CHRONIQUE A L'HISTOIRE

L'HISTOIRE marche à grands pas pendant le siècle
qui va de la fin de la guerre de Cent Ans au
déchaînement des guerres de Religion.
Période mouvementée, riche en événements notables de toute sorte, en faits décisifs aux répercussions considérables. Par voie de conséquence, l'historiographie connaît un grand développement, par
l'abondance des œuvres, par la diversité de leurs
perspectives, par l'écho qu'elles rencontrent. Mais le
genre historique n'a aucun caractère d'unité, comprenant des écrits d'un degré de littérarité fort
variable : ici, l'esprit est encore celui de l'épopée ou
du roman de chevalerie, ailleurs domine une vision
terre à terre ; telle tranche de vie se transforme tantôt
en traité moral, tantôt en exercice d'éloquence
oratoire, et tantôt en sèche chronologie. Le public
visé va du protecteur ou de l'élève princier aux
simples gens ; l'écrivain pense à la nation tout entière
ou à lui-même ; il peut être érudit ou presque inculte,
homme de cabinet ou homme d'action, protagoniste
ou lointain spectateur. L'inventaire de ces disparates
pourrait se prolonger, mais cet éclatement même est
gage de richesse foisonnante : « l'histoire, c'est mon
gibier en matière de livres », disait Montaigne qui,

comme ses contemporains, y trouvait un précieux butin.

Au sein de cette actualité mouvementée, souvent dramatique, où chacun doit choisir son camp, apparaît avec une particulière acuité le besoin de dire, d'expliquer, de justifier les faits. Le besoin de conserver le souvenir d'une expérience individuelle (histoire-mémorial), d'exalter les actions notables ou héroïques (histoire-célébration). Mais aussi la nécessité de défendre la cause de son parti (histoire-apologie) : l'histoire s'engage au service de l'état, du prince ; traduisant la prise de conscience d'une appartenance nationale, elle devient un instrument de propagande, le moyen de justification d'une politique. Conception nouvelle, qui contraint à une vision partiale, partisane, mais qui engage aussi sur deux autres terrains. Le premier est un retour vers le passé national pour y chercher les raisons d'une précellence, la légitimation de droits ou de revendications (« antiquités » historiques). La seconde est une invite à la réflexion : celle-ci prolonge les observations et les expériences personnelles pour en dégager des leçons de vie (morale de l'histoire) et même pour atteindre à une philosophie des faits en méditant sur l'évolution des sociétés et des empires ou sur les principes qui les régissent (politique de l'histoire). Sans doute, ces diverses tendances n'en sont-elles encore qu'à leurs débuts ; l'esprit critique est hésitant, encombré par la crédulité qui porte à admettre les légendes les plus suspectes ; la recherche du document est fort limitée : l'histoire est encore loin d'être une science, mais elle est agréable et instructive, propre à séduire des esprits avides de racines ou de modèles, de récits ou de rêves d'aventure et de gloire.

La strate la plus humble est représentée par les mémoires privés, journaux et autres livres de raison, attachés à rapporter la vie des individus et circonscrits aux limites de la personne. Témoins ou acteurs, les auteurs de mémoires sont directement intéressés aux faits qu'ils enregistrent : qu'ils parlent de leur existence quotidienne, des événements domestiques, des échos de la vie publique qui parviennent jusqu'à eux, ils participent toujours d'une certaine manière à ce qu'ils transmettent. La qualité littéraire est souvent médiocre : elle est étrangère à leur ambition ; elle peut cependant apparaître, comme fortuitement, au détour d'un épisode frappant, au coin d'une évocation animée et pittoresque, au fil d'un discours émaillé des images et des tours savoureux du parler familier. Mais c'est la valeur documentaire qui l'emporte ici : aubaine pour nos historiens qui apprécient ces témoignages dont le ton direct est parfois une qualité de plus. Ainsi les *journaux* de plusieurs bourgeois de Paris, l'un (1405-1449), cabochien d'abord partisan des Bourguignons, qui dénonce violemment l'adversaire et ne craint pas d'appeler à la guerre civile, puis qui passe dans le camp royal, et qui toujours se montre sensible aux misères du peuple ; un autre, Nicolas Versoris (1519-1530), petit bourgeois livrant les préoccupations quotidiennes du Français moyen, avec sa mentalité un peu obtuse et son vert parler ; tel autre, anonyme du règne de François Ier (1515-1536), sans doute un clerc, tout aussi représentatif de la masse, plus conformiste, gallican, loyaliste et attaché aux valeurs traditionnelles ; ou encore Sébastien Picotte, de Sens, auteur d'une *Chronique du roi François Ier* (1515-1542), et Pierre Dricot, moine de Saint-Victor (1522-1535), qui note les menus faits du couvent et de ses abords.

D'autres mémoires privés acquièrent évidemment une dimension différente par la personnalité même de leurs auteurs, personnages importants mêlés de près aux affaires du temps. Catégorie dominée par un Philippe de Commynes (voir p. 254), mais où se distinguent encore les *Mémoires* d'Olivier de La Marche (1435-1488), fidèle serviteur des ducs de Bourgogne, admirateur des fastes de la chevalerie et

des magnificences de la vie curiale. Il détaille les
fêtes, le cérémonial et la parade, et n'a point d'yeux
pour la vie du peuple et ses dures réalités matérielles.
Dans son ghetto doré, il est fin observateur, sincère
d'esprit et guindé de plume. Il expose avec netteté sa
démarche : « Je n'entends pas d'écrire ou toucher de
nulles matières par ouï-dire ou par rapport d'autrui,
mais seulement toucherai de ce que j'ai vu, su et
expérimenté ; sauf toutefois que pour mieux donner à
entendre, je pourrai à la fois toucher pourquoi et par
quelle manière les choses advinrent et sont advenues ». Et il souligne le caractère exemplaire des faits
rapportés, dont les enseignements doivent servir. Un
peu en retrait, Jacques Du Clerc, officier du duc,
dont les brefs *Mémoires* (1448-1467), désordonnés
mais vivants, ont un ton de franchise probe et
d'indépendance morale ; ou Jean de Haynin, capi-
taine de Philippe le Bon, qui retrace avec précision et
prudence les campagnes militaires (1466-1477) et
dont l'information est directe et solide, autant que le
style.

Au siècle suivant, ce type de mémoires est plus
largement représenté encore. Le très sommaire *Journal* de Louise de Savoie ne contient que quelques
sèches notations révélant le sens politique et aussi la
cupidité de la régente, à côté de traits d'affection
passionnée pour son fils. Jean Barrillon, secrétaire
du chancelier Duprat, éclaire de façon assez crue les
coulisses de la politique dans son *Journal* (1515-
1521). Parmi les nombreux mémoires dus à des
hommes de guerre et évoquant les campagnes d'Italie
ou les luttes contre la maison d'Autriche (Villeneuve,
Villars, Salignac, La Chastre, Rochechouart, Castel-
nau, etc.), et exception faite des *Mémoires* de M. Du
Bellay, qui dépassent cette sphère, le témoignage le
plus savoureux dans son authenticité naïve et malicieuse est celui de Fleuranges, Robert de La Marck,
dit « le Jeune Aventureux » dont les *Mémoires*
(1499-1521) ont été rédigés pendant la captivité qui

suivit Pavie : ils disent avec bonheur tout l'esprit qui animait cette classe de jeunes seigneurs ardents, galants et téméraires lors des entreprises d'outre-monts. A cause du rôle joué par le personnage et de ses écrits ultérieurs, il faut nommer enfin Jean de Serres et ses *Mémoires* sur la troisième guerre civile (1570).

Mais l'époque est surtout celle des chroniqueurs ou analystes, attachés aux maisons princières, qui enregistrent par ordre de leur maître ou de leur propre initiative les faits et les documents venus à leur connaissance et où s'inscrit la vie de leur nation. Extérieurs aux actions rapportées, mais impliqués par leur sentiment national, ils détaillent une chronologie en y glissant à l'occasion des remarques un peu manichéennes qui ne dépassent guère la prise de position. C'est le grand succès rencontré par Froissart qui est sans doute à l'origine de cette vague de continuateurs ou d'imitateurs. Ils apportent à leur tâche un certain souci de vérité historique, en recourant aux documents officiels, en cherchant à établir une chronologie précise et en accordant une priorité absolue aux faits. Lorsqu'ils s'essaient à l'explication, à la recherche des mobiles, ils ne sont pas toujours convaincants, rares étant les esprits de la pénétration d'un Commynes. Leur penchant moralisant, parfois intégré à la marche même de l'action grâce aux harangues prêtées aux protagonistes, sera de plus en plus nettement « récupéré » par leur désir d'imitation des historiens anciens chez lesquels l'art oratoire et rhétorique finit par l'emporter sur les exigences de la relation.

Dès le XIIe siècle, l'abbaye de Saint-Denis a été officiellement chargée de recueillir et de rédiger les *Grandes Chroniques de France* en latin et en français. L'un de ses moines compose la *Chronica Caroli sexti*, adaptée en français par Jouvenel Des Ursins (av. 1473). Jean Chartier, moine de Saint-Denis, historiographe officiel († 1464), rédige sa *Chronique de*

Charles VII (1437 sq.). Tâcheron appliqué et lourd, il
se contente de juxtaposer les faits, tout comme son
successeur Jean Castel, en charge de 1463 à 1476.
Tout aussi secs, le héraut Berry, Gilles Le Bouvier,
dans sa *Chronique du roi Charles VII* (1405-1453), ou
Noël de Fribois, secrétaire et conseiller du roi, auteur
d'un *Abrégé de l'histoire de France* (jusqu'en 1483).
Le plus adroit, le plus capable de discernement et de
recul équitable est Jean de Roye († 1488), auteur de
la *Chronique de Louis XI*, dite *Chronique scandaleuse*.

Mieux qu'à la cour de France, c'est en Bourgogne
que s'illustre une lignée de chroniqueurs de valeur,
parfois appelée l'école de Valenciennes. Les ducs ont
vite compris le rôle que pouvait jouer cet instrument
de propagande auprès de l'opinion et ils ont voulu
avoir la haute main sur l'histoire de leur temps par le
biais de leurs indiciaires, historiographes donnant la
version officielle des événements, insidieux apologistes ou thuriféraires déclarés, qui ont trouvé du
renfort auprès de chroniqueurs « privés » gagnés à la
même cause (il suffira de citer le titre de l'anonyme
*Livre des trahisons de France envers la maison de
Bourgogne*, apr. 1466). Souvent passionnés, pas
toujours clairvoyants, ces écrivains bourguignons
sont des déclamateurs pompeux, confiants dans le
prestige d'un style ample et massif, hérissé d'ornements trop appuyés et de souvenirs érudits trop
envahissants. Enguerrand de Monstrelet († 1453) se
veut le continuateur de Froissart : brave homme,
appliqué, sage et lourd, il reste timoré dans ses
appréciations et terne dans son récit (1400-1444).
Plus nerveux, Mathieu d'Escouchy († 1482), qui lui
succède (1444-1461), sait donner davantage de vie et
de relief à sa narration. Mais le grand chroniqueur de
la fin du xve siècle est sans conteste Georges Chastellain († 1473), indiciaire de Bourgogne en 1455. Sa
Chronique ou Livre de tous les hauts faits [...] *de ce
noble royaume de France* (1419-1474), bien que

perdue aux deux tiers, lui a valu une immense
réputation. Il a écrit environ 10 000 feuillets in-folio,
utilisant sources écrites et orales, se consacrant
pendant vingt ans à cette tâche dans sa ville de
Valenciennes. Il avait d'abord été homme de guerre
(et surnommé « l'Aventurier ») ; très cultivé, il fut
ensuite conseiller politique du duc et chargé de
missions diplomatiques. En 1461, il avait rédigé cinq
livres de sa chronique et se trouvait à jour : dès lors,
il suit l'actualité en témoin privilégié. Vers 1465, il
engage comme secrétaire Jean Molinet qui lui succèdera. « La perle et l'étoile de tous les historiographes » (La Marche) est guidé par une pensée
politique ferme et noble ; il parvient à concilier la
fidélité à ses maîtres et l'indépendance de sa conscience. Il « colle » aux événements et sait réfléchir
sur eux ; animé par un idéal d'intérêt commun, il rêve
inlassablement d'une réconciliation franco-bourguignonne et s'avoue affligé par les dissensions et les
mésententes. Il réserve sa haine à l'Anglais (mais on
regrette qu'il se soit montré trop défiant et même
hostile envers Jeanne d'Arc). Il a le sens de la dignité
de l'histoire et se sent tenu par l'obligation de vérité.
Il définit clairement sa tâche : enquête et recherche
de la documentation, synthèse qui dégage les lignes
de force et apprécie avec équité, présentation sédui-
sante. Héritier de Tite-Live, il se veut historien-
orateur, relatant des épisodes dramatiques avec un
sens avisé de la mise en scène, ajoutant récits,
harangues et portraits (et réussissant particulièrement bien ceux-ci), accordant beaucoup d'importance à l'exposition ornée des faits. Son style rappelle
le latin par sa majesté lente et son apprêt tendu qui
n'exclut pas l'émotion ; sa langue est riche et solide.
C'est enfin un moraliste : l' « épluchement de
vérité » qu'est l'historiographie doit servir à l'éducation des princes et de leurs sujets. Esprit profondément religieux, plein d'élévation, prônant un idéal
élevé de concorde et de coopération nationale, le

« grand Georges » a illustré le mot d'un de ses devanciers : « Histoire est noble ». Son successeur, Molinet le rhétoriqueur, qui enregistre la chronique des années 1476 à 1506, n'est plus qu'un rhéteur, et des plus originaux par sa bizarrerie. Il surcharge sa narration de digressions pédantes, d'interminables prosopopées ; il calque sa langue sur le latin et s'abandonne à un goût immodéré du jeu verbal. C'est ainsi qu'il apostrophe la Germanie en ces termes : « Maintenant as converti ta puissante prouesse en pesante paresse, ton valoir et gloire en vouloir de boire, ton haut los divin en grand los de vin, et ton glorieux empire se décline de mal en pire ». Après lui, Jean Lemaire de Belges, indiciaire de 1506 à 1512, concevra sa tâche d'autre façon (voir p. 263).

La célébration des grands moments de la vie nationale depuis les origines forme la matière de compilations historiques qui accueillent pêle-mêle les légendes, les échos des chansons de geste et les énumérations les plus sèches. La *Fleur des histoires,* du Bourguignon Jean Mansel (1446-1451, remaniée en 1467) a eu une grande renommée ; l'auteur avait également recueilli des *Histoires romaines* sur le même modèle (1454). De faible valeur et de faible intérêt, l'*Histoire de France* de Pierre Cochon († 1456), qui va de 1181 à 1430, et l'*Histoire d'Angleterre* de Jean de Wavrin (jusqu'en 1469), tous deux Bourguignons et fortement hostiles au souverain français. Le notaire royal Nicole Gilles († 1503) entreprend de résumer les *Grandes Chroniques* dans ses *Chroniques et Annales de France* (1492), en ne gardant que la succession des faits : les parties anciennes sont de pure compilation, alors que la période contemporaine est détaillée avec précision et objectivité. Le meilleur représentant de cette catégorie d'ouvrages est le *Compendium supra Francorum gestis a Pharamundo usque ad annum 1491* (éd. 1497), de Robert Gaguin, qui connut un très grand succès et fut souvent imité ; du même auteur, et tout aussi célèbres, les *Annales rerum Gallicarum* (1499), traduites en 1518 sous le titre de *Mer des chroniques et Miroir historial de France,* adaptées dès 1514 par Pierre Desrey *(Chroniques de France).* Parmi d'autres compilations de ce genre, la *Mer des histoires* (1506), le *Rosier historial de France* (1523) ou les *Hardiesses de plusieurs rois et empereurs,* de Pierre Sala. Le célèbre Véronais Paul Emile († 1529), appelé par Charles VIII et devenu historiographe de France, fait œuvre de novateur dans son *De rebus gestis Francorum* (1500, éd. 1516-1519). Influencé par les Anciens (Tite-Live notamment) et par les modernes Italiens (Machiavel, Guichardin, Paul Jove et Bembo), il préfère à la stricte chronologie l'enchaînement des causes et des effets et compose la première histoire politique de France. Il s'inspire de Polybe pour la disposition logique des événements et de Thucydide pour le discours sur l'histoire qui l'accompagne. Son prestige sera grand auprès des historiens de la fin du siècle et de l'époque suivante, directement ou à travers les traductions de Jean Regnart et de Monthières (toutes deux en 1556).

Dès le milieu du xve siècle, on s'était tourné vers les historiens anciens pour recueillir leurs leçons : les traducteurs seront surtout tentés par le genre historique, y déployant leurs talents philologiques et rhétoriques d'humanistes. L'un des premiers, Vasque de Lucène traduit Quinte-Curce pour Charles le Téméraire (1466) en exposant dans sa préface l'exigence d'authenticité qui doit conduire l'historien à rejeter les légendes ou les récits non étayés par des documents. En 1470, il traduit également Xénophon d'après la version latine du Pogge, en insistant sur la visée didactique de l'ouvrage. Robert Gaguin traduit César en 1485 et Tite-Live en 1493. Claude de Seyssel consacre une part importante de son activité littéraire à des traductions, écrites pour le roi entre 1504 et 1510 et publiées par la suite : Flavius Josèphe (1492), Xénophon (1504, éd. 1519), Thucydide (éd.

1527), Justin et Trogue Pompée (1510, éd. 1559),
Appien (1510, éd. 1544), Diodore (éd. 1530) et
Eusèbe (éd. v. 1530). Après lui, Guillaume Michel se
spécialisera aussi dans cette voie, translatant Suétone
(1520), Polydore Virgile (1521), Salluste (1532),
Justin et Trogue Pompée (1538), Flavius Josèphe
(1539), Valère Maxime (1541). Polybe est traduit par
L. Meigret en 1542 ; Hérodote par P. Saliat en 1556 ;
Tacite par La Planche (éd. par Cl. Fauchet en 1582).
Jacques Gohory traduit aussi bien Tite-Live (1548)
que les discours de Machiavel sur les *Décades* (1544
et 1571). Autre grand traducteur, Blaise de Vigenère
donne en français César (1576), Tite-Live (1580),
Chalcondyle (1577). Presque tous les historiens
anciens sont d'ailleurs traduits plusieurs fois au cours
du siècle : par exemple Xénophon, adapté par J. de
Vintimille en 1547, par Fr. de Ferris en 1562 et par
La Boétie en 1571 ; ou Salluste, translaté par J. Parmentier en 1528, par L. Meigret en 1547 et par V. de
La Roche en 1577. Le plus illustre, Jacques Amyot,
précepteur des enfants de Henri II, professeur à
l'université de Bourges, grand aumônier de Charles
IX, traduit les *Vies* de Plutarque (1559) dans un style
harmonieux et cadencé, à l'allure aisée et familière.
Vulgarisateur, Amyot francise Plutarque, dans la
langue comme dans la mentalité, et le rapproche
ainsi de ses lecteurs « mondains ». Il sait animer le
récit et conférer à la sagesse qui s'en dégage une
bonhomie sereine. Ces anecdotes morales exemplaires, ces modèles humains de soldats, d'orateurs,
de citoyens rencontrent les goûts des contemporains,
« culte de la personnalité », attrait des exploits
guerriers, exaltation de l'héroïsme et de la vertu ; le
recueil tiendra une grande place dans l'éducation,
devenant un manuel d'instruction civique et morale
et fournira une abondante moisson de caractères ou
de situations que reprendront orateurs et drama-
turges.
    Mais le souci d'exaltation nationale incite à remon-

ter dans le passé, réel ou mythique, pour y retrouver les origines glorieuses de la France, de ses souverains ou des peuples qui y ont fait souche. Les célèbres *Commentaria* d'Annius de Viterbe (1498) recueillent presque toutes les traditions légendaires auxquelles s'alimenteront Lemaire ou Ronsard. On s'intéresse aussi beaucoup aux anciens Gaulois : Guillaume Le Rouille donne le ton en 1546 avec son *Antique préexcellence de Gaule et des Gaulois,* suivi par G. Du Bellay (*Epitomé de l'antiquité des Gaules et de France,* 1556), P. Ramus (*De moribus veterum Gallorum,* 1559), E. Forcadel (*De Gallorum imperiis et philosophia,* 1579), enfin Claude Fauchet (*Recueil des antiquités gauloises et françaises,* 1579). Un Etienne Pasquier tentera de tirer argument de ces « antiquités » nationales pour légitimer une *translatio studii* dans ses *Recherches de la France* (1561-1570). Erudit, curieux du passé national, Pasquier s'essaie, à travers un plan particulièrement décousu, à retracer une histoire culturelle embrassant tous les aspects de l'héritage ou de l'actualité. Il évoque les origines troyennes et gauloises pour expliquer la formation du royaume et son administration politique. Philosophe, il en tire la matière de sages réflexions ; pratiquant la méthode comparatiste, il est aussi à l'origine de la critique littéraire.

Alors que se poursuit la tradition des compilations (Jean Bouchet, *Anciennes et modernes Généalogies des rois de France,* 1527 ; Jean Du Tillet, *Chronique des rois de France depuis Pharamond,* 1549), l'historiographie renouvelée et « moderne » ne connaîtra son véritable essor que dans la seconde moitié du siècle, avec B. Girard Du Haillan. Historiographe de France, celui-ci publie tout d'abord sa *Promesse et dessein de l'histoire de France* (1571), puis l'*Etat et succès des affaires de France* (1572), enfin en 1576 son *Histoire de France.* Imitant à la fois les Anciens et Paul Emile, il agit en compilateur intelligent, qui cherche à ordonner les événements et qui veut exposer « les causes et les conseils des entreprises et des succès des affaires » ; avec lui, logiquement, l'histoire diplomatique tend à prendre le pas sur la chronique militaire. Solidement composés, écrits dans une langue claire et sur un ton équitable, ces travaux demeureront pendant un siècle une sérieuse référence. Mais ses successeurs immédiats n'ont pas sa maîtrise (Jean Du Tillet, *Recueil des rois de France*, 1577 ; Robert Céneau, *Gallica Historia*, 1577 ; N. Viguier, *Sommaire de l'histoire des Français*, 1579 ; Belleforest, *Les Grandes Annales et Histoire générale de France*, 1579). C'est avec de Thou que se prolongera cette lignée. Parallèlement, on écrit aussi l'histoire des provinces ou des territoires voisins (Savoie : J. Servion, 1464-1466, Champier, 1516, Guillaume Paradin, 1552 ; Aquitaine : J. Bouchet, 1524 ; Anjou : J. de Bourdigné, 1525 ; Bretagne : Bouchard, 1514 ; etc.).

L'histoire est souvent traversée de personnages hors du commun que les circonstances projettent à l'avant-scène. Ils trouvent des panégyristes historiens qui les transforment en modèles en composant des biographies cherchant à révéler les âmes à travers les actes. Le panache des exploits chevaleresques rehausse l'exaltation des vertus et ces vies de héros traduisent l'admiration pieuse et le désir d'immortaliser celui qui en est l'objet. Au xv⁰ siècle, on retiendra surtout le *Livre des faits du bon chevalier Jacques de Lalaing*, anonyme, qui est une biographie romanesque sinon romancée de celui qui fut appelé « la fleur de toute chevalerie », et qui reproduit fidèlement un idéal de vie qui ne sera bientôt plus qu'une survivance. Au siècle suivant, c'est Bayard qui inspire l'un des plus beaux textes de cette sorte, composé par Jacques de Mailles, Le Loyal Serviteur (1527) : même fidélité à l'idéal chevaleresque et même admiration sincère sous-tendent ce qui devient un roman vrai et vécu. Avec candeur et émotion, l'auteur raconte les enfances Bayard, puis ses exploits mili-

taires, et il exalte enfin sa bonté, son humanité, sa
noblesse d'âme, son parfait désintéressement, sa
courtoisie et sa charité. Ecrivant sur un ton direct,
dans une langue sans apprêt, souvent ému et parfois
empreint de malice (on a eu grand tort de parler à
son propos de « style de notaire »), le Loyal Serviteur restitue de façon saisissante la personnalité d'un
héros qui incarne le parangon de toute chevalerie,
dont il fait presque un saint proposé à la vénération
des lecteurs de ce qu'il nomme *la très joyeuse, très
plaisante et très récréative histoire du gentil seigneur de
Bayard*. Malgré son intérêt, la *Vie de Bayard* de
Symphorien Champier (1525) pâlit beaucoup dans ce
voisinage, tout comme le *Panégyric de La Tré-
mouille*, « le chevalier sans reproche », tué à Pavie,
célébré par Jean Bouchet (1527). Paraîtront ensuite
la *Vie du connétable de Bourbon* par Marillac (éd.
1612), les anonymes *Gestes du connétable de Montmorency* (encore manuscrites, composées v. 1538-
40), et les intéressants *Mémoires de la vie de Fr. de
Scipeaux, sire de Villevieille,* dus à Vincent Carloix
(éd. 1757), avant la biographie polémique de Coligny, en latin, due à François Hotman (1575).

Les souverains et leur règne trouveront régulière-
ment leurs historiens : apologistes, mémorialistes ou
historiographes. Charles VIII et les premières expéditions italiennes sont surtout célébrés par les auteurs
de poèmes historiques, André de La Vigne ou Jean
Marot, ainsi que par l'obscur Guillaume de Jaligny.
Claude de Seyssel, admirateur inconditionnel du
monarque, compose les *Louanges du roi Louis XII*
(*Histoire singulière du roi Louis XII,* 1508) ; lui
emboîtent le pas Jean de Saint Gelais (1510) et
surtout l'historiographe en titre, Jean d'Auton. Scrupuleux et adroit, celui-ci prend part aux campagnes
militaires, va se renseigner aux bonnes sources et
relate avec une agréable bonhomie (*Conquête de
Milan,* 1499 ; *Chronique du roi Louis XII,* 1500 ;
Chronique de France, 1501-7).

Le règne de François Ier a eu son chroniqueur en la personne de Jean Carion, dont le latin a été traduit par Le Blond de Branville (1553). Mais les véritables historiens du « grand règne » sont les frères Du Bellay. Guillaume († 1543) avait écrit l'histoire de son temps dans ses *Ogdoades* (groupes de huit livres), en latin d'abord, traduites en français par lui-même ensuite. Nous n'en avons conservé que des fragments : la 1re Ogdoade latine et trois livres de la 5e Ogdoade française, insérés dans les *Mémoires* de Martin. Un prologue figurant dans le même ouvrage est du plus haut intérêt : Guillaume y envisage l'histoire comme la résurrection du passé (le mot y est : « à perpétuité ressuscitable ») et comme la recherche des « causes finales et inductives » qui expliquent les événements : « Si on me confesse la définition d'Histoire être la vraie et diligente exposition des choses faites, j'en retirerai qu'il ne suffit dire, quand on voudra écrire l'histoire " Ceci fut dit, cela fut fait ", sans remontrer comment, par qui, par quel moyen, à quel titre et à quelle fin ». Martin Du Bellay, témoin privilégié d'un règne dans lequel il a joué un rôle important, en est le meilleur analyste. Ses *Mémoires* (1513-1547), rédigés à partir de 1555 environ, furent édités par son neveu René en 1569. Tenant à achever l'œuvre entreprise par son frère, ce capitaine-diplomate, écrivain d'occasion, offre une vision directe de son temps, dépouillée des « couleurs de rhétorique » et animée par une véritable passion patriotique. C'est ainsi qu'il invente la fameuse entrevue de Bayard agonisant et du « traître » Bourbon : « Monsieur, fait-il déclarer au héros, il n'y a point de pitié en moi, car je meurs en homme de bien ; mais j'ai pitié de vous, de vous voir servir contre votre prince, et votre patrie, et votre serment ». Le son de cloche opposé est fourni par Nicaise Ladam (*Chronique*, 1488-1546), tout dévoué à la cause de la maison d'Autriche et de Charles Quint. Dans le camp français, notons encore l'*His-*

toire de notre temps de Guillaume Paradin (en latin, 1548 ; traduction en 1550). Le règne de Henri II ne trouvera pas d'historien véritable. Dans le grand tumulte des guerres civiles, se distingue la voix de Régnier de La Planche (*Histoire de l'état de France*, 1576), réformé et loyaliste, exhortant en vain à la modération tolérante et à la prise en considération des intérêts nationaux. Ce n'est qu'au retour de la paix que paraîtront les histoires du règne des derniers Valois.

C'est sur un tout autre terrain (sans que les intentions apologiques ou polémiques soient absentes) que se place une autre catégorie d'œuvres qui relèvent plus directement de la production littéraire proprement dite : les poèmes historiques. Utilisant des documents ou des chroniques, faisant parfois appel à une expérience vécue, ils accentuent l'élément rhétorique, imaginent un cadre de fiction ou une mise en scène allégorique, et cherchent ainsi à animer leur relation tout en renforçant sa portée morale. Martial d'Auvergne, dans ses *Vigiles du roi Charles VII*, dramatise allégoriquement le texte du chroniqueur Chartier en imaginant un office funéraire célébré par Noblesse, Marchandise, Labeur, etc. La Marche compose un poème biographique sur Charles le Téméraire (*Le Chevalier délibéré*, 1483), à grand renfort d'ornements et sur le ton mélancolique que permettent quelques années de recul. Les rhétoriqueurs cultivent volontiers ce genre (Jean Marot, *Le Voyage de Gênes*, 1507 ; *Le Voyage de Venise*, 1509 ; André de La Vigne, *Le Verger d'Honneur*, v. 1496, qui relate l'expédition napolitaine de Charles VIII ; *La Louange des rois de France*, 1508 ; *Le Triomphe du très chrétien roi de France Louis XII*, 1509 ; anonyme, *La Conquête de Gênes*, 1507 ; Pierre Gringore, *L'Entreprise de Venise*, 1509). Jean Bouchet donnera encore en 1549 ses *Triomphes de François Ier*, avant que les projets épiques de la Pléiade ne viennent renouveler cette veine.

Il faut enfin relever l'apparition, dès le début du XVIe siècle, des premiers essais de philosophie politique, œuvres encore indécises dans leurs méthodes et dans leurs fondements conceptuels, souvent sous-tendues par des visées apologiques et adaptant l'histoire à leurs fins, mais neuves et intéressantes à plus d'un titre. Claude de Seyssel, dans sa *Grand Monarchie de France* (1515, éd. 1519), envisage les principes et le fonctionnement d'un système politique auquel il adhère avec passion. Il se demande comment renforcer un régime et un état établis sur des bases séculaires et il expose les grandes lignes d'une action gouvernementale. Partisan d'une forme modérée, il expose la théorie des freins du pouvoir (religion, justice et police) et insiste sur la vraie force du royaume, sa puissance militaire. Fermement écrit dans un ample style oratoire, ce traité demeure seul de son espèce pendant longtemps. Il faut attendre la seconde moitié du siècle pour voir paraître plusieurs ouvrages humanistes dans la même lignée (Du Moulin, *Traité de l'origine, progrès et excellence du royaume et monarchie de France,* 1561 ; Louis Le Roy, *Considérations sur l'histoire française et universelle de ce temps,* 1566 ; *Les Monarchiques,* 1570 ; *De l'excellence du gouvernement royal,* 1575). Catégorie dominée d'abord par Jean Bodin (*Methodus ad facilem historiam cognitionem,* 1566 et surtout *La République,* 1576). Ce conservateur expose les fondements d'un état bien ordonné : un souverain conscient de ses devoirs, une nation construite sur la base de la cellule familiale, une législation issue des réalités locales. « Si la justice est le fait de la loi, la loi l'œuvre du prince, le prince l'image de Dieu, il faut par même suite de raison que la loi du prince soit faite au modèle de la loi de Dieu ». Ses réflexions d'historien, de politique, de philosophe et d'homme d'expérience rencontreront jusqu'à Bossuet et Montesquieu de nombreux lecteurs attentifs. Autre penseur marquant, François Hotman, avec sa *Franco-*

Gallia de 1572, traité politique qui justifie certaines revendications du parti réformé ou de l'esprit « républicain » par un recours aux anciennes institutions nationales et qui cherche à limiter le pouvoir royal, voire à légitimer la désobéissance dans certaines conditions. Positions hardies, dangereuses même pour l'état, qui rencontreront des échos plus radicaux encore en ces temps de guerres civiles.

Cet inventaire rapide aura permis de mesurer la vitalité d'un genre aux multiples facettes, qui touche à tous les domaines de l'activité littéraire (encore n'avons-nous pas envisagé ici le théâtre « politique » ou la poésie de circonstance). *Stricto sensu*, l'historiographie a acquis une importance accrue, en raison de la masse des événements dignes de mémoire et de la conscience historique qui s'éveille aussi bien chez les protagonistes que chez les simples témoins, en raison aussi des considérations générales que suscite l'actualité. Le sens national et patriotique, exacerbé par les expéditions d'Italie puis par les luttes contre l'Empire, se traduit par les appels à l'unité du XVe siècle finissant, par la fierté conquérante des règnes de Charles VIII et de Louis XII (dont un roman tel que *Jehan de Paris* porte l'empreinte) ou par l'idéologie absolutiste qui l'emporte sous François Ier : on devine chez plus d'un de nos « historiens » la conviction ou le rêve d'une réalisation imminente, sinon déjà accomplie, de la *Translatio imperii reditus regni Francorum ad stirpem Karoli* (transfert du pouvoir de domination universelle au royaume de France par la descendance de Charlemagne).

L'esprit historique tâtonne encore entre la foi crédule aux légendes mythiques et la mauvaise foi des desseins apologiques ; mais une tendance à la vérité, à l'objectivité même, s'amorce. L'influence des Anciens et des Italiens donne à l'historiographie une couleur rhétorique et majestueuse qui ennoblit tout. Mais mettre sous les yeux des lecteurs contemporains ou futurs ces tableaux encore tout frémissants d'une vie toute proche, à laquelle s'ajoutent parfois les accents les plus personnels, c'est leur offrir ample matière à réflexion sur l'ordre du monde ou sur la façon de gouverner une existence individuelle, c'est alimenter l'expérience morale. C'est aussi une proclamation de confiance dans l'œuvre écrite qui défie le temps et qui immortalise les actions humaines.

Chapitre V

LA LITTÉRATURE HUMANISTE

Les humanistes de la première génération

Tous les grands écrivains de la Renaissance sont bilingues et le latin est d'ailleurs la seule langue dont ils aient appris les éléments à l'école (un enseignement de grammaire française fait son apparition dans les collèges seulement au siècle suivant) : la littérature néo-latine (pour reprendre le nom conventionnel entré dans l'usage) occupe, dans le cadre de la production intellectuelle de notre époque, une place d'une importance exceptionnelle.

L'apport de certaines personnalités qui n'ont écrit qu'en latin (Guillaume Budé, Jules César Scaliger) à la culture française contemporaine a été décisif. Pour ce qui concerne Scaliger (1484-1558), à côté du poète néo-latin et du polémiste vigoureux (ses conflits avec Erasme, Rabelais ou Etienne Dolet furent mémorables), il y a le traducteur d'Aristote : ses *Poetices libri septem* qui paraissent à Lyon en 1561 auront une influence considérable sur la formation de la doctrine du classicisme français. Aristote ne fournit d'ailleurs à Scaliger que le noyau central de sa doctrine, qui a un développement complet et passe en revue les questions fondamentales qui sont liées à l'acte de la littérature : nature divine de la poésie, rôle de l'inspiration et du « labeur », nécessité des règles, existence des genres, imitation de la nature, finalité morale de l'art. C'est vers Aristote relu par Scaliger que regarderont les théoriciens postérieurs, notamment quand il s'agira de définir les normes des genres littéraires, c'est surtout de lui qu'on tirera des définitions opératives pour la tragédie et la comédie.

Il en va de même en ce qui concerne Guillaume Budé. Sa formation juridique, ses curiosités de grand érudit l'éloignent à première vue du monde de la fiction littéraire, les titres de ses principaux ouvrages (*Annotationes in Pandectarum libris,* 1508 ; *De asse,* 1514, traduit en français en 1552, *De transitu helle-nismi ad christianismum*, 1535), peuvent dérouter le lecteur. La grande passion de Budé a été pourtant l'étude de l'antiquité et il a eu, l'un des premiers de son temps, l'intuition que cette étude devait être fondée sur une connaissance exacte des textes. C'est lui qui a « inventé » le mot philologie (*De philologia,* 1532), et c'est à un travail de restauration du texte de Justinien que sont consacrées ses *Annotationes.* Le *De asse,* qui part d'une étude du système monétaire romain, aboutit à une reconstruction minutieuse et amoureuse de la vie de la cité antique, dans ses aspects les plus menus et les plus humbles aussi bien que dans ses moments solennels et glorieux. C'est aussi grâce à son enseignement ou à son exemple que l'amour pour les lettres anciennes s'accompagnera, pour les grands écrivains et en général pour les hommes de la Renaissance, d'une vraie imprégnation de l'histoire, des mœurs, des lois, des coutumes, des idées, des légendes des Anciens, à un tel point qu'il deviendra un jour naturel de citer, comme familiers, des personnages, des épisodes ou des exemples de l'époque de Périclès ou de la vie de Cicéron, d'en faire des termes de référence intelligibles pour les contemporains de Ronsard. L'idée d'une continuité substantielle entre la pensée de la cité antique et la pensée chrétienne est aussi dans Budé *(De transitu)* :

sans qu'on puisse dire qu'il en ait été l'inventeur, la vogue extraordinaire de la pensée stoïcienne, que l'on constate tout au long du xvie siècle, trouve dans son livre, qui consiste en une défense passionnée du stoïcisme, l'une de ses sources. Esprit universel, en rapport avec les grands savants de son temps (Erasme, Bembo, Sadolet, Rabelais, Thomas More), Budé a appris aux hommes de son temps à concevoir l'étude de l'antiquité — l'étude en général — comme une manière de culte : qu'il l'ait fait en écrivant en latin n'enlève rien à l'importance de la contribution qu'il a donnée au développement de la Renaissance française.

Il serait difficile de sous-estimer aussi le rôle joué par des personnalités plus modestes, un Guillaume Fichet (1433-1478 ?), un Robert Gaguin (1433-1501), qui n'ont pas laissé une œuvre de grande envergure, mais qui ont concrètement œuvré pour le renouvellement des études, par l'introduction des lettres anciennes dans l'enseignement universitaire et dans les préoccupations des intellectuels contemporains. Fichet a surtout lié son nom à l'installation des premières presses parisiennes, qui a lieu vers 1470, dans le cadre de la Sorbonne : on relève avec intérêt parmi les titres des premiers ouvrages imprimés par lui la prépondérance des Anciens (Salluste, Valère Maxime, Florus, Cicéron) par rapport aux Modernes (Valla, Gasparino da Bergamo). Fichet était docteur de Sorbonne, alors que Gaguin était membre de l'ordre des trinitaires. L'intérêt pour la nouvelle culture a gagné aussi les milieux ecclésiastiques : on se contentera de rappeler le nom de Jacques Lefèvre d'Etaples (1450-1536) bien qu'il n'ait écrit, en français comme en latin, que sur des sujets de théologie. Lefèvre est, avec l'évêque Briçonnet, la personnalité marquante du groupe des « évangéliques » qui, avant Luther et, après les thèses de 1517, indépendamment de lui, ont travaillé pour une réforme de l'Eglise, en reculant toutefois devant les conséquences extrêmes, la division du corps chrétien. Lefèvre a aidé à faire connaître en France un texte d'Aristote expurgé des incorrections qui s'y étaient incorporées, en publiant les nouvelles traductions latines des humanistes italiens ; mais il s'est intéressé aussi à Hermès Trismégiste, à Nicolas de Cues, à l'œuvre de Raymond Lulle, aux docteurs des premiers siècles, aux livres apocryphes. Goût pour la philologie et mysticisme coexistent dans sa personnalité complexe : sans avoir reçu une formation théologique (il était maître ès arts de l'Université de Paris et avait commencé par enseigner la philosophie), il s'occupera d'exégèse, d'homilétique et, enfin, de la traduction de la Bible (*l'Ancien Testament*, publié à Anvers en 1530). Aucun doute que le levain qui a fait monter la « pâte » d'une intelligence exceptionnelle comme celle de Lefèvre n'ait été le contact avec l'humanisme : le groupe des érudits italiens fixés à Paris à la fin du XVe siècle, Gregorio Tifernate, Filippo Beroaldo, Girolamo Balbi, Fausto Andrelini, ainsi que Marsile Ficin, Pic de la Mirandole ou Ermolao Barbaro, rencontrés à Florence et à Rome.

Les modèles latins

C'est par le biais du latin, et de la culture dont il est l'instrument expressif, que certaines idées qui marqueront cette époque entrent dans le circuit de la littérature en vulgaire. On pense aussitôt à la nouvelle conception du poète qui caractérise la Renaissance. La littérature médiévale avait surtout connu une conception artisanale du poète : avant tout rimeur, celui-ci n'est « artiste » qu'au sens étymologique du mot, dans la mesure où il maîtrise parfaitement un art, c'est-à-dire une technique, l'agencement des vers. Grâce à l'enseignement ficinien, naît l'idée que le poète est un « vates », un inspiré, qui a accès d'emblée à des réalités cachées et qui a pour tâche de révéler les arcanes.

C'est la doctrine du poète-mage, qui mériterait d'être regardée de près. La théorie de l'inspiration, formulée par le savant florentin Christoforo Landino dès le XVe siècle, devient opératoire, au niveau de la sensibilité collective, grâce à la médiation — et au latin pondéreux — de Marsile Ficin (1433-1499) ; c'est lui, pratiquement, qui invente le mot *fureur*, dont les poètes devaient tirer des applications si surprenantes. C'est grâce à la fureur que l'âme, enfouie dans sa prison charnelle, peut essayer d'y échapper : l'enthousiasme, pour ainsi dire, dégage des perspectives, ouvre devant elle des chemins à parcourir, qui correspondent aux quatre formes d'aliénation possible qui la menacent, *per mentem, rationem, opinionem, naturam*. La fureur, qui réveille l'âme, engage l'homme à explorer d'autres domaines, du mystère, de la poésie, de la prophétie, de l'amour ; mais ces quatre formes de fureur, étant étroitement liées entre elles, s'interpénètrent et se confondent. Ainsi le poète sera prophète, l'amoureux aura naturellement le don de poésie et celui de pénétrer les mystères, le prophète connaîtra la nature et les secrets qui s'y cachent, l'étude de la nature s'apparentera à l'art de divination : les poètes de la Pléiade en tireront la conclusion essentielle que la fureur divine, provoquée par l'amour, ne pousse pas le poète vers la poésie seulement, mais sur le chemin de la connaissance. Une connaissance vague mais globale, imprécise mais très profonde, initiatique, éblouissante. Cette donnée capitale de la nouvelle poétique — répétons-le — vient de la réflexion d'un prêtre — Ficin — qui n'écrivait qu'en latin.

Des idées et des modèles. L'un des genres les plus caractéristiques de la littérature de la Renaissance prend sa source dans l'œuvre d'un érudit milanais, Andrea Alciato (1492-1550), qui publie à Paris, en 1531, un mince recueil de courts poèmes latins qui commentent une « occasion » de l'humaine expérience, déjà mise en forme et dramatisée dans une gravure. C'était sans doute, pour l'écrivain italien, une manière de délassement de ses plus graves occupations dans le domaine juridique : les contemporains y puiseront des possibilités innombrables d'inspiration et de réélaboration. Le succès des *Emblemata* d'Alciat a des proportions surprenantes, car il intéresse toute l'Europe et se prolongera dans les siècles à venir ; les traductions françaises (à partir de 1536) donneront lieu, comme on vient de le rappeler, à un véritable genre nouveau, dans lequel s'évertuent les écrivains les plus divers. On utilisera la formule comme une occasion d'exercice d'une sagesse éminemment profane, qui séduit le côté sentencieux de l'âme des hommes du XVIe siècle, mais on comprend que ces variations sur les lieux communs de l'héritage gnomique de la culture antique sont en fin de compte une véritable forme de réappropriation. On s'en servira aussi, au prix de quelques modifications de structure, dans un domaine moins neutre et donc tout autrement significatif : aux emblèmes et aux devises profanes s'ajouteront bientôt, en effet, les emblèmes de nature religieuse qui se proposent de dégager un enseignement d'un épisode de l'histoire sacrée, illustré par des gravures qui sont souvent l'œuvre d'artistes célèbres ; et ce type d'exploitation de la formule sera conjointement le fait des catholiques (*Figures de la Bible,* que publient à Lyon de grands éditeurs comme Jean de Tournes et Guillaume Rouillé, à partir de 1554) et des protestants (*Emblèmes* de Guillaume Guéroult ou de Georgette de Montenay). Le cas des emblèmes illustre de façon convaincante le rôle déterminant du modèle latin dans l'essor de la nouvelle littérature : cette façon bien caractéristique d'appréhender le monde, par le double registre de la parole et de l'image, reflet transparent de l'aspiration « globalisante » de l'homme de la Renaissance, de son rêve de percer l'écran du visible pour atteindre la signification profonde, d'obtenir une réponse à la question immense qu'il pose au monde qui l'entoure, a pu prendre place au sein de la littérature en vulgaire grâce à une lente progression dans un sillon qui avait été ouvert par la culture traditionnelle.

On en dirait de même, et peut-être davantage, à propos de la poésie. Le discours n'est pas facile, car il touche à une question, celle de l'originalité, à laquelle l'opinion reste, malgré tout, très sensible : mais les faits demeurent et la chronologie ne souffre pas de démentis. Les odes de Ronsard, les élégies, les épigrammes, voire la poésie scientifique des *Hymnes* ou le long poème épique que le chef de la Brigade se donnera pour tâche de réaliser, ne renvoient pas uniquement à des modèles anciens, ils ont des antécédents français, dans la génération qui précède immédiatement « la grande flotte de poètes » de l'époque de Henri II. Des poètes « néo-latins », comme on les appelle improprement, ont écrit des odes bien avant le manifeste de Du Bellay (*Odarum libri VI,* de Salmon Macrin, 1537 ; mais il y a des odes dans le recueil des *Nugae* de Nicolas Bourbon, qui date de 1533). Des épigrammes (qu'écrivent Jean Visagier dit Vulteius ou Jean Voulté, 1510-1542, comme Jean Salmon dit Salmon Macrin, 1490-1557) à la poésie sentencieuse (le poème *Ferraria* de Nicolas Bourbon « Vandoperanus », parce qu'il était né à Vandœuvre, 1503-1550), de nombreux exemples d'utilisation des formes et des mètres des Anciens sont fournis aux poètes qui écriront en vulgaire par ces poètes latins aujourd'hui oubliés : on leur doit même l'invention de la formule qui consiste à publier des recueils de poèmes de nature et de longueur variée (les *Nugae* de Nicolas Bourbon, les *Xenia* de Jean Visagier, les *Naeniarum libri III* de Jean Salmon) et à déguiser sous un nom d'emprunt mais de référence classique leurs inspiratrices (Jean Salmon hellénise en *Gélonis,* « la souriante », le nom de sa femme *Gillonne*). C'était fournir le modèle des *canzonieri* qu'écriront sous peu les poètes de la Pléiade, avec la même alternance de registres, de l'élégiaque à l'anacréontique. Et s'il est vrai que la poésie nouvelle se caractérise par une attention et une sensibilité plus grandes pour tout ce qui touche au corps, aux sens et à la sensualité, il faut rappeler que les disciples de Dorat auront accès à ce registre, de l'érotisme et de l'anacréontisme, sur les traces d'un modèle contemporain, auquel il faut accorder la même importance qu'aux exemples fournis par l'*Anthologie* planudienne. Il s'agit du recueil des *Basia* de Jean Second (1539 ; ses *Opera* de 1541 comprennent aussi douze odes et trois livres d'élégies), que la plupart des poètes contemporains ont imité : nombre d'entre eux n'hésiteront pas, pour une fois, à reconnaître la dette contractée à l'égard du poète hollandais Jean Everaerts (1511-1536), le personnage qui se cache derrière le nom de Johannes Secundus ou, à la française, Jean Second (ont aussi la valeur d'un aveu les éloges de Nicolas Bourbon et de Salmon Macrin que l'on rencontre parfois sous la plume des hommes de la Pléiade).

Le Collège Royal

L'idée à laquelle il faut accorder plus d'espace dans un jugement d'ensemble sur l'époque qui assiste à la grande explosion de la Renaissance est celle d'une complémentarité de la culture qui s'exprime en vulgaire par rapport à la culture traditionnelle, qui continue de s'exprimer en latin, et qui à son tour se renouvelle, en devenant ainsi un agent de transformation. On insiste à juste titre sur l'importance exceptionnelle de la fondation du Collège Royal, en 1530 : François Ier donne naissance à une institution dont la vocation va être celle de faire progresser et de répandre une culture supérieure, laïque et gratuite. C'était briser un monopole séculaire, qui réservait à l'Université, dominée par la Faculté de Théologie, la tâche d'administrer et de transmettre un patrimoine culturel dont l'essence devait être considérée comme immuable et intangible ; c'était ouvrir des espaces à l'investigation et à la recherche, et mettre en branle un mouvement destiné à secouer profondément les assises de la vie spirituelle. Les sept chaires du projet originel (trois destinées à l'hébreu, deux au grec, une au latin et une aux mathématiques) deviendront bientôt onze, grâce à la création d'une deuxième chaire de mathématique et de chaires de médecine, philosophie et langues orientales. Le pouvoir royal, comme on le voit, prend ainsi la relève d'une université défaillante, notamment en ce qui concerne l'étude des langues orientales ; en même temps, il engage les études dans des directions que la conjoncture historique rend problématiques ou dangereuses, et qui peuvent mener à des aboutissements imprévus ou indésirés. L'un des résultats de la création des chaires d'hébreu sera la publication, en 1545, par Robert Estienne, de la *Bible de Vatable,* ainsi nommée du nom du traducteur, François de Vatebled, l'un des deux professeurs d'hébreu du Collège Royal. Ce sera la Bible des protestants, du fait que ceux-ci adopteront, en opposition à la tradition de la Vulgate, le canon hébreu, en ce qui concerne l'ordre et la quantité des livres considérés comme inspirés ; alors que Vatable s'était borné à mettre sa science linguistique au service des études, en donnant, de la Bible, une traduction en latin fondée, quant à l'Ancien Testament, sur le canon judaïque et non pas sur le texte défini par saint Jérôme.

D'autres lecteurs royaux utiliseront la liberté que le pouvoir leur assure pour s'embarquer dans des aventures intellectuelles de vaste portée. Ramus (1515-1572) utilisera sa chaire de philosophie pour la lutte contre l'aristotélisme : ses démêlés avec Pierre Galland sont restés célèbres, parce que Rabelais les mentionne dans le Prologue de son *Quart Livre ;*

mais le débat ne prête pas qu'à sourire, il s'agit moins d'une dispute de cuistres que d'une confrontation entre deux conceptions du monde. Nous sommes donc véritablement au cœur de celle qu'il a été convenu de nommer l'aventure intellectuelle du siècle. Quant à Guillaume Postel (1510-1581), il doit sans doute à sa condition de lecteur royal de langues orientales d'avoir pu conclure sa carrière humaine dans des conditions de tranquillité relative, en dépit du caractère extravagant mais surtout inquiétant de son anticonformisme. Un séjour en Orient lui ouvre la connaissance de la culture arabe et « chaldaïque » (il est l'un des premiers orientalisants : *Linguarum duodecim alphabetum,* 1538, est une tentative de grammaire comparée des langues du bassin de la Méditerranée orientale) et, grâce à la lecture du *Coran* et du *Zohar* (un important traité de la mystique juive), l'engage à se lancer dans de vastes projets de conciliation : du christianisme et de l'islamisme (*Alcorani et evangelistarum concordiae liber,* 1543), de la culture occidentale avec la culture d'un Orient qui s'étend jusqu'aux Indes et même au-delà. Ce rêve d'une concorde universelle (*Orbis terrae concordia,* 1544) qui doit marquer la fin des conflits (la menace turque pèse lourdement sur la conscience des hommes du XVIe siècle) et l'avènement d'une fraternité nouvelle, a son fondement pour Postel dans des circonstances objectives : la langue des différentes civilisations est une, car elle dérive d'un modèle unique, celui des Phéniciens (*De Phoenicum litteris,* 1552), tout comme unique est la maîtrise qui a donné naissance aux civilisations elles-mêmes, et qu'il faut rechercher dans l'histoire des anciens Étrusques (*De Etruriae regionis originibus,* 1551). Pour qu'il se réalise, toutefois, l'humanité a besoin d'une nouvelle incarnation, qui se fera grâce à un principe féminin : la « Vierge vénitienne », que Postel affirma avoir connue (*De nativitate mediatoris ultima,* 1547) et dont il se dira le fils spirituel (« le premier né de la Restitution », c'est ainsi qu'il signe certains de ses ouvrages).

La bonne foi de Postel était totale : il crut trouver dans la Compagnie de Jésus, qui venait de se constituer, et dont il demanda à faire partie, l'instrument destiné à réaliser ses rêves de conciliation universelle : il s'en tira par un emprisonnement de quelques mois dans les geôles romaines. Une effervescence intellectuelle peu commune, même pour l'époque extraordinaire dans laquelle il vécut (c'est ce qui justifie que l'on se soit arrêté un peu plus longuement sur son cas) ; et toujours ce rêve, d'une réintégration, d'une totalité reconquise, car les savants — voire les extravagants — contemporains de Ronsard et de Rabelais n'en participent pas moins d'une mentalité et d'une sensibilité, comme les écrivains que nous rencontrons à la même époque.

Dans son ensemble, une grande page de l'histoire de la culture, cette aventure intellectuelle du Collège royal, l'une de celles qui caractérisent le mieux — on l'a souvent répété — l'âge d'or de la Renaissance ; mais qui eût été inconcevable sans le secours du latin, sans le soutien d'un instrument linguistique et logique en mesure de s'élever à des hauteurs conceptuelles que la langue vulgaire n'avait pas encore approchées.

Résurgence de la magie

Une dernière vérification concerne une autre page typique où s'inscrit l'expérience existentielle de l'homme de la Renaissance, la question de la magie. Elle est à mettre en rapport avec une circonstance dont on a maintes fois parlé, le recul général de l'aristotélisme qui caractérise ces décennies. Comme on l'a dit plus haut, cette retraite laisse un espace vide, aussitôt rempli par des mouvements de toutes sortes. Le platonisme s'offre à combler ce vide, mais il reste des marges : il y a place pour des résurgences de l'incroyance éternelle, et aussi pour de nouvelles créations, à la limite de l'extravagance, où ancien et nouveau se confondent, ce que l'on appelle le syncrétisme de la Renaissance. Ce platonisme, d'ailleurs, doit être entendu comme une promotion générale des composantes sentimentales, émotionnelles, enthousiastes et, à la limite, mystiques de l'esprit humain, sur la ligne de certaines positions extrêmes — ou délirantes — qui viennent de Ficin (« Philosophica ingenia ad Christum pervenient per Platonem », [« Les esprits philosophiques parviennent au Christ grâce à Platon »], *Theologia platonica*, 1474). Or, le syncrétisme de la Renaissance exprime une aspiration vers la totalité, et veut aboutir à une vision d'ensemble parce que le monde est un. La réalité matérielle a moins d'importance, le rôle de l'esprit prime tout ; et, si le monde est un, et s'il est essentiellement de nature spirituelle, la magie est importante. Comprendre une unité articulée en mille formes différentes dont la matrice n'est pas de nature physique est une entreprise ardue : la magie, qui pénètre à l'intérieur, qui maîtrise les forces cachées, qui opère, au nom de principes spirituels, la transmutation des essences, confirme avant tout cette réalité, que le monde est esprit et que l'opération qui permet de l'appréhender est de nature spéculative.

Puisque l'emprise des vieilles structures s'est atténuée, il y a maintenant des marges où l'investigation peut s'évertuer avec une certaine indépendance, d'autant plus que les contours du réel, du fait qu'ils baignent dans ce spiritualisme confus, ont tendance à bouger, à se superposer, à se confondre. Mathématique, philosophie, chiromancie, astronomie, astrologie... : expérience et magie risquent de s'identifier. Une structure du monde hiérarchisée repoussait avec fermeté le magicien, qui prétend évoluer de l'ordre naturel vers le surnaturel, ou vers les forces secrètes, et donc infernales, qui fermentent en dessous. Dans un monde de catégories nettes — le ciel, la terre, l'enfer — certains passages ne sont pas permis, et la société médiévale met à mort sans hésitation le magicien qui transmue les essences, en l'identifiant avec le sorcier. Il n'en sera plus ainsi à la Renaissance : « La magie — nous dit Corneille Agrippa de Nettesheim (1486-1535) dans son *De occulta philosophia* — est une faculté qui a un très grand pouvoir, pleine de mystères très relevés et qui renferme une très profonde connaissance des choses les plus secrètes [...] c'est la véritable science, la philosophie » (1533).

Il s'agit en effet de se placer à un point de vue d'où on peut comprendre la totalité du monde, ce macrocosme auquel renvoie nécessairement le microcosme qu'est l'homme. Et Agrippa veut bien admettre qu'il existe trois sortes de réalités, élémentale, céleste et intellectuelle, mais seulement pour ajouter qu'il est possible de remonter par degrés de l'ordre inférieur jusqu'à l'archétype, et que l'instrument de cette opération est la magie. Indépendante de toutes les sciences, la physique, qui connaît les choses, la mathématique, qui maîtrise l'étendue et le nombre, la théologie, qui connaît Dieu, elle se joue des trois, et seule reconnaît la vraie texture du réel (*De incertitudine et vanitate scientiarum*, 1531). Une pensée difficile à cerner, et des idées qu'on ne peut formuler qu'à l'aide d'une langue sentencieuse et assurée dans sa structure comme dans sa richesse : un moment très caractéristique, pourtant, de la vision du monde de l'homme de la Renaissance.

Pourquoi une littérature classicisante ?

Cette littérature humaniste, d'ailleurs, il faut la considérer dans son ensemble, faute de pouvoir la reparcourir dans sa richesse luxuriante. En comprendre l'enjeu : ce que les humanistes ont écrit n'est qu'une première étape, ce qu'ils ont fait ; ce qu'ils ont rendu possible compte davantage.

Ce dont il était question était l'incorporation progressive dans la culture de la France du xve et du xvie siècle d'un idéal classique, d'une « idéologie » intimement dissonante par rapport aux constantes d'une mentalité façonnée par le christianisme. Un long chemin à parcourir pour des esprits occupés avant tout du souci de l'au-delà et de graves débats de conscience que celui qui mène à la récupération du sentiment païen de la vie, qui comporte la capacité de dégager du réel des éléments d'harmonie et de beauté, et la capacité d'en jouir sans arrière-pensée ni conflits intérieurs. Cet idéal, que caracté-rise une substantielle indifférence en matière de religion, a dû s'installer dans des esprits qui avaient été jusque-là incapables de détachement à l'égard des questions fondamentales de la grâce, du salut, de la Providence, de la finalité du monde. Il a fallu conquérir des intelligences dominées par la certitude du dogme, par la tristesse intime d'une vision de la vie conçue comme passage : à des hommes habitués à considérer avec détachement l'existence terrestre et avec méfiance les vertus humaines, sources possibles d'orgueil et de superbe, apprendre à accepter cette haute conception philosophique, psychologique et artistique qui est le fondement du classicisme. Un autre monde, un homme différent et, ce qui nous touche surtout ici, un art nouveau. En ce sens, il est avant tout important que le phénomène existe, que l'on assiste en Europe (et notamment en Italie et en France), dans la deuxième moitié du xve et la première moitié du xvie siècle, à la naissance d'une littérature qui se propose d'imiter les Anciens, et qui fait de cette imitation le critère de sa valeur.

Pourquoi imiter les Anciens, en effet ? On ne saurait répondre, trop simplement, que leur produc-tion littéraire semble tellement admirable qu'elle devient digne d'être copiée. L'équation : antiquité = noblesse, ne suffit pas à tout expliquer. Les Anciens paraissaient « sages » depuis longtemps ;

depuis toujours la littérature médiévale les avait connus et honorés ; ils n'en étaient pas pour autant devenus des modèles à imiter. Il semble bien qu'on doive avoir recours à une explication qui concerne les couches profondes de la sensibilité collective. Pour que les Anciens « deviennent » dignes d'être imités, il faut une profonde modification de la hiérarchie des valeurs établies et que les Anciens paraissent non seulement sages mais, à partir d'un certain moment, *plus* sages et donc meilleurs que nous. La Renaissance ne découvre pas le bon sauvage parce qu'on a découvert l'Amérique : au cours de tout le Moyen Age les sauvages ont fait partie de la géographie spirituelle de l'homme chrétien d'Occident. On les « découvre », pourtant, à la Renaissance, parce que l'on commence à se demander si leur façon d'exister, le fait d'être « sauvages », ne comporterait pas la possibilité d'un enseignement. La même chose en ce qui concerne le binôme « nous et les Anciens » : ce ne sont pas les Anciens qui ont changé.

On doit partir de la signification étymologique du mot Renaissance. Le mot relève, en effet, du langage religieux : celui qui renaît, « naît à nouveau ». Pas de « retour » : en arrière, du côté des Anciens, et moins encore retour des Anciens vers nous ; pas de « résurrection » au sens strict du mot, mais une « nouvelle naissance », une palingénésie. Le mot contient à la fois la notion de rupture et de continuité. Il y a reniement et abandon de quelque chose, et il y a en même temps continuation, car l'opération s'accomplit dans un cadre qui reste substantiellement le même.

On retrouve donc ici cette réalité difficile à saisir, et pourtant péremptoire, qui marque la fin du xve siècle et les premières décennies du xvie siècle, cette ferveur mystique qui rayonne à travers tout le Moyen Age finissant. Besoin d'intériorisation, désir de retrouver la fraîcheur des sources de la vie spirituelle, qui aboutit pourtant — et ne fût-ce que provisoirement — à la réalité de la condition de la créature, le péché et la mort. Le pessimisme anthropologique, qui est à la base des constructions de Luther et de Calvin, et qui est le résultat d'une expérience religieuse intense et authentique, intéresse par certains biais toute la mentalité de l'époque : à ce prix seulement, l'âme laïque de la Renaissance, qui passe à côté mais n'ignore pas tout à fait les déchirements de la conscience religieuse contemporaine, peut « découvrir » les Anciens, parangon de sagesse, de vertu et à la limite de bonheur, dépositaires d'un message dont on commence à admettre la valeur alternative.

Un idéal de *noblesse* s'incorpore ainsi à la vision de la vie des écrivains du XVIᵉ siècle : noblesse de l'homme, grandeur, héroïsme, dignité de la créature. Les Anciens sont le parangon de tout cela : ils ont connu avant nous, parce qu'ils ont su l'exprimer dans des créations littéraires parfaites, la formule de l'équilibre entre joie et espérance. Plus grands que nous, en cela. L'homme de la Renaissance est douloureusement conscient de l'héritage qu'il porte en lui, de cette condition de *viator mundi* (« voyageur à travers le monde ») qui avait pendant des siècles défini son destin. Il s'extasie alors devant cette image, qui jaillit des brumes du passé, d'un homme qui n'est plus avant tout pèlerin sur cette terre, qui ne conçoit pas la vie comme un passage vers une réalité qui la transcende et comme une occasion pour faire son salut ; mais qui, fermement campé au centre du monde, se veut maître de la réalité qui tombe sous sa perception et se croit en mesure de construire autour de lui son univers : *faber mundi* (« constructeur du monde »).

Une littérature aristocratique :
le rôle du « Courtisan »

Cet idéal de noblesse trouve aussitôt une formulation accomplie dans un livre dont on surestimerait difficilement l'importance dans le cadre de la Renaissance européenne, *Il Cortegiano* de Baldassarre Castiglione (1478-1529). Le titre de l'œuvre, à lui seul, n'est pas assez explicite ; il y a même le risque de se fourvoyer dans la matière touffue que l'auteur nous propose. *Il Cortegiano* est bien le bréviaire de l'homme de cour et codifie le comportement d'un personnage qui se situe à part, par rapport au commun des hommes ; mais cette connotation sociologique fait sa grandeur, aux yeux de Castiglione avant tout, comme aux yeux de toute une culture à sa suite. Pour Castiglione, son personnage n'est pas l'expression d'une caste, ce n'est pas ce qui l'intéresse en premier lieu ; au contraire, l'homme qu'il conçoit est *universel,* grâce à sa culture et à sa sagesse, grâce à la raison, qui est sa norme souveraine, il se sent placé au centre du monde, en condition de comprendre, de mesurer, de juger. Pour cela, il a choisi de vivre en accord avec la nature car une composante « raisonnable » est incorporée dans la nature. Vivre en accord avec la nature signifie être *dans* la raison ; et tout cela est bien. Double mouvement de réhabilitation — de la nature, de la raison humaine — d'une portée incalculable ; mais une pareille aventure humaine et intellectuelle doit être vécue dans le cadre d'une cour. Cet homme universel est en effet un homme de cour, et aucune des trois composantes — humanité, universalité, aristocratie — ne saurait subsister sans les deux autres.

Si une idée de noblesse est donc étroitement incorporée à cette création de l'esprit qu'est l'hypothèse d'un homme rénové, elle se double aussitôt d'une exigence aristocratique. La raison n'a pas son lieu habituel chez le peuple, la nature répugne à la condition du clerc : seul le courtisan, qui se tient à l'écart du peuple, dans un monde socialement raréfié, a accès spontanément à des réalités supérieures, et seules dignes de la nature humaine. Que cet homme doive se tourner vers une nourriture spirituelle — les modèles classiques — typiquement aristocratique n'est, à partir de ce moment, qu'une conséquence nécessaire.

Une littérature classicisante signifie aussi l'apparition d'une dialectique entre littérature et culture. Le fait de se tourner vers des modèles classiques signifie porter atteinte à une structuration de la vie culturelle qui s'était maintenue pendant des siècles. Une littérature idéologique doit céder le pas à une littérature sans idéologie. A ne pas en douter, la littérature de l'époque précédente est une littérature de *contenus*. Elle a des messages à transmettre, et se soumet délibérément à ce « finalisme » qui la caractérise. De ce fait, elle reconnaît implicitement que sa valeur n'est pas dans le fait littéraire et que le fait littéraire, en soi, sans être proprement indifférent, est sans doute moins important que la cause première — le message à transmettre — qui la conditionne. Les composantes formelles du fait littéraire perdent ainsi une partie (au moins) de leur valeur. C'est une attitude profondément enracinée dans la conscience chrétienne d'Occident, et dont on perçoit les échos encore dans la pensée de Calvin, qui a pu écrire, à propos du fait littéraire : « Quant au reste, on ne voit pas à quoi cela peut servir, si ce n'est à plaisir ». Dans une large mesure la littérature est dans ce « reste », qui ne sert à rien par rapport à ce qui sert vraiment, qui est l'édification — au sens étymologique du mot — de l'homme et du croyant.

La littérature classicisante sera sans idéologie dans la mesure où elle se montrera avant tout préoccupée du « reste » dont parle Calvin ; dans ce vide — relatif

— peuvent prendre place des préoccupations relevant de l'esthétique, les soucis d'ordre formel prendront la relève des inquiétudes de nature éthique, la notion d'un ailleurs qui justifie la littérature sera remplacée par une idéalité immanente, qui reconnaît à la littérature une raison d'être en elle-même.

Il va de soi que la littérature sans idéologie se borne, en fait, à changer d'idéologie, car la promotion des valeurs formelles qu'elle comporte finit par faire de la forme un nouveau critère de justification. En outre, si elle se refuse à transmettre les anciens messages, c'est parce qu'elle s'en est donné un autre : elle a beau prétendre utiliser les thèmes mythologiques et classiques qu'elle exploite uniquement à cause de leur valeur esthétique ; en fait, elle les adopte complètement. D'où la mise en place d'un monde de références qui comporte l'institution de sentiments, et donc la création de messages.

Le fait d'adopter des modèles classiques augmente le coefficient culturel de la littérature de la Renaissance, la rend plus difficile, et par là même l'éloigne du peuple. Un idéal culturel noble, délibérément aristocratique, est ainsi proposé au consommateur du fait littéraire ; il finira par être imposé et par triompher, ce qui consacrera le divorce entre la culture classique et les couches populaires. Il en allait autrement, semble-t-il, dans le cas de la vieille littérature, qui se nourrissait de la sève de préoccupations plus universelles, moins raffinées, dans lesquelles il était plus facile pour le peuple de se reconnaître. On n'oubliera pas toutefois que les clercs du Moyen Age étaient seuls dépositaires de la culture et qu'ils parlaient exclusivement latin. S'il leur arrivait d'écrire en vulgaire, c'était justement pour accomplir un geste méritoire en faveur du vulgue : les clercs aussi, en somme, proposaient et imposaient un idéal humain et éthique sur lequel les lecteurs étaient appelés à se façonner. Ce qui change, avec la littérature classicisante, n'est donc pas la

portée ultime du phénomène, mais bien le fait qu'un
modèle humain façonné par l'enseignement de la
religion est remplacé par un autre, bâti de toutes
pièces par une culture laïque. Ici il y a renversement
de perspective, l'idéal d'autrefois ayant une *dignité*
qui était fonction d'une justification extérieure, à
laquelle le nouvel idéal opposera une *noblesse* immanente, qui est fonction à la fois de la vertu et de la
culture de l'homme.

On s'est plu à opposer *littérature* et *poésie* à propos
de ce retour du classicisme dans les lettres euro-
péennes. Il faut, pour cela, en accord avec la pensée
romantique, faire de la poésie la forme privilégiée de
l'expression de l'inquiétude humaine, identifier poésie et sincérité et conclure que la poésie est primesautière et la littérature délibérée. La première pourrait
se faire en dehors — ou en marge — d'une conscience critique exigeante, la deuxième est inconcevable en dehors de la contrainte d'une poétique codifiée et pointilleuse.

On ne retiendra ici que le deuxième terme de
l'opposition, pour essayer d'en saisir la signification
profonde : une apologie de la stabilité, et donc du
classicisme. Elle suppose en effet l'existence de
valeurs stables, exactement codifiées, et insinue que
la littérature est mesurable dans son harmonie. Mais
une littérature ainsi conçue instaure une manière
d'ascèse : dans un ordre de préoccupations purement
laïques, mais ascèse quand même.

L'idéal humain que la littérature classicisante
poursuit est universel, on vient de le voir, parce qu'il
se dit en accord avec la nature, mais en fait la donnée
objective que l'on devrait tirer de la nature n'est
perçue que par l'intermédiaire d'un schéma idéologique qui se superpose au message du monde. L'intellectualisme épure, mais dessèche : on aura alors à la
fois les femmes d'une beauté « impossible » que
célèbre l'Ecole de Fontainebleau, et ces inspiratrices,
qui leur font exactement pendant, elles aussi à la

limite de l'humanité et de l'abstraction, qu'exaltent les poètes de la Pléiade. La littérature classicisante trouve en effet dans l'aristocratie de son intellectualisme sa grandeur et sa limite ; et si elle rachète sensualité et érotisme, tumulte et mouvement, ce n'est que pour aboutir à l'immobilité pensive de la contemplation d'un rêve.

C'est par là que l'on rejoint une dernière composante significative de la mentalité de l'époque, l'élément utopique. Thomas More meurt en 1535, l'*Utopie* appartient donc à cette époque, avec ses prolongements rabelaisiens et vers bien d'autres directions. Ici également il s'agit d'un rêve de renaissance : l'homme nouveau comporte un cadre social inédit, mais à son tour une structure sociale inouïe est un puissant moyen de transformation de l'homme. Là encore la dialectique entre nature et intellectualisme éclate, car le modèle proposé n'a de « naturel » que le nom. Le mouvement initial : refuser le présent, fuir le monde de l'histoire, nier la contradiction de l'événement, confirme que l'on est en présence d'une idéologie aristocratique : le quotient de mouvement qu'elle comporte est bien mince, car le point d'aboutissement est un monde immobile où les valeurs sont stables et les hommes heureux. Ce rêve n'est pas le fait du vulgaire, mais il suppose un ordre où les conflits seraient abolis, où chacun se tiendrait content dans sa condition : à commencer par les humbles, heureux dans la modestie de leurs ressources et satisfaits de leur travail manuel... Négation de l'histoire, du mouvement, de la vie : on se retrouve, ici encore, dans ce monde raréfié où l'intellectualisme l'emporte sur toute chose.

Le jugement final est largement positif. Cette irruption du classicisme entraîne un saut de qualité dans la norme de la production littéraire qui eût été impensable sur la base de la seule tradition précédente. Il a fallu des thèmes, des sujets, des sentiments nouveaux, qui ont été acheminés vers la

littérature européenne par ce biais et qui sont devenus des données acquises, définitivement incorporées. Des préoccupations nouvelles, qui relèvent du
domaine de la forme et de celui du sentiment. Le
souci de la perfection formelle se double aussitôt
d'un désir de raffinement spirituel : tous les
domaines en sont affectés, celui de la langue aussi
bien que celui des formes expressives. L'orientation
générale de la culture change : il ne sera plus permis,
après, de penser la chose littéraire dans les mêmes
termes qu'avant la Renaissance. Cela a comporté la
nécessité d'emprunter le chemin de l'imitation, mais
le résultat a été la création d'un nouveau style de vie.
Mais c'est grâce à cela que la littérature est devenue,
pour l'esprit occidental, une preuve de la noblesse
naturelle de l'intelligence humaine ; et que faire de la
littérature signifiera désormais accomplir un geste
qualifiant, une manière d'option pour la seule aristocratie qui dure.

TROISIÈME PARTIE

LES GRANDS AUTEURS

CHAPITRE I

CHARLES D'ORLÉANS
ET
FRANÇOIS VILLON

D EUX destins rapprochés par la malice de l'Histoire, comme pour inviter au parallèle : conjoints et en tout point opposés. Le prince et le truand ; l'artiste du rêve délicat et l'évocateur de la triviale réalité. Tous deux ballottés par l'existence, victimes d'une actualité tragique et marqués de son empreinte. Pourquoi le second est-il plus « populaire » que l'autre ? La vie de Charles se prêterait tout autant aux élucubrations romanesques : mais elle n'a pas le parfum du scandale ni le charme douteux de la marginalité. Ni meurtre, ni pègre, ni bordel : lourd handicap pour le presqueroi. Aubaine pour la gouape, servie par une légende qui obère le jugement littéraire. De l'un et de l'autre restent des œuvres qui dominent la seconde moitié du xvᵉ siècle.

Le Prince solitaire

Les bonnes fées semblent se pencher sur le berceau du quatrième fils d'une Italienne, Valentine Visconti, et du frère du roi, Louis d'Orléans. Une mère cultivée et affectueuse, un père brillant, remuant, séduisant. Mais l'oncle, le roi, est fou depuis 1392 ; le royaume s'en va à vau-l'eau, déchiré entre les

factions ; Louis est assassiné sur ordre du Bourguignon en 1407 et Valentine meurt l'année suivante. A
quatorze ans, Charles est seul ; marié à la veuve du
roi d'Angleterre, il est veuf quelques mois plus tard.
En 1410, il épouse Bonne d'Armagnac, fille de son
allié le plus actif ; mais il doit prendre la tête de ses
troupes : à peine le temps de vaincre Jean sans Peur,
l'ennemi juré, le meurtrier de son père, et c'est
Azincourt (1415), catastrophe nationale dont il est
l'un des rares rescapés. Le voici prisonnier : sa
captivité en Angleterre durera un quart de siècle.
Sans doute n'est-il pas toujours mal traité, mais la
solitude, l'ennui, la nostalgie l'accablent. Il apprend
en 1437 la mort de sa femme. Enfin libéré en 1440, il
épouse la jeune Marie de Clèves. Sa loyauté est
suspecte au roi Charles VII, qui l'écarte de la cour. Il
se retire alors dans son fief (1444) : après quelques
voyages, dont une campagne bien décevante en
Italie, il ne quittera plus guère Blois à partir de 1451,
supportant le mépris de son neveu Louis XI qui se
moque de ce vieillard rêveur et incapable.

Vie dramatique et médiocre, d'où l'héroïsme semble singulièrement absent, et la grandeur ; vie comme
mêlée de force à l'histoire. Ce n'est pas un homme
d'action et il n'a guère de sens politique. Son
caractère peu trempé se laisse porter par les événements. Cultivé et intelligent, c'est cependant une tête
assez mal faite, pour les affaires du monde. Sa
captivité n'a rien arrangé, au contraire : il a « moisi »
en Angleterre, broyant du noir, prêt à tout pour
recouvrer sa liberté : toute paix lui semble bonne et il
ne redoute rien tant qu'une victoire française. Il ose
écrire à Philippe le Bon : « Tout Bourguignon suis
vraiement, de cœur, de corps et de puissance ».
Comportement naïf et léger, que le sentiment national ne guide pas. Défaitiste dans des conditions que
l'on peut comprendre, et égoïste : il n'aura pas un
mot pour Jeanne d'Arc, qui a pourtant tout fait pour
lui. Ce velléitaire accepte sans trop de peine son exil

blésois où il trouvera les satisfactions d'une vie facile,
renonçant vite par épicurisme à jouer le moindre rôle
dans la vie publique, se complaisant dans l'inaction et
dans les jeux d'une petite cour désœuvrée. Mais peu
à peu l'ennui le gagne, le désintérêt de tout, et il
passe ses dernières années à écouter son cœur battre
de plus en plus faiblement, à observer son absence
graduelle au monde qui l'entoure.

Ce prince si peu prince est avant tout un artiste,
esthète jusqu'au bout des ongles, non sans une
touche de mignardise : pendant une campagne militaire, il arbore une robe dont la broderie reproduit la
chanson *Madame, je suis plus joyeulx*. Si aucun rêve
conquérant ou glorieux ne l'anime, son imagination
vive l'entraîne vers le pays de Tendre ; mais son
tempérament, franc d'amertume et de révolte, est
plutôt fait d'une tristesse souriante qui se crispera au
contact de la réalité. Dépressif, il éprouve l'angoisse
de vivre, s'estimant victime de la Fortune, injustement accablé « en la forêt d'Ennuyeuse Tristesse »,
mais prenant son parti :

> Sans mâcher soit joie ou tristesse,
> Avaler me faut cette prune
>
> (Rond. 213)

Le Minutier du cœur

Les poésies composées au fil d'un demi-siècle
comprennent un texte de jeunesse, le *Livre contre
tout péché*, *La Retenue d'Amours*, en dizains, le
Songe en complainte, en huitains, incluant la requête
à Cupidon et à Vénus ainsi que la *Départie d'amours*
en ballades, datée de 1437 ; 123 ballades, 89 chansons, 5 complaintes, 4 caroles et environ 400 rondeaux. L'œuvre n'a pas de plan général autre que le
cours même de l'existence : ce sont des poèmes
composés isolément, au gré de l'humeur et des
circonstances. Un groupement par genre s'est effec-

tué dès les manuscrits et l'on entrevoit certaines séries chronologiques ou thématiques à l'intérieur de chaque section : poèmes du service amoureux, poèmes de la captivité, divers propos, poèmes du nonchaloir. Dans ses vers, Charles ne parle que de lui-même : poésie de truchement amoureux, de consolation, de divertissement ou d'analyse ; l'horizon reste limité à l'espace intérieur. Dans la « chambre de Pensée », la rêverie se développe en vase clos. Deux volets majeurs se dégagent : d'abord ce que l'on a appelé le *Livre d'amour et de jeunesse ;* puis la parole de l'homme atteint par l'âge et les épreuves, qui a dû renoncer à toutes ses chimères, blasé et désabusé : le *Livre de fortune et de vieillesse.*

De la « Retenue » à la « Départie d'Amours »

Cette section s'organise assez nettement comme une sorte de *canzoniere* accompagnant pas à pas un itinéraire sentimental. Jeunesse vient conseiller à Charles d'aimer, de goûter aux biens d'Amour, qui contrebalancent ses maux. Le jouvenceau entre donc au service du dieu : en fidèle vassal, il lui faudra, une fois séduit par Beauté, endurer avec patience les épreuves, sachant que les amants doivent garder loyauté, constance et discrétion. Une lettre de Cupidon confirme que désormais Charles est du nombre de ses serviteurs. Ce n'est là qu'un écho du service féodal et courtois, peut-être inspirée par Bonne ou plus probablement par une dame anglaise. Mais on ignore à peu près tout de la vie sentimentale du duc : impossible de faire la part de la convention, de l'artifice littéraire et du vécu ; aussi faut-il se contenter de lire ce que livre le texte, sans imaginer un illusoire coefficient de sincérité.

Le voici ensuite engagé dans le servage amoureux (*Ballades*). Certes, il se plaint des tourments qu'il lui faut subir « en la prison de Déplaisance », « au purgatoire de Tristesse », mais il persévère à « bien

et loyaument aimer ». Il célèbre les perfections de la
dame tout en lui adressant de pressantes requêtes
pour obtenir sa faveur. Dans l'absence, même si
Dangier et Fortune se déclarent ses adversaires, il a
pour alliés Espoir, Réconfort, Raison. Mais la dame
tombe malade et meurt ; le voici accablé de douleur,
accusant la Mort injuste, impitoyable : « Je suis celui
au cœur vêtu de noir ». Une autre a beau lui offrir
son commerce, il renonce désormais et demande à
l'Amour de lui rendre son cœur. « Tout enrouillé »,
il s'enferme au manoir de Nonchaloir. Il est toujours
prisonnier, « malade de mal ennuyeux », cherchant à
survivre. « Encore est vive la souris », mais traînant
ses jours « en la forêt de Longue Attente ». Son
pauvre cœur souffre mille maux, transi par le vent de
Mélancolie ; il a perdu son élan vital : « Je n'ai plus
soif, tarie est la fontaine » ; il se laisse mener par
Aventure (le Hasard), ni bien, ni mal, au gré des
heures.

Cette partie constitue d'une certaine manière le
journal de l'exil, de la prison et de la vie intérieure,
une sorte d'autobiographie sentimentale. Les vers
forment le minutier de l'existence, saisissant un
moment dans une forme brève et close. Autant de
pièces d'album, de madrigaux qui décrivent la carte
des Terres amoureuses, qui reproduisent les rites de
la courtoisie, qui traduisent un idéal précieux. Poésie
du cœur d'amour épris, dolent et désolé ; poésie qui
épuise les élans et les émotions, selon une mise en
scène sentimentale héritée du *Roman de la Rose*.
L'allégorie est ici omniprésente et connaturelle au
sentiment : c'est une façon de penser, de voir, de
parler, qui dépasse de loin l'artifice gratuit. La
personne du poète amoureux devient le théâtre où
s'affrontent pensées et sentiments, émotions et
appréhensions ; il observe ses membres, ses organes,
qui acquièrent une sorte d'autonomie pour s'opposer
l'un à l'autre. L'incarnation, la personnification du
monde intérieur actualise, vivifie et représente les

méandres et les obstacles de la quête amoureuse.
Mais c'est aussi une façon de trouver une compagnie,
un remède à la solitude, de se parler à soi-même,
d'aviver ses rêves amoureux. Certes, il y a là tous les
lieux communs de la peinture amoureuse, modulés
en d'inlassables variations, mais aussi revitalisés par
le charme poétique, par la vibration assourdie des
demi-teintes du cœur.

Le Nonchaloir

Puis est venu le temps de la retraite sentimentale.
Après avoir été amoureux et dolent d'amour, Charles se contentera d'observer les autres livrés aux
mêmes tribulations. Pour lui, il s'est endormi en
Nonchaloir : « Il est temps que tu te reposes, mon
cœur ». Alors, et même s'il sacrifie encore aux rites
sociaux, comme ceux de la Saint-Valentin, il peut
dire adieu à l'amour et à sa jeunesse tout ensemble.
Les regards jetés sur un passé décevant confirment le
poète dans son attitude de détachement graduel et
dans son refus de nouveaux engagements : mieux
vaut le renoncement aux mirages. Le duc a quitté la
confrérie des Amoureux de l'Observance. Et pourtant, les tentations continuent à se présenter à lui.
Les « traîtres yeux » sont parfois enclins à se laisser
séduire, et le cœur doit se cabrer dans son refus :
« Paix, je m'endors ! » Et le débat se renouvelle,
opposant deux parts de l'être :

L'un dit : Nous serons amoureux.
L'autre dit : Je ne le veux pas

(Rond. 73)

Il faut en finir une fois pour toutes avec ce faux
espoir qui ne sait qu'abuser et remettre aux lende-
mains incertains :

> En me contentant d'un beau rien,
> Toujours dites : Je viens, je viens.
> Espoir ! je vous connais assez,
> De vos promesses me lassez
> Dont peu à vous tenu me tiens

(Rond. 314)

Ainsi, peu à peu, se forme une sagesse :

> Du tout retrait en hermitage
> De Nonchaloir, laissant Folie,
> Désormais veut user sa vie
> Mon cœur que j'ai vu trop volage

(Rond. 274)

> Devenons sages désormais,
> Mon cœur, vous et moi, pour le mieux ; [...]
> Passer faut notre temps en paix,
> Vu que sommes du rang des vieux

(Rond. 293)

Dès lors, la vie se résumera à la délectation des souvenirs élus :

> Plus ne prends plaisir qu'en Pensée
> Du temps passé ; car, sur ma foi,
> Ne me chaut du présent que vois

(Rond. 392)

ou à la rêverie intime :

> Il n'est nul si beau passe-temps
> Que se jouer à sa pensée

(Rond. 406)

et le cœur connaîtra cette sorte d'ataraxie qu'est le fameux Nonchaloir : détachement, renoncement au service amoureux, refus de participer au jeu, abandon à l'événement.

> Ce mois de Mai, ni joyeux ni dolent
> Etre ne puis ; au fort, vaille que vaille,
> C'est le meilleur que de rien ne me chaille :
> Soit bien ou mal, tenir m'en faut content.
> Je laisse tout courir à val le vent
> Sans regarder lequel bout devant aille. [...]
> Que vous semble de mon gouvernement ?
>
> (Rond. 17)

Charles se contentera dorénavant du commerce de ses familiers de la cour de Blois. Milieu un peu rétrograde, amateur de bien vivre, selon un hédonisme tempéré et dans une activité mesurée aux menus plaisirs, jeux de société, concours poétiques (sur des refrains imposés choisis par le duc : « Je meurs de soif auprès de la fontaine » ; « En la forêt de Longue Attente » ; « Les Amoureux de l'Observance », etc.).

L'amour n'inspire plus qu'une défiance ironique ; le duc observe impitoyablement les muguets qui se vêtent à la dernière mode pour attirer les regards et les pauvres cœurs maltraités au jeu d'amour. Il n'épargne pas les piques de son persiflage aux « jeunes assotés amoureux ». Mais l'âge est venu, et le vieux sage se voit accablé par Mérencolie, qui le tourmente en même temps qu'Ennuy. Il cherche à lutter contre ces ennemis : ils seront cependant les plus forts, entraînant le *taedium vitae* à mesure que les infirmités de l'âge assaillent le poète : « Que vous m'ennuyez, Vieillesse ! », « Je devien vieil, sourd et lourd ». Plus rien ne le retient ni ne l'intéresse :

> Je ne vois rien qui ne m'ennuie
> Et ne sais chose qui me plaise
>
> (Rond. 289)

Le monde est ennuyé de moi
Et moi pareillement de lui ;
Je ne connais rien au jour d'hui
Dont il me chaille que bien poi [peu]

(Rond. 187)

Toute la vanité de l'homme et du monde tient en
un simple quatrain parémiologique :

Puis çà puis là
Et sus et jus
De plus en plus
Tout vient et va

(Rond. 337)

« Je hais ma vie et désire ma mort » : le nonchaloir
n'est plus qu'une impassibilité résignée, figée et lasse
au sein de la désolation des vieux jours.

Dedans la maison de Douleur
Ou était très piteuse danse,
Souci, Vieillesse et Déplaisance
Je vis danser comme par cœur.
Le tambourin nommé Malheur
Ne jouait point par ordonnance [...]

D'ennui, comme ravi en transe,
M'endormis lors pour le meilleur
Dedans la maison de Douleur

(Rond. 422)

Le moment est venu de prendre congé : « Bien
sanglé fus d'une étroite courroie, / Que par âge
convient que la délie : / Saluez-moi toute la compagnie ! » La mort effacera tout : presque jamais,
Charles n'a écrit une ligne où apparaisse le sentiment
religieux, où se marque une conviction spirituelle ;
bien plus, il lui a même échappé cette formule de

serment assez équivoque : « Par mon âme, s'il en fut
en moi ». Le dernier mot nous demeure inconnu.

Les aveux de l'artiste

Ce poète princier est aussi l'un des princes des
poètes : artiste consommé, il porte à leur perfection
les formes de la ballade et surtout du rondeau. Son
œuvre est tout entière marquée par la formule du
refrain, fermoir qui insiste sur le motif initial, ressasse-
ment d'une image symbolique, d'une manière de
devise ou d'un tour sentencieux. le proverbe s'intègre
sans heurt à la démarche de pensée : « De léger pleure
à qui la lippe pend » ; « Qui ne peut ne peut » ; « Tel
qu'on sème convient cueillir », etc. Il trouve d'instinct
l'expression qui frappe, qui reste dans la mémoire. Il
manie l'octosyllabe en virtuose et son sens musical est
exquis. Il est le maître des « formes sobres » (Lanson), laissant entrevoir un artifice minutieux, les
calculs de l'esthète, et donnant en même temps
l'apparence d'une spontanéité, d'une simplicité élégante. Suprêmement aristocrate par son charme
maniéré, il allie le langage du quotidien aux formules
les plus recherchées ; il refuse les effets pour s'en tenir
à la discrétion uniforme et douce qui suggère autant
qu'elle dit. Suprêmement poète, dans ce monde de
pensée qui ignore l'élévation et côtoie la profondeur,
il a toujours le ton juste et l'ornement convenable.

Il est surtout rare de pouvoir suivre ainsi au fil d'une
œuvre poétique le cheminement d'un caractère, des
éblouissements juvéniles aux séniles démissions, de
l'exaltation amoureuse à l'endurcissement du cœur,
en traversant les épreuves, les hésitations, l'application au détachement, la souffrance du vide.

Poète de l'amour, Charles sait dire l'émoi, le
ravissement de tout l'être (« Dieu ! qu'il la fait bon
regarder... »), il sait être délicat et sensible (« Amour
de nos deux vouloirs fit une seule volonté ») et exalter
l'unicité de son amour.

Mais peut-être n'est-il pas toujours très original ni très attachant dans son rôle de « prisonnier d'Amour martyr » ?

C'est comme poète de l'ennui, du creux intérieur qu'il nous touche davantage ; c'est lorsqu'il s'enferme dans l'ermitage de Nonchaloir qu'il nous est le plus proche. Son émotion s'habille d'art, sa sensibilité se dissimule si bien que les confidences chez lui semblent privées de toute dimension tragique. Ici, guère de larmes, et bien peu de rires aussi : crispation, raidissement ? Son humour a quelque chose du « ris sardonien », effort de distance, de désengagement douloureux. Il se livre à travers deux grands thèmes : le cœur et son engourdissement, son assoupissement ; ce cœur qui est lui-même et qu'il observe comme autre, avec lequel il prolonge indéfiniment un entre-tien tendu, inquiet et finalement nostalgique, désolé ; et le Temps. Non seulement le temps de l'année, les saisons et les fêtes, Nouvel An, Saint-Valentin, Reverdie du 1er mai ; mais surtout le redoutable passage des heures, *Tempus edax :*

> Le Temps passe comme le vent :
> Il n'est si beau jeu qui ne cesse
>
> (Ball. 122)

celui qui entraîne à sa suite regrets et tristesse :

> Si j'ai mon temps mal dépendu, [= Dépensé]
> Fait l'ai par conseil de Folie ;
> Je m'en sens et m'en suis sentu
> Es derreniers jours de ma vie
>
> (Ball. 117)

Poignants aveux du vieil homme que la vie n'a pas ménagé et qui n'attend plus rien d'elle : sa sagesse n'est que résignation et son spleen débouche sur la glaciale atonie. Dans cette analyse du moi toute en

nuances et en gémissements contenus se lit le drame
d'une existence, affleurant et débordant les vers.

Pour solde de tout compte

L'image du « bon » Villon qui s'est imposée à la
postérité est infiniment plus reluisante que la réalité
enregistrée par l'histoire. Et c'est moins l'œuvre qui a
fait la réputation que cette légende. Les rares faits
attestés de sa biographie montrent que Villon a été
un mauvais garçon, voleur, meurtrier sans envergure, un malfrat, une petite frappe. Un étudiant qui a
mal tourné, un licencié encanaillé. On a un cran
d'arrêt en poche ; on se bagarre pour une fille au
Quartier latin, et on décampe en laissant un mort sur
le pavé. C'est Villon. Avec ça, de bons côtés : un
amour filial si touchant, des moments de repentir si
sincères, une peur de la mort si humaine (mais cela,
dans ce qui n'est après tout qu'œuvre d'art, donc
artifice et fiction). Et pour corser la chose, pourquoi
ne pas plaider les circonstances atténuantes ? l'accusé, c'est la société ; l'affreux, c'est celui qui met en
prison... De quoi toucher certaines bonnes âmes,
promptes à la sympathie pour cet enfant perdu qui
trouve le temps de faire des vers, cynique et candide,
frappant sa coulpe et se cherchant des excuses.

Villon n'est poète que par occasion. Tout le monde
connaît la *Ballade des pendus* ou celle des *Dames du
temps jadis,* mais à lire l'œuvre complète, on
déchante vite. Les vers ne restent pas bien longtemps
sur les sommets, ils s'embourbent à chaque pas dans
l'anecdote et dans l'allusion. C'est de la poésie *trop*
personnelle, avec un contenu souvent dénué d'intérêt, et souvent aussi sans contenu (honnêtement
déchiffrable, en tout cas). A côté de quelques pièces
isolées, deux poèmes majeurs : le *Lais* (soit : le legs,

du verbe « laisser ») et le *Testament*. « Je donne à un tel telle chose, à mon ami X telle autre... » Le malheur, c'est que nous connaissons à peine ces personnages et que nous ne voyons guère pourquoi ils reçoivent les objets en question. Sans doute, tout cela devait être assez clair, peut-être même amusant pour les contemporains, au moins pour les initiés. Cela a perdu à peu près toute dimension poétique et toute valeur : « Quant à l'industrie des lais qu'il fit en ses testaments, pour suffisamment la connaître et entendre, il faudrait avoir été de son temps à Paris et avoir connu les lieux, les choses et les hommes dont il parle ; la mémoire desquels tant plus se passera, tant moins se connaîtra icelle industrie de ces lais dits. Pour cette cause, qui voudra faire une œuvre de longue durée ne prenne son sujet sur telles choses basses et particulières » (Marot).

Il est vrai que, si tout ce pan de l'œuvre ne tient plus guère debout, il reste un ensemble, limité mais appréciable, de poésies qui touchent à des sujets plus importants et avec une autre qualité de style : « de tel artifice, tant plein de bonne doctrine, et tellement peint de mille belles couleurs, que le Temps, qui tout efface, jusques ici ne l'a su effacer » (Marot). Encore faut-il mesurer l'originalité de Villon par rapport à son temps et se souvenir que la part la plus volumineuse de son œuvre (les quatre cinquièmes) est insignifiante. Et cette œuvre est un texte qui se dérobe. On a bien du mal à en percer le sens : sa banalité même incite les commentateurs à y chercher un ou des sens cachés. Ces vers deviennent le terrain des élucubrations les plus aventureuses : c'est le règne de l'à-peu-près, de la fausse étymologie, des gloses tirées par les cheveux, des calembours pâteux. Il y a de quoi éprouver le vertige devant cette débauche interprétative évidemment incontrôlable et, selon nous, parfaitement incongrue. Le résultat est d'ailleurs de piètre importance pour l'appréciation littéraire.

François Villon (qui s'appelle dans certains documents Fr. de Montcorbier ou des Loges : il semble bien qu'il s'agisse du même personnage, mais pourquoi ces changements de nom ?) a dû naître à Paris vers 1431-32. Son père est inconnu : l'enfant est-il orphelin de bonne heure ou bâtard ? C'est un ecclésiastique, Guillaume de Villon, qui sera son protecteur, son père adoptif en quelque sorte. En 1449, Villon est reçu bachelier, en 1452 licencié et maître ès-arts. En 1455, ayant dans une rixe blessé à mort un prêtre, il doit quitter Paris pour échapper à la justice. Il obtient peu après deux lettres de rémission. Vers la Noël 1456, il participe à un vol nocturne avec effraction au collège de Navarre, d'où une nouvelle fuite. Pendant l'été de 1461, on le retrouve emprisonné à Meung pour on ne sait quel motif ; il bénéficie d'une mesure de grâce collective. Mais en novembre 1462, Villon est à nouveau en prison, cette fois au Châtelet. Libéré peu après, il est mêlé à une bagarre de rues au cours de laquelle un notaire pontifical est grièvement blessé. Arrêté une fois encore, Villon est condamné à mort et le 5 janvier 1463 sa peine est commuée en un bannissement de dix ans. Dès lors, on perd sa trace. Elle se suivait d'assez loin pendant les 32 ans de cette médiocre existence : pas de métier connu, pas de fonction, peu d'attaches. Villon semble n'avoir rien fait de notable, sauf ce qui est pendable. Et une mince œuvre littéraire.

D'ailleurs, cette vie si sordide (mise à part la licence ès lettres) n'a pas suffi : on a romancé à qui mieux mieux, en recueillant la moindre indication fournie par l'œuvre pour la traiter en information historique. C'est peut-être un certain vide de contenu qui explique cet acharnement à récrire la vie à partir des vers : « Le *Testament* est une autobiographie, on pourrait dire un journal » (M. Formont). Et l'infortuné Thibaut d'Aussigny, évêque d'Orléans, austère et probe, dont Villon dit quelque mal, passe, sans coup férir, pour un « tortionnaire »... Il serait temps de réagir.

C'est sans doute peu après le vol au collège de Navarre que Villon écrivit le *Lais* (ou *Petit Testament*), suite de quarante huitains d'octosyllabes (la forme la plus banale de l'époque). Le (*Grand*) *Testament* a été composé en 1461-62 : de plus amples proportions, il compte 186 huitains au milieu desquels se glissent 15 ballades, une ballade double, un lai et deux rondeaux. On ne sait de quand datent les onze *Ballades en jargon,* à peu près indéchiffrables. Enfin, diverses poésies isolées ont été écrites à différents moments, souvent difficiles à préciser. Cet ensemble assez réduit (moins de 3 000 vers) se trouve dans quelques manuscrits, tous partiels, et dans l'édition du libraire parisien Pierre Levet en 1489.

Le Lais

Le premier poème de Villon ne mérite pas qu'on s'y attarde longtemps : outre que l'idée même du testament poétique n'est pas neuve, les dons imaginaires qui le composent n'offrent pas grand intérêt. A lire ces strophes sans prévention, et sans y chercher ce qu'elles ne sauraient contenir, on ne peut que ressentir de la lassitude devant ce déroulement mécanique d'une insipide platitude. Ces « legs » sont tous illusoires, dérisoires ou injurieux : il s'agit de donner ce qu'on ne possède pas, ou ce qui est inutile au destinataire, parce qu'il est déjà abondamment pourvu ou parce que l'objet est sans valeur ; mais ces objets font allusion à un détail de la vie, du métier, du comportement du destinataire ou à un aspect de ses relations avec Villon. Le tout est loin d'être clair, puisqu'une infime partie de ces allusions se laisse déchiffrer de façon satisfaisante. Parmi les cas les moins douteux : Guillaume de Villon, à qui sont légués la réputation, plutôt embarrassante, et tous les biens, inexistants, du poète ; animosité dont l'explication la moins invraisemblable serait que le chapelain eût eu pour maîtresse la mère de Villon. La femme infidèle : elle recevra le cœur enchaîné de celui qu'elle a trompé ; cadeau à rebours, par antiphrase. Ythier Marchand, le rival, disent certains, par qui Villon a été supplanté : il lui lègue son « branc [épée] d'acier tranchant ». C'est-à-dire, explique-t-on gravement, son membre viril. Mais outre le fait que l'acier tranchant n'est guère de mise, on voit mal pourquoi Ythier partage ce legs avec Jean le Cornu. Nous voici en pleine dérive exégétique, et si « l'éclat de rire jusqu'ici contenu retentit sans contrainte », ce n'est pas dû aux vers, mais à leur commentaire : « pittoresque et précise évocation de Paris », « exceptionnelle qualité lyrique et humaine », « impromptu preste et génial »... Seul Siciliano apprécie le *Lais* à sa juste valeur : peu de chose.

Retenons-en tout de même l'orientation satirique : c'est là l'intention, le propos et le ton ; mais la satire ne s'élève jamais au-dessus de l'attaque *ad personam :* persiflage de revue dont on ne sait si elle est humoristique, amère ou mordante, vengeresse. Et comme le goût du sous-entendu ne s'accompagne d'aucune clef, le tout est sans portée autre que directe. Villon règle ses comptes : c'est son affaire, ce n'est pas matière de poésie. Quant à la circonstance qui fournit l'occasion du *Lais,* la rupture d'une liaison à la suite de la tromperie féminine, Villon n'en tire que des effets bien ordinaires. La délivrance de la Prison d'Amour est prétexte à la dénonciation du langage amoureux de convention en une parodie que dénote l'emploi discordant de termes bas ; mais la verve est un peu émoussée. Reste un dernier thème : l' « entr'oubli ».

Villon écrivait, « seulet », dans cette soirée d'hiver

> morte saison
> Que les loups se vivent de vent
> Et qu'on se tient en sa maison
> Pour le frimas, près du tison.

La cloche de Sorbonne retentit pour l'angélus du soir. Il s'arrête... et prie. Puis son esprit s'évade, se détachant de la réalité immédiate. Ses facultés intellectuelles raisonnables cèdent le pas à l'imagination. Quel dommage que Villon ne nous fasse pas partager ses rêveries ! le propos tourne court, et il veut se remettre au travail :

> Mais mon encre trouvé gelé *[sic]*
> Et mon cierge trouvé soufflé ;
> De feu je n'eusse pu finer : [trouver, se procurer]
> Si m'endormis tout emmouflé.

En somme, deux ou trois sujets poétiques intéressants, bien que banals, à peine entrevus. Si l'on ajoute que la versification est terne et sans maestria, que le style est embarrassé et souvent pâteux (mis à part quelques vers plus vifs et bien tournés), on conviendra qu'il faut faire preuve d'une indulgence sans borne, d'une complaisance empressée pour voir dans le *Lais* un « art simple et complexe, un art consommé, une virtuosité sans égale, des caricatures prodigieusement vivantes, une gaîté étonnamment communicative », bref : « un monument de la poésie française ».

Mais rien n'y fait : il faut bien convenir que cela reste laborieux et insignifiant. Il doit donc y avoir une autre intention que de versifier une liste de cadeaux fantaisistes. Serait-ce un « message codé destiné à des complices » ? Inutile de préciser que personne n'est parvenu à le déchiffrer, ni surtout à savoir s'il y en a vraiment un. Y en aurait-il un qu'on devrait encore se demander ce qui aurait pu empêcher Villon de composer là-dessus une poésie un peu meilleure. Est-ce un alibi pour dérouter les enquêteurs à la suite du vol de Navarre ? Ceux-ci auraient dû être à la fois bien perspicaces et bien crédules. En fait, ce n'est que de la petite poésie de circonstance.

Le Testament

Quelques années après le *Lais,* Villon compose son œuvre majeure, le *Grand Testament.* Il peut y avoir intégré des pièces antérieurement composées, mais pour l'essentiel il recommence, avec quelques nuances de tonalité, la même œuvre. Il est resté prisonnier de « son » idée, il se répète. Pas tout à fait cependant : les circonstances ont changé, l'humeur aussi. Dans le *Lais,* il n'y avait rien de sérieux ; le *Testament* est plus complexe : la facétie satirique s'accompagne de méditations plus sérieuses et plus personnelles, et surtout l'œuvre s'enrichit de tout ce qui n'est pas testament. Deux textes se juxtaposent en fait, qu'on ne parviendra pas à résoudre dans une unité : d'un côté, cette partie irrévocablement morte, de l'autre le livre lyrique des « misères Villon », l'expression — enfin ! — d'une pensée et d'une personnalité. L'ensemble, au sein d'une démarche capricieuse qui admet les digressions et les sautes de ton.

Ce testament est au fond un plaidoyer, une *captatio :* Villon veut se disculper, se faire absoudre. Il invoque la pauvreté, le destin, la tromperie des femmes, l'égoïsme de certains amis, la cruauté de ses « persécuteurs ». Il cherche à donner de lui-même une image favorable, embellie, trompeuse. C'est un discours spécieux et l'erreur la plus grave serait de le croire sur parole dans tout ce qu'il dit. A commencer par ses diatribes contre l'évêque Thibault, qui l'a fait mettre en prison, et sur le caractère duquel on ne sait pas grand-chose, sinon qu'il ne prêtait guère le flanc à la critique et était bon administrateur : cela n'empêche pas nos « historiens-critiques » de le traiter de bourreau cruel, avare, injuste... et, pour faire

bonne mesure, sodomiste : « évêque indigne » qui a
bien mérité que Villon « burine à l'acide » son
portrait. Le reste à l'avenant...

Délire dans l'autre sens à propos de Guillaume de
Villon : certes, la première strophe ne semble exprimer que la gratitude, l'affection respectueuse pour ce
brave homme. Mais le legs sonne faux : sans chercher le pitoyable jeu de mots d'un spécialiste, on est
en droit de se demander pourquoi Villon donne à ce
« plus que père » sa bibliothèque (il n'en a pas) ou ce
Roman du pet au Diable, dont on peut douter qu'il ait
jamais existé et dont le titre rappelle un épisode peu
glorieux de la vie d'étudiant. Car, parler de Guy
Tabarie ou de Colin de Cayeux équivaut à évoquer le
vol à Navarre : « matière très notable » et finalement
cadeau empoisonné au bon chanoine, si toutefois
Villon le considère comme bon.

Mais l'œuvre déroule une thématique plus étendue
et plus sérieuse qui informe toute la première partie,
avant de se retrouver mêlée à la bouffonnerie humoristique, triviale ou satirique de la suite. Les
réflexions du pauvre diable s'entrelacent alors aux
provocations du mauvais garçon. La méditation et la
mascarade, l'angoisse de la mort et sa dérision. Pour
finir sur un inquiétant badinage. « Œuvre absolument décousue », disait Petit de Julleville, et il
n'avait pas tort. Il faut un nouvel acte de foi aveugle
pour affirmer, comme Thuasne : « Le *Testament*
constitue un tout parfaitement ordonné et qui se
développe d'après un plan mûri, arrêté dès le début
dans son esprit. La liaison des idées se suit avec un
art parfait [etc.] ». D'autres chanteront leur acte
d'adoration devant cette « cathédrale littéraire ».
Disons plutôt que l'œuvre n'a pas à répondre aux lois
« classiques » de la composition et que le « dit »
narratif permet ce désordre. Mais le *Testament*
répond aussi à un ordre affectif : l'élan même d'une
idée produit l'idée suivante au fil des mouvements
lyriques, sans qu'un souci d'organisation ou de hié-

rarchisation vienne redistribuer le tout selon une
autre logique. Villon n'a pas de plan préétabli de
l'œuvre qu'il est en train d'écrire (et qu'il met peut-
être longtemps à écrire) ni de vision d'ensemble
unificatrice.

Tout au plus s'essaie-t-il à un effort de « mise en
scène » en donnant parodiquement à son *Testament*
la forme extérieure conventionnelle : commençant
par commettre son âme à l'intercession de la Vierge,
prenant des dispositions pour sa sépulture, puis
désignant *in fine* des exécuteurs testamentaires et
prévoyant l'ordonnance de ses funérailles. A l'intérieur de ce cadre, cinq grands mouvements se font
jour : la confession et le regret du temps perdu ;
l'évocation méditative de la mort ; une autre méditation sur la fuite du temps et la caducité de l'homme ;
la dénonciation des vicissitudes de l'amour ; la com-
misération et le retour sur lui-même du pécheur ;
enfin les legs (exactement les trois cinquièmes du
texte). Quant à la forme de base, elle n'a pas changé
depuis le *Lais,* mais Villon y insère des pièces de
rapport et organise certaines strophes en « suites »
(ainsi les *Regrets de la Belle Heaulmière*).

Toute la partie testamentaire, insistons-y, est peu
significative : coups de griffe et de dent, plaisanteries
caustiques ou détendues visant des « légataires »
souvent déjà nommés dans le *Lais.* Et parmi les
dons, Villon introduit des poésies : dévotes pour sa
mère, satiriques pour la femme qui l'a trompé,
galantes pour Ythier Marchant (!), moqueuses pour
Cotart, etc. Ces poésies insérées ont un rapport assez
mince avec le contexte et sont en elles-mêmes assez
inégales. Quant aux legs, aux allusions toujours aussi
obscures, il s'y trouve quelques plaisanteries assez
fines (« burlesques » comme le don aux aveugles des
Quinze-Vingts ; narquoises, telle la moquerie des
amoureux à la Chartier), quelques strophes d'allure
vive et alerte, mais sans une ombre de génie. Il y a
mieux : ce sont ces passages (principalement dans la

première partie) où Villon se montre vrai poète lyrique : poète du moi, évoquant ses misères, poète de la condition humaine, angoissé devant le destin et la mort, déçu par l'amour, tournant son regard vers le ciel.

Le lyrisme du moi

Dès les premiers mots de chaque poème, un « je » s'affirme et s'impose :

> Je, Françoys Villon, écolier...
> En l'an de mon trentième aage...

Point focal de tout ce qui va suivre : Villon rapporte tout à lui-même, ne parle que de lui ; c'est l'expression d'un moi omniprésent, envahissant. La signature ne suffit pas, il y faut encore les acrostiches.

Un m'as-tu-vu, dirait-on, qui se donne de l'importance et qui estime digne de mémoire ses menus faits et ses menus propos. Avec toute la part de fabrication, d'exagération, d'ostentation qui constitue, en fin de compte, la fiction littéraire. Villon se raconte et se révèle, non pas tel qu'il est, mais tel qu'il veut être vu. Il forme et déforme sa propre image ; il joue le jeu de la sincérité dans la confidence ou dans la confession, donnant l'illusion de se livrer sans masque, avec une tranquille candeur ou avec l'effronterie de l'exhibitionniste. Il ne cesse de s'interroger sur lui-même, et du même coup il laisse transparaître ses hantises, ses obsessions : avouant les contradictions, le combat intérieur entre un penchant à la facilité et une exigence morale plus stricte, au moins entrevue, énumérant ses échecs, scrutant ce que pourra être son propre devenir.

Mais la poésie personnelle est aussi apologie, plaidoyer ingénieux dans la justification et dans l'excuse, rejetant la responsabilité d'un état de fait sur les autres ou sur le destin. Juge de sa propre

cause, le « pauvre Villon » prend une pose contrite :
« je ne suis homme sans défaut », « je suis pécheur,
je le sais bien », « j'ai tort et honte ». Il s'empresse
de battre sa coulpe. Poète de la faiblesse humaine, il
entrevoit l'idéal de vie honnête (*Ballade de Bon
Conseil*) ; mais Saturne a marqué sa destinée. Folle
Plaisance et Remords de conscience s'affrontent dans
le poignant *Débat du Cœur et du Corps,* en une lutte
sans issue où la sage éloquence du cœur, impuissante
à convaincre, doit finalement abdiquer devant
l'obstination du corps à suivre la pente fatale : « Plus
ne t'en dis. — Et je m'en passerai. » Dédoublement
de l'acte et de la conscience, dualité du « pauvre
Villon » et du « bon folâtre », qui sont aussi moyen
d'exciter la compassion, d'impliquer le lecteur
inconnu et que l'on souhaite pourtant fraternel.

La récrimination, l'engagement de soi conduisent
insensiblement à la poésie de méditation, qui va
dépasser les limites de l'individu pour atteindre la
réflexion plus générale, sans que ces deux registres
soient toujours très nettement distincts : le contre-
chant moral prend souvent racine et appui dans la
confidence intime. A cela se superpose encore une
poésie d'optation, dans laquelle Villon traduit les
souhaits qui touchent à son propre avenir : un idéal
de vie « à son aise », des rêves d'apaisement et de
l'impossible réconciliation avec soi.

Villon refuse généralement les écrans de la
convention littéraire (allégories, fictions telles que le
songe). Le personnage se fabrique à travers une
expression directe qui combine diverses modula-
tions : un moi ironique, qui joue à la chattemite, au
bon apôtre, un moi badin et facétieux, le moi
idéalisé, celui des élans vers le bien, de la confession,
et le moi nostalgique, au sourire un peu las, forcé et
amer. Cette présence très forte de l'individu, qui
exhibe toutes ses facettes et ce ton tendu le distinguent de ses contemporains : par-delà la reprise de
thèmes traditionnels, c'est bien une vision indivi-

duelle du monde et de l'existence qui s'impose, une vérité particulière aussi qui s'expose au fil du soliloque.

Les célèbres strophes 22 à 39 constituent un moment clef de cette démarche : le « bon folâtre » se fait ici grave et pensif, mélancolique et accusateur. Accusateur de soi : le temps lui a filé entre les doigts, il n'a pas su en faire bon usage et demeure « pauvre de sens et de savoir » ; il n'a pas su saisir sa chance, étudier pour faire carrière, rester dans le rang ; humble pécheur, il porte la responsabilité de son sort. En même temps, il est envahi par la conscience lucide et attristée de son état. Ayant perdu jeunesse et joie de vivre, il est rejeté dans la solitude, abandonné par ses amis ; il a perdu ses illusions sur l'amour qui n'est que leurre. Et il sait bien qu'il est loin d'être « fils d'ange ». Mais il accuse aussi ces amis qui ont suivi chacun leur route, qui l'ont oublié ou le méprisent ; il leur en veut ; il envie leur réussite, en amour, en fortune, en bonne vie. Et il accuse le destin : la pauvreté est une injustice du sort, un carcan qui pèse et qui colle à la peau. La Fortune, puissance malfaisante et hostile, pousse à commettre les mauvaises actions, fait sortir du droit chemin ceux qui sont nés à la male heure. Le saturnien Villon est « conditionné » par ce déterminisme astral. Et donc Fortune est rendue responsable de tous les échecs, de toutes les injustices, de toutes les fautes. Que reste-t-il à l'homme victime de son manque de chance, sinon la résignation : courber l'échine, en écartant toute tentation de révolte ?

Un style, une œuvre

Ce que Villon écrit prend une forme un peu particulière grâce à la « promotion littéraire du style populaire et familier » : le langage quotidien de la rue, les expressions du peuple colorent ses vers. Sans qu'y manquent les procédés, les traits de style courants à l'époque. Mais la recherche formelle (jeux phoniques ou graphiques) ne fait pas de lui un virtuose : il reste même en dessous de la moyenne si l'on songe aux vertigineuses cascades des rhétoriqueurs. Il enfile les litanies anaphoriques de la *frequentatio* avec application ; il a une prédilection marquée pour les jeux de mots faciles (paronomases, calembours, équivoques), se complaît aux bifurcations métaphoriques (« je ne suis son serf ni sa biche »), aux comparaisons antiphrastiques, aux combinaisons du propre et du figuré. Mais il n'y a pas un procédé sous chaque syllabe, et nul besoin de s'extasier devant quelques chevilles améliorées par l'association d'idées. Le goût des locutions populaires, qui passe par le recours aux clichés (« blanche comme lis » ; « plus noir que mûre » ; « dénués comme le ver »), se prolonge dans la création d'images évocatrices, tantôt réalistes (« cuissettes grivelées comme saucisses »), tantôt satiriques (« emmaillotté en jacobin »), tantôt vibrantes d'émotion (« retrait ainsi seulet et comme pauvre chien tapi " en reculet " », à l'écart).

Médiocre versificateur, Villon est meilleur écrivain, quoique inégal, pratiquant le style de la disharmonie ou de la dissonance, avec des échappées hors contexte, des images désaccordées, une déformation des thèmes traditionnels, l'ingéniosité appliquée à fausser les rapports de convenance, une tentative de falsification du langage qui n'est pas poussée à son terme. Il est abrupt, ramassé, capricieux, avec les élans du style oral et les retombées dans la grisaille. Il a la justesse de l'expression autant qu'il en a les tâtonnements. Sans l'ingéniosité indue des commentateurs, qui verrait dans cette œuvre la « magie du langage » ? Les « formules typiques » qu'on lui prête sont celles qui circulent dans la poésie du temps (ainsi le fameux « Je ris en pleurs »). La manière de Villon, c'est aussi le piètre rondeau *Jenin l'avenu...* En somme, une qualité d'écriture qui n'est pas exceptionnelle, et une qualité d'esprit qui n'a rien de génial. La « profondeur » de Villon est souvent due, non pas à la recherche d'un sens plein, complexe ou multiple, mais à l'obscurité ou à l'obscurcissement du discours allusif : le déchiffrement, même intégral, n'ajouterait sans doute rien à la « valeur » poétique. Il n'y a de vibration communicative, de frémissement perceptible que lorsque le sujet le touche au plus intime : le retour sur le passé, l'image de la mort.

L'Amour n'est qu'une fausse idole. Par dérision amère, Villon se montre dans le rôle de l'amant martyr face à la dame sans merci, lui le joyeux galant fréquentant une femme légère. Il parodie les formes du lyrisme courtois pour mieux dénoncer les tromperies du sexe. A-t-il aimé ? Cynique, il ne laisse presque rien percer de ses sentiments, livrant à peine son désir charnel, une sensualité sans perversion. Peut-être a-t-il souffert : en tout cas, il se venge. En évoquant la décrépitude des corps, la vanité des parures, la déloyauté des âmes. Femmes infidèles ou filles de joie, c'est tout un. Encore loisible de rêver sur les neiges d'antan, compatir aux misères de la vieillesse ou lever les yeux vers la Vierge-mère ; pour le reste : « Je renie Amour. » Heureux qui ne s'en mêle pas.

L'homme a trouvé ailleurs ses maîtres : le Temps et la Mort. Le temps passé, c'est le temps perdu : celui des possibles non réalisés ; c'est aussi celui des rêves évanouis. *Ubi sunt... ?* princes, dames, galants du temps jadis : poussière et néant. Vieux thème, tantôt adroitement tourné (« Dites-moi où, n'en quel pays... »), tantôt englué dans la convention (« Où sont les gracieux galants ? » ne souffre pas la comparaison avec Rutebeuf). Fuite du temps rongeard, vanité de l'homme jusqu'au point qui tout égalise. La Mort, la vieille rechignée, hante l'esprit de Villon, qui l'accuse et la maudit. En face d'elle, plus rien ne compte : « autant en emporte le vent ». Il s'en

moque aussi, la nargue, parodiant ses propres funérailles. Mais il ne peut s'empêcher de la scruter dans
le cimetière des Innocents, ni d'en frissonner. Il voit
les transes terrifiantes de l'agonie, la fin hideuse de
toute beauté et de toute grâce : les images obsé-
dantes de décomposition, de putréfaction vont de
l'apitoiement à l'effroi. La Danse macabre conduit à
l'appréhension de l'heure dernière. Que disent les
pendus, ces cadavres suppliciés qui parlent, « plus
becquetés d'oiseaux que dés à coudre » ? « De notre
mal personne ne s'en rie. / Mais priez Dieu, que tous
nous veuille absoudre ». La conscience tragique ne
résout ses interrogations qu'en acceptant le mystère,
en se confiant à la miséricorde divine. Ce n'est point
une leçon inouïe, mais cette fois l'accent y est.

Si Villon a « trouvé la poésie des sujets simples »,
il n'a fait que l'esquisser. Il découpe la vie quotidienne de Paris en mille aperçus bigarrés, mais il
n'est pas un vrai poète de Paris. Il ignore la nature.
S'il touche aux grands sujets, il les rhabille à ses
mesures. Sans imagination, sa puissance visionnaire,
son pouvoir d'évocation se limitent à quelques élans.
Un esprit sec, qui joue avec lui-même et qui ne livre
finalement que des sentiments assez primaires et la
foncière ambivalence de l'homme. Ni « courage », ni
« lucidité » ni « tendresse humaine » qui vaillent
d'être relevés ; une « soif de justice » qui n'est que
revendication égoïste, une « compassion » qui ne
dépasse guère la complaisance. Dans ce fatras souvent creux, comment voir une « initiation au monde
des arrière-pensées » ? Touchant Villon, parce qu'il
raconte ses misères, parce qu'il est obsédé par le
malheur, parce qu'il mélange mélancolie et gaieté.
Mais il reste un « intellectuel du vers » (Thérive).
Héritier des *clerici vagantes,* des Goliards, mêlé aux
suppôts de la Coquille, il fait de ses vicissitudes le
point de départ d'une méditation sur l'universel. « Il
n'a pas d'idées à lui, c'est entendu, mais il apporte sa
façon particulière de les exprimer, de les ranger, de

leur donner un relief nouveau » (Siciliano). C'est alors qu'il lui arrive d'être poète ; c'est alors qu'il nous intéresse, ce Villon malmené par la vie, mal aimé du destin. Quelques strophes nous suffisent.

CHAPITRE II

COMMYNES

UNE place importante, mais une situation
incertaine : c'est dans cette courte formule
que tient pour l'essentiel le problème que
pose à l'histoire littéraire l'œuvre de Philippe van den
Clyte, sieur de Commynes (1445-1511). Il est l'auteur
d'un seul livre, qu'il affirme, par surcroît, avoir écrit
pour servir aux desseins d'autrui, pour fournir la
matière première à celui qui aurait dû être le
véritable auteur (un obscur écrivain ecclésiastique,
que l'on a peine à sortir de l'oubli, Angelo Cato,
évêque de Vienne en Dauphiné) de cette œuvre, une
vie de Louis XI ; il se dit écrivain par la force des
choses, regrette son manque de culture (il ne sait pas
écrire en latin...). En réalité, ce prétendu ramassis de
« documents », auquel il donne le titre ambivalent de
Mémoires, constitue dans son ensemble une œuvre
personnelle et puissante ; et c'est au sujet de la valeur
littéraire de sa prose que les interprétations divergent
et s'affrontent.

Au fait d'avoir vécu à une époque extraordinaire
— il assiste au naufrage du grand rêve bourguignon
et à la naissance de la vocation impérialiste de la
monarchie française, lancée à la conquête de la
suprématie européenne — s'ajoute le caractère de
son témoignage, car il a été placé par le sort à un

point d'observation délicat et important, à côté des protagonistes, pour un temps même au cœur du principal centre de pouvoir d'où se déclenchent les mouvements ; et s'il exagère en affirmant ne rapporter que ce qu'il a vu, il a sans doute été le témoin de la plupart des événements qu'il décrit et pour le reste il a puisé ses renseignements à des sources sûres.

Jeune écuyer d'une famille récemment anoblie mais peu fortunée, Commynes a été placé très jeune en qualité de page à la cour du duc de Bourgogne Philippe le Bon, qui était son suzerain féodal. Auprès du successeur de Philippe, Charles le Téméraire, il devait trouver assez de crédit pour être mêlé au maniement des affaires mais pas assez d'audience pour parvenir à exercer un véritable rôle politique : on pourra trouver dans ce fait l'une des explications du geste le plus retentissant de sa vie, la volte-face qui le porte, en 1472, à abandonner la cause de Charles pour passer au service de son adversaire le plus acharné, le roi de France. Louis XI le récompensera royalement, mais surtout il lui accordera — du moins pour un temps — la confiance que le Téméraire lui avait déniée, en le mêlant intimement à la conduite de sa politique. Disgrâcié à la mort du roi, il saura, après quelques vicissitudes (un long emprisonnement, un procès), rentrer en grâce, et c'est encore en qualité d'acteur protagoniste qu'il figure dans l'entourage de Charles VIII lors de l'expédition d'Italie en 1494.

C'est le fruit de ce long commerce avec les puissants de la terre qui passe dans ses *Mémoires* : on a vite fait de s'apercevoir que le projet original — si jamais projet il y eut — d'écrire une vie de Louis XI est oublié en cours de route, et que c'est le personnage Commynes qui est irrésistiblement projeté au centre de l'ouvrage. Ses *Mémoires,* en effet, se divisent nettement en deux parties : la première, qui comprend six livres et relate des événements de la période 1464-1483, se rapporte au règne de

Louis XI ; mais la seconde, qui comprend les deux derniers livres, se rapporte au règne de Charles VIII et relate les événements qui se rattachent au voyage de Naples, jusqu'à la mort du roi (1498). Les deux parties eurent même un destin éditorial différent, la première ayant vu le jour pour la première fois en 1524 et la seconde en 1528, l'habitude de les réunir en un seul ouvrage ne s'établira qu'à partir de l'édition lyonnaise de Denis Sauvage en 1552 : ce qui donne son unité à l'œuvre n'est donc pas la matière qu'elle traite, mais la personnalité de son auteur.

Les événements, bien sûr. Dans la première partie, surtout, qui est la plus caractéristique de son style de pensée et de vie, Commynes raconte les choses qu'il a vues et ce qu'il a su au sujet de tout ce qui se passait d'important en France et à l'étranger (où il s'est souvent rendu, chargé de missions par les deux souverains qu'il a successivement servis, car il connaissait les langues étrangères), en vivant dans l'intimité des princes. Mais le récit n'a rien de systématique, il ne procède pas par ordre, il est constitué d'autant de faits que d'omissions. La plupart du temps, Commynes interrompt la narration principale par des divagations, des parallèles, des digressions ; surtout, il tient à nous faire part de ses réflexions. L'événement en soi compte moins que l'occasion qu'il lui offre de faire des considérations de caractère général, qui concernent le fond du problème, le pourquoi. Aussi a-t-on pu déceler en lui une attitude de véritable historien, un effort pour aller au-delà du narré, à la recherche des raisons possibles : c'est un fait qu'en aucun cas on ne pourrait demander au sieur d'Argenton (c'est ainsi qu'on l'appelait, du nom de l'une des plus importantes seigneuries dont Louis XI l'avait gratifié) une simple chronique, et qu'il renonce à nous faire part de ce qu'il a pensé de telle ou telle circonstance qu'il évoque pour nous.

Il a beau prétendre parler d'autre chose ; en fait, dans son livre il ne parle en fin de compte que de lui-même. On a affirmé qu'il a laissé des portraits définitifs de Charles le Téméraire et de Louis XI, de quelques-uns des personnages qu'il a rencontrés au cours de ses négociations : cela est possible, car il est un observateur pénétrant. Mais de là à conclure qu'il est un observateur fidèle et sincère, le pas est grand : jamais le sujet ne lui en impose et il n'est aucunement intimidé par le modèle qu'il peint. Sa sincérité est tout autre : elle est dans la fidélité à son projet, à ce qu'il se propose de nous *faire voir,* il faut la rechercher aussi dans ses omissions (il est évident qu'il ne dit pas tout ce qu'il sait), ce sont ses silences qui donnent parfois leur vraie portée à ses affirmations.

De quoi voulait-il nous faire part ? On touche ici au vrai problème, le caractère complexe d'une œuvre dont les intentions ne sont pas avouées et qu'il faut essayer de deviner. Il y a sans doute la vie extraordinaire, les expériences que le maniement des affaires et l'exercice du pouvoir — fût-ce par l'entremise de la dissimulation et de la ruse — lui ont permis de faire. Dans le secret des cabinets royaux Commynes a vu le monde sous un jour particulier, il est bien conscient que sa vision des événements est tout autre que celle qui est donnée au vulgaire : la seule vraie, pense-t-il, car elle démystifie les grandeurs mondaines et ramène les protagonistes des faits éclatants qui jalonnent l'histoire des peuples à une commune mesure. « Ils sont hommes », « ils étaient hommes », « ils sont hommes comme nous » : dès les premières pages du livre, ces jugements, appliqués aux princes avec qui il a eu un commerce suivi, reviennent sans cesse.

Il ne faut pas oublier que Commynes commence à écrire la première partie de son livre en 1488, lorsqu'il est exilé dans ses terres, au lendemain de la conclusion de son procès et quelque temps seulement après avoir été libéré du dur emprisonnement qu'il a subi (à Loches, dans une des cages de fer que Louis XI avait fait construire pour y enfermer ses ennemis, pendant huit mois ; dans les geôles de la Conciergerie de Paris, pendant vingt mois) : il est en ce moment exclu de la gestion des affaires (il ne rentrera en grâce auprès de Charles VIII que quelques années plus tard), on en ferait difficilement un vainqueur. Les circonstances diffèrent peu pour la rédaction de la deuxième partie : Commynes y travaille à Argenton (l'un des peu nombreux fiefs qu'il a pu sauver de la tourmente où a sombré sa fortune) dans les dernières années de sa vie, il n'a pas su gagner la faveur du nouveau roi (il sera pourtant du cortège royal qui accompagne Louis XII à Milan en 1507), il est toujours en marge de la vie active (alors qu'il atteint à peine la cinquantaine). La littérature s'offre à lui comme un moyen de compensation : en reparcourant sa carrière de courtisan et d'homme politique il rencontre avec ses souvenirs et dans les replis de sa mémoire l'occasion de tenter un bilan.

Il a vécu dans un monde cruel, au contact de personnages sans scrupules, sans principes, rarement touchés par le don de l'intelligence (ce qui est le plus grave), de la générosité ou de la sagesse. Des princes, vus du dehors, splendides et pompeux, mais, dans leur for intérieur, avides et mesquins. Il les a vus agir, et il se plaît maintenant à réfléchir sur ces agissements : les mobiles en ont toujours été sordides et, qui plus est, les résultats décevants. Le diagnostic s'applique aux autres, le Téméraire, qu'il a lui-même trahi, le roi, qui n'a pas toujours su accorder l'attention qu'ils méritaient aux conseils qu'il était à même, lui, d'offrir ; mais il est évident qu'il le concerne aussi personnellement. Au moment où il essaye de se convaincre, pour « nous » convaincre, que la fin du Téméraire a été logique et nécessaire, à cause des erreurs politiques et autres du dernier duc de Bourgogne, il ne peut s'empêcher de penser à son cas particulier, aux fruits décevants que sa trahison lui a apportés. Et c'est en partie à la nécessité de se convaincre qu'il a agi raisonnablement en la circonstance, en accord avec les maximes de comportement de sa caste, selon les règles en vigueur dans son milieu mais également valables dans un plus vaste contexte humain, selon des normes qui correspondent donc à ce qu'il y a de plus profond dans la nature humaine, que nous devons le très riche tableau de la vie de son temps qu'il dresse devant nous.

L'anthropologie de Commynes est fortement conditionnée par sa biographie. Parfait représentant de la mentalité nobiliaire de son temps, il possède de sa classe vertus et défauts (soif de pouvoir, absence de scrupules, vénalité, duplicité) : de ces « vertus » (si l'on prend le mot dans le sens que lui donnera bientôt Machiavel), qu'il projette autour de lui, sur les personnages qu'il a fréquentés, il fait des attributs permanents de l'homme et c'est en fonction de ces critères qu'il explique l'histoire. Jean Dufournet a pu parler récemment de l'œuvre de Commynes comme d'une vaste entreprise de démystification : car c'est à un résultat de ce genre que ne peut manquer d'aboutir son analyse de la politique contemporaine. Tels sont les hommes et telles leurs façons d'agir, par une loi de nécessité ; et c'est dans des marges étroites que se trouve finalement enfermée la possibilité même de tirer un enseignement d'une pareille vision du monde.

L'enseignement s'applique aux princes, mais plus généralement à l'homme de pouvoir (le membre de la classe nobiliaire, à laquelle il appartient) qui reste son interlocuteur privilégié. En partant de ces prémisses, Commynes peut en effet prétendre se proposer en mentor du prince, et c'est ici que son intelligence, son esprit de finesse, sa complexité même le sauvent des conclusions simplistes. Comme Machiavel, il ramène, sans pour autant l'affirmer en toutes lettres, à une loi unique — celle de l'intérêt — l'explication des actions humaines ; mais comme il ne possède pas l'esprit géométrique du secrétaire florentin, qu'il et a « un sens aigu de l'opacité, de l'ambiguïté et de la complexité du réel », il se contente d'une norme moins sommaire et plus souple. Dans son action, le prince — l'homme ! — doit tenir compte des mobiles, qui sont nécessairement sordides, mais également de la grande incertitude des choses d'ici-bas. Si son analyse est assez poussée, il ne manquera pas de s'apercevoir qu'il y a autre chose, qu'il peut y avoir d'autres interventions, dans le déroulement des actions humaines, que l'enchaînement de cause à effet est parfois brouillé par une intervention mystérieuse. Ce principe, Commynes l'appelle providence. Comment devient-on prince excellent ? « Cela vient de la nourriture ou de la grâce de Dieu ». La providence est l'élément « poétique », l'imprévu, l'irrationnel, qui intervient pour brouiller les « négoces » les mieux concertés, les combinaisons le plus savamment ourdies : on peut alors lui donner un autre nom, plus ancien et classique, le hasard.

Mais entre le scepticisme que lui suggère son expérience du monde et le fondement chrétien de sa culture, Commynes se maintient en un équilibre précaire. Finalement, l'idée qui se dégage de toute sa construction est qu'il existe une justice divine, qui sanctionne les comportements des hommes et punit les coupables, bien qu'elle n'ait pas un caractère nécessaire (parfois, son intervention ne se produit pas), qu'elle soit impénétrable et presque aussi soudaine et imprévisible que le hasard. On en conclura à la modération : le respect de l'autre, la sauvegarde du droit, la prudence constituent dans leur ensemble la vraie sagesse, où l'on retrouve, dans un curieux mélange, scepticisme et stoïcisme, mais qui a son couronnement dans le sens profondément chrétien du pessimisme de Commynes : « Nulle créature est exempte de passion et tous mangent leur pain en peine et douleur ».

C'est encore à ce sens de la mesure que nous devons ses conclusions les plus valables dans le

domaine de la philosophie politique. On verra en
effet ce grand feudataire, porte-parole de la classe
nobiliaire, aboutir à la condamnation de l'anarchie
entretenue dans l'état par la turbulence naturelle des
grands, et prôner la cause d'une monarchie forte
— et éclairée — qui aurait pour rôle de modérer le
jeu de ces forces indisciplinées et de ces poussées
dispersives, et de maintenir l'unité de l'état. On a cité
à ce propos le nom de Richelieu. Sur l'autre versant,
ce grand voyageur qui connaît bien l'Europe, a
séjourné en Angleterre et a connu et admiré le
système anglais, fondé sur la Magna Charta et
l'existence de deux chambres qui contrôlent et limitent le pouvoir du monarque. Ce tenant d'une
monarchie forte se prononcera également en faveur
du maintien des états généraux et du renforcement
de leur rôle pour modérer l'arbitre du prince : on a
cité à ce propos le nom de Montesquieu.

Comme on l'a vu, par certains aspects de la pensée
de Commynes nous ne sommes pas loin de Montaigne, qui a pourtant manifesté des réserves sur
l'œuvre du sieur d'Argenton. D'un point de vue
général, la fortune littéraire de Commynes n'a pas
été très grande, bien que son livre ait été souvent
réédité, soit au siècle classique, soit au XVIIIᵉ siècle. Il
faut attendre Sainte-Beuve pour le voir rangé parmi
les grands écrivains français, quoique certains jugements de l'auteur des *Causeries du Lundi* nous
semblent aujourd'hui périmés : il paraît oiseux de
faire de Commynes le premier historien (en opposition aux chroniqueurs de l'époque précédente) et la
définition de « Machiavel français en douceur »
(Sainte-Beuve) est contestée. Quoi qu'on en ait dit,
c'est à des circonstances de nature littéraire qu'il
convient d'imputer cette désaffection — certes relative. L'écriture de Commynes est peu alléchante : il
le dit lui-même, et l'on a souvent parlé à ce propos de
coquetterie d'homme de lettres. On n'a pas manqué,

au sujet de sa prose, d'évoquer d'illustres référents,
Tacite pour la densité et la concision, Plutarque pour
le goût du portrait achevé, et on n'aura pas de
difficulté à admettre qu'une écriture négligée peut
comporter des valences esthétiques. Le fait est que la
plume de Commynes n'est pas aisée, et que ce
manque d'élégance est compliqué par la difficulté
d'une pensée toute en retrait, complexe et non
exempte de tortuosité : d'où l'impression, difficile à
dissiper, de quelque lourdeur. Il a vraisemblable-
ment eu besoin d'un instrument de ce genre pour
nous suggérer, à travers le tableau de la vie politique
de son temps, le sentiment que nous sommes en
présence d'une fin de race ou de la fin d'un monde, et
pour mener à bien son entreprise de destructeur des
mythes de ce Moyen Age féodal dont il est pourtant
l'un des derniers représentants.

CHAPITRE III

JEAN LEMAIRE DE BELGES

L A carrière de l'écrivain le plus important du règne de Louis XII illustre parfaitement la condition de l' « homme de lettres » dépendant de ses protecteurs, mettant sa plume à leur service et se voyant continuellement contraint de délaisser ses penchants pour exécuter les besognes les plus diverses. Que certains tel celui-ci aient réussi à édifier une œuvre dans ces conditions montre la vitalité de leur don littéraire et leur confiance dans la renommée que confèrent les lettres.

Filleul de Molinet, dont il s'avouera toujours le disciple, Jean Lemaire est né à Bavay en Hainaut, a passé sa jeunesse à Valenciennes, où Molinet était indiciaire (historiographe) de Bourgogne, puis a étudié à Paris. En 1498, il est au service du duc Pierre de Bourbon en qualité de « clerc de finances », résidant à Villefranche-en-Beaujolais. G. Cretin le décide à mettre la main à la plume et Lemaire compose ses premières œuvres, parmi lesquelles une paraphrase du *Salve Regina* (en acro-télé-mésostiche) où le jeune rhétoriqueur rivalise avec ses aînés. Il entre en rapport avec les milieux artistes de Lyon, métropole culturelle importante, et il est, dès cette époque, lié avec le peintre Jean Perréal, manifestant déjà le plus vif intérêt pour les arts plastiques. Il reste

au service du duc jusqu'à la mort de celui-ci (1503). Il
écrit alors une églogue funèbre allégorique pour
Anne de Beaujeu, veuve de son protecteur, *Le
Temple d'Honneur et de Vertus*. Œuvre de rhétoriqueur encore, mais où s'entrevoit le charme ténu
d'un rêve bucolique. Il la dédie à Louis de Luxembourg, comte de Ligny, qui prend Lemaire à son
service, mais qui meurt quelques jours plus tard.
Ainsi, Lemaire va devenir, bien malgré lui, le
spécialiste des pompes funèbres poétiques : dans *La
Plainte du Désiré* (1504), il célèbre la mémoire de
Ligny. Une dédicace à la reine Anne de Bretagne
n'ayant rencontré aucun écho, Lemaire entre alors
au service de Marguerite d'Autriche, duchesse de
Savoie : il y fera l'essentiel de sa carrière en qualité
d'indiciaire (1504-1512). Avec Marguerite, il
séjourne à Turin et travaille à un ouvrage qu'elle lui a
commandé. *Le Palais d'Honneur féminin* (perdu).
En septembre 1504, Philibert le Beau, époux de
Marguerite, meurt à Pont-d'Ain. Lemaire rédige une
nouvelle complainte, *La Couronne margaritique*
(inachevée), où le panégyrique du défunt cède vite la
place à l'éloge de la duchesse. Peu après, il imagine
deux héroïdes plaisantes et charmantes, les *Epîtres de
l'Amant vert* (1505), à l'occasion de la mort du
perroquet de Marguerite. En 1506, maître d'œuvre
de la construction de Brou, il voyage en Italie
(Venise, Rome) ; il rentre à Bourg pour apprendre la
mort de Philippe le Beau, frère de Marguerite, à
laquelle il adresse les très conventionnels *Regrets de
la Dame infortunée*. Tutrice du futur Charles Quint,
Marguerite devient régente des Pays-Bas ; Lemaire la
rejoint en 1507 à Malines. A la mort de Molinet, il lui
succède comme indiciaire et lui consacre une *Epi-
taphe*. La guerre contre les Français lui inspire
quelques pièces de circonstance. Depuis longtemps
déjà (1500 environ), Lemaire a entrepris une grande
œuvre consacrée aux origines (« historiques », mais
plutôt mythiques) des souverains et des peuples

d'Occident et particulièrement de France : entre 1507 et 1510, il voyage beaucoup à la recherche de matériaux. En 1509, à côté de la médiocre *Concorde du genre humain, la Légende des Vénitiens,* pamphlet de propagande politique et vigoureuse diatribe inspirée par la Ligue de Cambrai contre Venise, expose ce qui sera la grande idée des *Illustrations :* « Persuader aux treshauts Princes de Chrestienté qu'ilz sont affins et alliez ensemble de toute ancienne origine, de la noblesse de Troye, et à ceste cause idoines et capables de recouvrer par leur inestimable puissance et vertu leur ancien heritage des regnes de Priam sur la nation Turque qui l'usurpe sans droit ». A cause de rivalités curiales, Lemaire tombe en légère disgrâce et amorce dès lors un rapprochement avec la cour de France. 1510 voit paraître le Ier Livre des *Illustrations de Gaule et Singularités de Troie,* ainsi qu'un *Traité de la différence des schismes et des conciles* dans lequel Lemaire prend parti contre le pape, affirmant la supériorité des conciles, instruments de paix. Toujours sur les routes entre Lyon, la Bresse, la Bourgogne, la Touraine et les Pays-Bas, Lemaire compose en 1511 *La Concorde des deux langages,* dans laquelle il laisse entendre que le français n'est pas inférieur au toscan, et l'*Epître du roi à Hector de Troie,* qui affirme à nouveau son hostilité envers le pape. En mars 1512, Lemaire est nommé indiciaire d'Anne de Bretagne, passant ainsi au service de la France. Il publie le IIe livre des *Illustrations,* et l'année suivante le IIIe. A la mort de sa protectrice (janvier 1514), on perd sa trace : il semble être mort peu après (entre 1515 et 1525). On publiera encore en 1525 les trois *Contes de Cupido et d'Atropos,* d'authenticité douteuse, dont le premier, paraphrasant Serafino, montre l'Amour et la Mort échangeant leurs arcs. C'est sur ce badinage allégorique que s'achèverait la carrière de celui qui avait pris pour devise *De peu assez.* Il fut apprécié par Marot (qui voyait en lui « l'esprit d'Homère » et qui réédita en

1537 les *Epîtres de l'Amant vert*), par Rabelais, Du
Bellay, Ronsard et Montaigne ; Pasquier l'estimait
« le premier qui, à bonnes enseignes, donna vogue à
notre poésie ».

Ce grand voyageur, cet esprit curieux, très diversement doué et d'une inlassable activité, laisse une
œuvre littéraire importante : des traités polémiques
et des écrits « politiques » ; des panégyriques, écrits
de circonstance inspirés par la mort de ses protecteurs et l'*opus majus* des *Illustrations*. En revanche, il
n'a pas montré beaucoup d'enthousiasme pour sa
tâche d'indiciaire, n'a guère monnayé son talent dans
les petits genres et n'a pas fait de place à l'amour. Les
grands thèmes qu'il développe dans ses œuvres
poétiques sont la méditation sur la mort (envisagée
d'une façon originale) et sur l'existence humaine,
l'union des arts et la quête de la beauté, l'immortalité
et la gloire promises aux créateurs... et à leurs
protecteurs.

Œuvre de débutant, « très petit et inconnu disciple
et lointain imitateur » de Molinet et de Cretin, le
Temple d'Honneur et de Vertus est déjà caractéristique. Dans sa forme d'abord : c'est un prosimètre où
l'allégorie s'étale avec complaisance, où la langue se
raffine jusqu'à l'amphigouri le plus contourné.
Lemaire conçoit ce style alambiqué comme un noble
effort de l'art tel que le pratiquent ses maîtres, et il ne
refuse pas les jeux verbaux les plus appuyés ; il a écrit
« ce petit traicté consolatoire affin que vous veissiez
vos criz dedans escriptz en couleur de douleur, plains
de tous plaintz, et que voz soulas qui sont las et voz
rys qui sont periz prinssent quelque sourse de ressource ; affin aussi que l'honneur de Bourbon bon
resplendist en triumphant, triumphast en flourissant
et flourist en accroissant par la diuturnité [longue
durée] de tous siècles advenir ». Rabelais se moquera
de ces cabrioles, des calques du latin, des interminab-
bles accumulations. Mais aussi, dès que Lemaire
s'abandonne à son génie primesautier pour évoquer

la nature, il offre des strophes charmantes, traitant un thème conventionnel avec grâce et fluidité. En effet, l'œuvre est une sorte d'églogue dans laquelle sept pasteurs chantent les louanges de Pan le bon berger et de sa femme Aurora (Bourbon et Anne de Beaujeu). Mais la prospérité et l'éclat de la belle saison sont menacés par un complot de Saturne et de Mars qui accumulent les nuages de l'hiver. Une nuée « triste, obscure, ténébreuse » enveloppe Pan, qui disparaît. Aurora se désole, mais elle est transportée en songe au sommet d'un mont où se dresse un temple orné des vertus du défunt (*P*rudence, *J*ustice, *E*spérance, *R*aison, *R*eligion, *E*quité, dont les initiales désignent Pierre). Entendement, « le noble paranymphe [parangon] et conservateur des vertus » lui annonce que Pan a été accueilli dans ce temple avant de gagner le séjour de l'éternelle félicité.

Refusant l'évocation directe de la mort, le poète choisit d'insister sur l'éloge des mérites du défunt et sur les promesses de gloire qui s'attacheront à son souvenir : c'est une apothéose, la « céleste exaltation » du duc, universellement proclamée. Dans ce texte se marque toute la dualité de Lemaire : la recherche ambitieuse de l'artifice artistique et la détente plus personnelle de quelques « échappées » empreintes de naturel ; l'insertion dans une tradition encore vivante, celle de la rhétorique (jeux de rimes, procédés de l'allégorie et du songe) et le souci du renouvellement (dans l'usage de la *terza rima* pour la partie centrale, inspirée d'une églogue latine de Pétrarque) ; l'accent nouveau donné au thème funèbre.

La démarche est analogue dans *La Plainte du Désiré*, qui célèbre L. de Luxembourg, cousin et ami de Charles VIII, maître de Bayard, chevalier exemplaire. Nature se lamente, assistée de ses deux servantes, Rhétorique et Peinture. Celle-ci reproche à Nature d'avoir permis la disparition de celui qui était son chef-d'œuvre. L'art sera impuissant à rendre un spectacle aussi déplorable. Tous les assistants se désolent. Rhétorique, dans une longue oraison artificielle et pompeuse, évoque les poètes, les peintres et les musiciens disparus et invite les survivants (Léonard, Bellini, Pérugin, Perréal, Josquin ou Agricola) à célébrer celui qui aima les arts. Mais les vertus du défunt étaient telles qu'il est maintenant aux cieux : Nature doit être triste, mais le ciel se réjouit. Les trois allégories disparaissent et les spectateurs pressent Lemaire de raconter cette vision.

Il semble qu'un tel texte doive être plein d'une mélancolie dolente : or il n'en est rien. Lemaire s'attache bien davantage à faire l'éloge de l'existence, pourvu qu'elle soit belle, harmonieuse, et des arts qui l'enrichissent. Toujours s'affirme l'impuissance à consoler, l'inanité du deuil, et par contre-coup l'exaltation des élans vitaux que reflètent la poésie, la musique « douce et voluptueuse » ou la peinture

> Pour récréer les yeux humains construite
> Et pour aux sens volupté concevoir.

Finalement, la moins prisée des trois semble bien être la poésie. Virgile, Chartier, Gréban sont morts ; il faudrait que Molinet, Cretin, d'Auton viennent aider Lemaire et « l'imbécillité [faiblesse] de son jeune savoir ». Constamment, Lemaire s'excusera des insuffisances de son art et de l'écart qu'il constate entre l'œuvre imaginée et sa réalisation.

La structure et l'esprit sont beaucoup plus rétrogrades dans la *Couronne margaritique,* où s'étale une science un peu indigeste à travers une démarche pesante. Dix philosophes ou poètes choisissent chacun une lettre du nom Marguerite et célèbrent une vertu, une pierre précieuse et une héroïne de légende dont le nom commence par la même lettre. Le tout formera la couronne façonnée par l'orfèvre Mérite et offerte par Vertu à la princesse. Œuvre de commande, à laquelle Lemaire ne se sent que médiocre-

ment enclin et qu'il n'achèvera pas : catalogue de
vertus, lapidaire et galerie des femmes fortes en
même temps que biographie fragmentaire de Marguerite, la lourde et pompeuse Couronne se constitue
à grand renfort d'allégories et ne prend quelque relief
qu'à l'évocation du travail des artistes, joailliers ou
peintres appelés à l'orner. La déploration de Philibert n'a fourni que le point de départ. Dans ses
poésies funèbres, Lemaire a introduit autre chose
que les formules attendues de regrets ou d'invectives
contre la mort. De celle-ci, il offre une vision
nouvelle : elle est apaisement et porte de la survie
dans la mémoire des hommes grâce à la gloire qui
s'attache aux vertus.

Avec les *Epîtres de l'Amant vert*, Lemaire trouve
une tout autre veine à l'occasion d'un fait divers. En
mai 1505, le perroquet de Marguerite est dévoré par
un chien, alors que la princesse est en Allemagne.
Lemaire suppose que le perroquet, amoureux de
Marguerite et désespéré de son départ, s'est jeté
volontairement dans la gueule du chien après avoir
rimé une lettre d'adieu à sa maîtresse. Puis il écrira
encore des Iles Fortunées, le paradis des bêtes, pour
raconter ce qu'il y a vu. Ce perroquet aux couleurs de
la passion est le modèle des amants courtois ; il est
également fort érudit et il parle éloquemment de la
gloire. Dans sa complainte, après avoir exhalé sa
douleur au départ de Marguerite et pressentant sa
mort prochaine, il envisage l'élection de son sépulcre
avec des accents déjà ronsardiens : il demande que
son corps soit mis

> en quelque lieu joli,
> Bien tapissé de diverses flourettes,
> Où pastoureaux devisent d'amourettes,
> Où les oiseaux jargonnent et flajollent,
> Et papillons bien coulourez y vollent,
> Près d'un ruisseau ayant l'unde argentine,
> Autour duquel les arbres font courtine

De fueille vert, de jolyz englentiers
Et d'aubespins flairans par les sentiers.

Plutôt que le deuil de la cour, ce « vray martyr
amoureux » se plaît à imaginer la danse nocturne des
divinités agrestes autour de son mausolée :

Et oultreplus, à ma tumbe, de nuyt,
Quand tout repose et que la lune luyt,
Viendront Sylvan, Pan et les demydieux
Des bois prouchains et circonvoisins lieux,
Et avec eulx les feës et nymphettes,
Tout alentour faisans joyeuses festes,
Menant deduit en danses et caroles
Et en chansons d'amoureuses paroles.

Enfin, après avoir raconté son suicide pathétique, il
compose son épitaphe :

Soubz ce tumbel, qui est ung dur conclave,
Git l'Amant Vert et le tresnoble esclave,
Dont le hault cueur, de vraye amour pure yvre,
Ne peut souffrir perdre sa dame et vivre.

Même si la suite est moins réussie, c'est là un chef-
d'œuvre de badinage courtois empreint d'humour
léger et de nostalgie voilée, d'une parfaite élégance
morale et littéraire. La vie de Marguerite ne fut
qu'une suite d'épreuves et de deuils (« Fortune
infortune fort une »), mais son caractère énergique et
actif reprenait toujours le dessus : Lemaire cherche à
la « divertir gravement », avec délicatesse. Ici, la
mort ne peut être envisagée que d'une façon toute
païenne : libations et caroles, paisibles Champs Ely-
sées et louanges à la perfection de l'amour.

L'une des meilleures œuvres de Lemaire est sa
Concorde des deux langages, dont le titre ne reflète
qu'imparfaitement le contenu. L'auteur accomplit en
songe un pèlerinage allégorique, d'abord, par une

erreur de jugement due à sa jeunesse, au temple de
Vénus, puis à celui de la sage Minerve. Un amour
juvénile a causé les tourments du poète : pour les
apaiser, il part vers le temple de la déesse à laquelle il
s'est voué. L'édifice est situé à Lyon, sur le Forum
Veneris (Fourvière) : c'est le séjour de la volupté, un
« paradis corporel » où officie l'archiprêtre Genius,
« vray amy de Nature ». Son prêche a pour thème
Aetatis breve ver : la fugacité des heures invite à la
jouissance du présent. Le poète s'apprête à faire ses
dévotions, guidé par Bel Accueil, mais Dangier le
repousse. Il se dirige donc vers le Palais d'Honneur et
Temple de Minerve, presque inaccessible, baignant
dans une sereine lumière édénique au sommet d'une
haute montagne. Y logent tous les nobles esprits,
dans l'harmonieuse concorde des langues française et
toscane. A l'entrée figure une inscription rédigée par
Jean de Meung, disciple de Dante. Le poète est
accueilli par un bon vieillard, Labeur historien, qui le
guidera, s'il en est digne, jusqu'à l'intérieur du
temple. Malgré le propos déclaré, Lemaire s'attarde
bien davantage à décrire le temple de Vénus, et
surtout à rapporter la cérémonie érotique présidée
par Genius. Tout exalte ici la joie poétique, l'ivresse
des sens et celle que Dieu inspire aux musiciens et
aux poètes, l'élan vital vers l'amour, la bonne
Nature, dans un climat de paganisme serein, d'hédonisme souriant. A ce naturalisme succède l'idéalisme
minervien, le renoncement aux voluptés faciles, aux
enchantements trompeurs. L'exaltation du labeur et
de l'effort vertueux accompagne la recherche d'une
perfection intellectuelle, morale et esthétique
empreinte d'une parfaite harmonie. Ici, Lemaire,
tout en restant bon rhétoriqueur, fait œuvre d'humaniste. Il prêche la concorde, politique et culturelle,
entre la Toscane et la France, également vénérables,
émules et non rivales. Il développe un hymne à la
Nature, exaltante et inspiratrice, à la *Venus generosa*
qui anime les êtres et les rend artistes, leur dictant les

belles œuvres (pour la première fois, le mot « poésie » apparaît dans notre langue). L'étape idéaliste ne comporte aucune condamnation de la précédente, comme si l'auteur voulait équilibrer joie sensuelle et paix spirituelle. Le style, toujours ambitieux, mais maîtrisé, correspond au climat lumineux dans lequel baigne l'œuvre : tercets et alexandrins modulent une facture originale, le ton est détendu, parfois coulant, souvent éclatant et enthousiaste.

Les *Illustrations de Gaule* sont le chef-d'œuvre de Lemaire, qui a voulu s'y faire l'historien national. Le Ier livre raconte les origines des souverains français, en remontant au déluge et à l'histoire fabuleuse de Noé et de ses fils, puis du premier roi de Gaule, Samothès ou Dis. Cette fresque mythique aux bases un peu suspectes débouche sur une vision plus animée de l'histoire de Troie, en commençant par le récit pastoral, idyllique, de la jeunesse de Pâris et de ses amours avec Oenone, suivis du fameux jugement. Lemaire s'y inspire des *Héroïdes* d'Ovide et d'autres textes antiques et s'attarde avec un visible plaisir aux scènes champêtres. Dans le IIe livre prend place l'histoire de la destruction de Troie, depuis le rapt d'Hélène jusqu'à la fuite des survivants : cette fois, ce sont les « historiens » Darès et Dictys qui servent de guide, ainsi que l'*Iliade,* dont un fragment est pour la première fois traduit en français. Enfin, le IIIe livre est consacré à la « généalogie historiale de Charlemagne », dont les descendants occupent les trônes d'Occident. Francus, ancêtre de Charlemagne, est à l'origine de la glorieuse lignée française. *In fine,* Lemaire raconte encore la légende du chevalier au cygne (« Vraye histoire du cygne de Clèves »).

L'ouvrage se veut une somme sur les origines de la nation française. L'érudition y est un peu laborieuse et surtout a-critique : Lemaire recherche des documents rares, mais de seconde main (il puise dans Annius de Viterbe) et se veut redresseur d'erreurs historiques, au prix d'un recours à des textes assez douteux ; il fait crédit à la moindre légende antique. On devine qu'il veut battre en brèche l'idée d'une prééminence italienne et il insiste sur ses deux grandes idées fixes : l'union des Germains et des Francs, qui ont même origine, et la croisade contre les Turcs, qui ont usurpé le berceau commun de cette civilisation. L'œuvre est surtout le témoignage d'une prise de conscience nationale et elle ouvre la voie aux recherches des « antiquaires » de la Renaissance. Mais sa composition est embarrassée, l'allure inégale et hésitante dans la disparité des tons. On y remarque surtout, pour ses qualités proprement littéraires, le long « roman » (le terme n'est pas déplacé) de Pâris, bucolique et sentimental, où la plume de Lemaire détaille complaisamment les descriptions de la nature et les portraits des personnages, où les épisodes idylliques baignent dans un climat plein de fraîcheur et de grâce rehaussé par un style ondoyant et cadencé.

L'image que laisse Lemaire est double : un grand rhétoriqueur qui s'inscrit parfaitement dans le monde médiéval finissant, un esprit encyclopédique auquel manque le discernement critique de l'humaniste et le sens historique, un artiste très attaché au prestige des formes, aux jeux du style ou de la versification ; mais aussi un esprit déjà tourné vers des attitudes nouvelles, qui a au moins le pressentiment de l'antique et des élans vers un paganisme panique (la mythologie est proche et vivante sous ses yeux), qui s'ouvre vers l'Italie, sans admiration inconditionnelle, prêt à une intelligente adaptation. Il représente un nouveau type d'homme, le curieux, « diligent amateur de toutes disciplines », avec un authentique tempérament d'artiste, vibrant, tendu, insatisfait. Il déplore sans cesse ses insuffisances d'écrivain ; il est à la recherche de la beauté plastique (un « inquiet de la forme belle », dit Jean Frappier) ; il traduit dans ses œuvre son appétit de vivre ; il se passionne pour la

musique et surtout pour la peinture, dont il loue le
pouvoir d'évocation et de commotion voluptueuse ; il
rêve d'une alliance des arts et cherche à faire voir à
travers les mots. Styliste, s'il reste convaincu de la
valeur des artifices savants, de la virtuosité verbale, il
introduit aussi un souci esthétique nouveau dans ses
phrases concertées, ciselées, recherchant le nombre
et ne craignant pas une certaine surcharge. Il est à
l'aise dans les variations du prosimètre, manie adroitement la *terza rima* et même l'alexandrin. Spontanément, son goût le pousse vers la bucolique virgi-
lienne, renouvelée par les néo-latins, et il réinvente
l'églogue. Penseur indépendant, attiré par la découverte, il remet en cause certaines idées médiévales ; il
est, au sens vraiment plein du terme, épris de culture.
Ambitieux, il n'a pu tenir tout ce qu'il promettait
mais, ayant ajouté un renouvellement à la tradition,
il laisse voir dans son œuvre les premières lueurs d'un
âge nouveau.

CHAPITRE IV

RABELAIS

Une vie difficile

François Rabelais, a-t-on dit, est l'écrivain qui incarne de la façon la plus satisfaisante la Renaissance française. On peut encore souscrire à un pareil jugement à condition de l'interpréter : l'écrivain le plus riche peut-être, un des plus inquiétants sans conteste.

C'est en prenant pour référence ce qu'il a été convenu d'appeler la grande clarté de la Renaissance que les points d'interrogation se précisent. L'œuvre est abondante, ou pour mieux dire débordante, d'une richesse qui surprend ; on ne saurait dire pour autant qu'elle est toujours claire. En fait, il n'a écrit qu'un seul livre, mais il n'est pas facile d'en saisir vraiment la portée, ni même les dimensions : on dira la même chose quant à la progression éventuelle de sa pensée vers une conclusion (pourtant, le livre raconte un voyage, une quête qui doit aboutir à une réponse, peut-être à une révélation). Ce voyage à la recherche de soi et à la découverte du monde se présente comme une entreprise de libération : le géant de Rabelais s'est mis en route avant tout parce qu'il s'est débarrassé de ses entraves. Mais cette culture nouvelle qui le libère et le pousse à chercher un plein accomplissement de soi, une liberté plus grande, s'apparente de près à l'encyclopédisme médiéval ; cet homme des temps nouveaux est imprégné d'une culture qu'il a puisée dans les couvents. Sans oublier que l'une des étapes de son voyage de libération est représentée par Thélème, séjour de l'homme régénéré, mais abbaye tout de même.

Il faut donc approcher l'œuvre — comme l'homme — en sachant d'avance qu'un certain nombre de zones d'ombre y sont incorporées et que tenter de les dissiper, fût-ce au moyen de l'analyse la plus sympathique, est une entreprise qui suppose une bonne part d'ingénuité.

On hésite encore à fixer la date de sa naissance : 1483 ou 1493 ? Un écart de dix ans est trop important pour qu'on puisse négliger la question. Et pourquoi a-t-il choisi l'état ecclésiastique ? Ses ascendances familiales ne l'y destinaient point (il est issu d'un milieu bourgeois aisé) et il est permis de s'interroger, en regardant sa vie ultérieure, sur la qualité de sa vocation. Lié au monde ecclésiastique, il l'est pourtant : par sa culture avant tout, aussi par une longue série de vicissitudes, qui constituent l'histoire de sa vie et qui font constater un va-et-vient continuel d'un couvent à un autre, jusqu'à la conclusion étonnante de la réintégration dans l'état ecclésiastique et de l'attribution d'une cure et d'autres bénéfices dans les années qui précèdent la mort. C'est encore au monde de la cléricature qu'il faut s'adresser pour avoir les premières données sûres concernant sa vie : en 1521 il séjourne dans le monastère franciscain de Fontenay-le-Comte, en Poitou, localité qui n'est pas très éloignée de la Devinière, près de Chinon (« petite ville, grand renom... ») où il aurait vu le jour.

Il n'est pas un inconnu, du moins dans le milieu des humanistes de sa petite province, André Tiraqueau, Pierre Amy, Amaury Bouchard, avec qui il est en correspondance, et dont il se souviendra dans son œuvre ; il jouit de la protection de l'évêque Geoffroy d'Estissac, ses amis le proclament « très-docte dans l'une et dans l'autre langue » (le latin et le grec), il se lance dans une traduction d'Hérodote... Il écrit même quelques lettres au grand humaniste Guillaume Budé, dans un latin plein de bonne volonté et truffé de quelques phrases en grec (où le nombre des esprits manquants est compensé par d'indéniables fautes...). A cette époque se situe l'épisode célèbre de la saisie de livres grecs que Rabelais gardait près de lui dans sa cellule, contrairement à la règle (les franciscains ne se consacraient pas à l'étude) et aux instructions de la Sorbonne. Ce qui est à l'origine d'un premier changement de condition, dans une existence qui en connaîtra plusieurs : l'autorisation lui est accordée par le pape d'entrer dans l'ordre de Saint-Benoît.

Autre donnée sûre, le séjour à Maillezais, à Ligugé et à Fontenay-le-Comte, auprès de l'évêque d'Estissac, qui dure quelques années et qui offre beaucoup d'agréments ; au bout desquelles pourtant, sans demander l'autorisation de ses supérieurs, le moine bénédictin François Rabelais dépose l'habit régulier et part à la découverte du vaste monde (jusqu'à cette époque, apparemment, il n'était pas sorti du Poitou). Au mois de septembre 1530 il débarque à Montpellier où il s'inscrit à la Faculté de médecine, mais auparavant il a probablement voyagé : dans l'espace — car on ne peut douter qu'il a connu Paris et la vie du Quartier Latin avant d'écrire son *Pantagruel,* qui paraîtra en 1532 — et dans les domaines des études — car il obtient ses grades à la Faculté de médecine au bout de six semaines seulement (il est nommé bachelier en médecine le 1er novembre 1530 ; l'année d'après, suivant la coutume, il est chargé d'un stage d'enseignement, et il explique les *Aphorismes* d'Hippocrate). Où a-t-il acquis ces vastes compétences dans l'art d'Esculape ? C'est une autre de nos ignorances.

Bientôt, nouveau coup de théâtre : il opte pour la

littérature. A la fin de 1531, Rabelais se transporte à Lyon, où il vit de l'exercice de son art (en 1532 il est nommé médecin de l'Hôtel-Dieu) et de sa plume, car il poursuit une carrière d'humaniste (il publie notamment les *Aphorismes* dont il s'était occupé à Montpellier), entre en contact avec les savants locaux (Symphorien Champier, Barthélemy Aneau, Salmon Macrin, Etienne Dolet), correspond avec Erasme. La décision de publier en 1532 *Les Horribles et Espouvantables Faictz et prouesses du très renommé Pantagruel* marque bien une rupture, car le livre ne pouvait certes lui rapporter de l'argent : moins utile en vue de la carrière qu'une édition savante précédée d'une dédicace adroite, il ne pouvait en réalité que lui apporter des ennuis. La deuxième édition du livre est en effet censurée par la Sorbonne (octobre 1533), et aussitôt notre médecin, qui n'oublie pas qu'il est un moine en rupture de ban, de prendre le chemin de Rome, à la suite d'un nouveau protecteur, l'évêque Jean Du Bellay (qui sera bientôt cardinal). Mais, aussitôt revenu de ce premier séjour à Rome, qui ne dure que deux mois, il récidive, car la *Vie inestimable du Grand Gargantua père de Pantagruel,* encore plus violente contre l'Eglise, la Sorbonne, la vieille culture, les abus et le pouvoir, paraît au cours de l'été de 1534, juste avant l'affaire des Placards (octobre), qui entraîne une vague d'arrestations et de poursuites judiciaires. Assez heureux d'y avoir échappé, Rabelais s'efface (il quitte Lyon pour une destination inconnue) et il est sans doute bien aise de pouvoir se joindre à la maison de Jean Du Bellay qui, devenu cardinal, se rend à Rome l'année suivante. Ce deuxième séjour romain dure huit mois : Rabelais, qui loge à l'ambassade dans la familiarité du cardinal dont il est le médecin, fréquente assidûment la curie, se lie aux prélats importants et, avec une habileté digne d'un « chicanous », fouille dans les replis du droit canonique à la recherche d'une solution de son cas personnel. Il y parvient au début de 1536 : le voilà désormais réduit à l'état de séculier, tout en conservant le droit d'obtenir des privilèges. Revenu en France, il essaye aussitôt de se faire attribuer un canonicat dans l'abbaye de Saint-Maur-les-Fossés près de Paris ; il n'y parvient pas et se tourne alors de nouveau vers la médecine (en 1537 il obtient coup sur coup la licence, puis le doctorat, toujours à Montpellier, bien que dans le bref papal du 17 janvier 1536 qui lui octroie l'indult pour son apostasie il soit déjà qualifié de docteur en médecine...).

Médecin réputé et homme de lettres, Rabelais vit quelques années sans histoire (la naissance et la mort en bas âge d'un fils naturel n'a pas de quoi étonner, vu les mœurs de l'époque) : un nouveau séjour en Italie à la suite de Guillaume Du Bellay, sieur de Langey et frère du cardinal Jean, qui l'amène à Turin, de 1540 à 1543, montre qu'il continue de trouver une protection sûre dans la famille Du Bellay, ce qui explique peut-être bien des choses. Par exemple, le fait qu'une nouvelle censure de la Sorbonne, qui frappe en mars 1543 une deuxième édition revue et atténuée qu'il a donnée, en 1542, du *Pantagruel* et du *Gargantua,* ne l'empêche pas d'obtenir, le 19 septembre 1545, un privilège du roi « pour ses livres et œuvres consequens des Faictz heroïques de Pantagruel, commençans au troizieme volume, avec pouvoir et puissance de corriger et revoir les deux premiers par cy devant par luy composez ». La protection du roi est toutefois symbolique : le *Tiers Livre,* paru au début de 1546, est déjà frappé avant Pâques d'une censure de la Sorbonne, et Rabelais qui se réfugie à Metz ne pourra sortir de son exil lorrain que grâce à la protection du cardinal Du Bellay, qui l'emmène pour la quatrième fois en Italie, en 1547. Pendant deux ans l'auteur de tant de vertes attaques contre les abus ecclésiastiques séjourne paisiblement à Rome.

Sans doute Théodore de Bèze exagère, lorsqu'il

affirme, dans son *Epistola Passavanti*, que Rabelais a
fait imprimer ses livres « *per favorem cardinalium* »
car ceux-ci aiment à vivre comme les héros qu'il a mis
en scène ; mais sur un point au moins il ne s'est pas
trompé.

A son tour, Rabelais est attaqué par un moine,
Gabriel de Puy-Herbault, qui l'accuse dans son
Théotimus (1549) des pires turpitudes, et c'est peut-
être pour cette raison que le cardinal Jean ne
l'emmène pas avec lui lors du nouveau séjour qu'il
fait à Rome, entre décembre 1549 et juillet 1550.
Rabelais trouve rapidement un autre protecteur,
encore un cardinal, Odet de Châtillon (le neveu de
Coligny, un des futurs chefs du parti protestant),
grâce auquel il obtient, le 6 août 1550, un autre
privilège royal, pour l'impression de ses « livres en
grec, latin, français et thuscan, mesmement certains
volumes des faicts et dictz heroicques de Pantagruel ». Quant à son ancien protecteur, qui ne l'a pas
abandonné, et qui revient de Rome malade, il
recherche les soins de son médecin et l'emmène avec
lui à Saint-Maur : en janvier 1551, il accomplit enfin
le geste que Rabelais a sans doute attendu de lui
pendant de longues années, l'octroi d'un bénéfice.

Pourvu de la cure de Saint-Martin de Meudon et
de Saint-Christophe de Jambert (Sarthe), Rabelais
publiera donc, en 1552, le *Quart Livre* (on avait eu
une édition partielle, des onze premiers chapitres,
dès 1548), qui dénonce encore une fois et avec
véhémence les compromissions d'un système ecclésiastique mondanisé et corrompu : celui-là même au
sein duquel il avait vécu toute son existence. Comme
il se doit, le livre est aussitôt condamné par la
Sorbonne et par le Parlement : parmi les juges qui
signent l'arrêt figure le nom d'André Tiraqueau, l'un
des amis de Fontenay-le-Comte... Ajoutons toutefois, pour compléter le tableau, que le 9 juin 1553,
peu avant de mourir, Rabelais résignera ses bénéfices. Peut-on parler de résipiscence ? Des renoncia-

tions de ce genre étaient parfois imposées par les circonstances, lorsque le bénéficiaire se trouvait inculpé de quelque grave accusation.

Une dizaine d'années après sa mort paraît l'*Isle sonnante* (1562), un fragment contenant seize chapitres du *Cinquième Livre*, publié en entier en 1564. L'attribution est douteuse, le livre dans son ensemble révèle des sympathies pour les protestants que Rabelais n'a sans doute pas partagées. C'est ici pourtant que l'on rencontre la conclusion de la longue aventure de Pantagruel et que le bon géant reçoit de la Dive Bouteille la réponse qu'il cherchait : on peut admettre qu'un anonyme a travaillé et probablement enrichi un canevas laissé par Rabelais.

Comme on l'a vu, l'histoire de Pantagruel, qui est le fils de Gargantua, paraît en 1532, deux ans avant celle de Gargantua. Dès 1542, Rabelais donne une édition qui intervertit l'ordre chronologique de publication et place *Gargantua* à la première et *Pantagruel* à la deuxième place.

Significations de l'œuvre

Une vie difficile, et une œuvre qui ne l'est pas moins. L'histoire d'un géant : un livre pour rire, qui reprend pourtant le schéma narratif des romans chevaleresques, naissance fabuleuse du héros, enfances, prouesses, et la cascade d'épisodes, événements et aventures qui s'y rattachent.

Dès le départ il y a ainsi un double plan narratif, ce qui est dit et ce qui est signifié, une valeur allusive se juxtapose aux faits dont est tissé le récit. Les personnages comme les péripéties sont toujours en passe de devenir symboliques, et le lecteur doit se tenir sur ses gardes. De la même façon le rire rabelaisien est à la fois signe de bonne humeur et manifestation de plus vaste portée, où il entre de l'ironie et du sarcasme, une intention satirique, voire parodique qui demande une lecture en profondeur.

La narration rabelaisienne avance de façon désordonnée, s'engage dans une direction qu'elle abandonne ensuite brusquement pour une autre, sans qu'on voie distinctement le plan d'ensemble : le caractère unifiant de toutes ces saillies et disparates — s'il existe — ne peut être qu'une intention polémique à l'égard des réalités mises en scène. La nécessité d'une attention qui devient finalement une recherche — voire une glose — de la part du lecteur est affirmée par l'auteur à maintes reprises ; dès le début Pantagruel peut s'exclamer : « Si les signes vous faschent, ô quant vous fascheront les choses signifiées ! ». Ce type d'approche que l'auteur réclame nous engage aussi à pénétrer dans une forêt de symboles : il n'est pas sûr que l'on parvienne à les dévoiler tous.

On peut penser que le dessein de l'auteur s'est précisé en cours de route : dans les deux premiers livres, qui ont été construits un peu au hasard, le premier (actuel) en fonction du deuxième qui a été premier à être conçu, la satire de Rabelais, à force de multiplier ses objectifs, finit par se disperser en mille ruisseaux. C'est seulement à partir du troisième livre qu'une idée unitaire fait son apparition : toute l'action roule autour de la « consultation de Panurge » : celui-ci voudrait se marier et s'inquiète à double titre, de l'opportunité d'un tel geste et des risques que courent les hommes mariés d'être trompés par leur femme. Insatisfait des réponses qu'il a reçues, Panurge décide en accord avec Pantagruel d'entreprendre un grand voyage pour aller interroger la Dive Bouteille, qui habite au-delà des mers : c'est le sujet du *Quart Livre*. On est toujours à la recherche d'une réponse destinée à Panurge, mais sans doute la question qu'on veut poser à la Dive Bouteille a-t-elle changé de sens et est-elle devenue plus difficile ou mystérieuse. On ne rencontre pas la Dive Bouteille au bout du *Quart Livre,* qui témoigne d'ailleurs d'une tentative de jouer un rôle dans la lutte politique contemporaine (les attaques contre la cour de Rome épousent les thèses du gouvernement royal en conflit avec la curie pour l'éternelle question du contrôle des bénéfices), mais le voyage se termine provisoirement dès que le navire de Pantagruel entre dans la rade où se trouve l'île de « Messer Gaster, premier maistre ès arts de ce monde ». Symboliquement, on est arrivé au centre du monde, à l'endroit d'où se propage la force vitale qui met en mouvement l'univers, puissance bénéfique qui « fait ce bien au monde qu'il luy invente toutes ars, toutes machines, tous mestiers, tous engins et subtilitez ». Le pèlerinage, pourtant, n'est pas terminé, car il se poursuit au *Cinquième Livre,* bien qu'on ne sache plus précisément ce qu'on recherche : à la fin d'une autre série d'aventures dont la signification n'est pas toujours facile à déceler, la Dive Bouteille se borne à prononcer un seul mot : « *Trinc* ». Il s'agit donc de boire, le vin étant d'origine divine et l'ivresse qu'il nous donne pouvant s'apparenter à la fureur dionysiaque ; et aussi de s'abreuver à la source qui peut nous donner accès, à travers l'exaltation et l'illumination, au grand secret. Mais sans doute est-il aussi une réponse burlesque ; l'équivoque — ou l'ambivalence — est délibérément placée à la conclusion de l'aventure : la quête de Pantagruel et de Panurge — de l'homme peut-être ? — trouve à son terme un point d'interrogation.

Il faut se contenter de quelque chose d'assez simple, si l'on veut découvrir un fil conducteur dans cette œuvre touffue et désordonnée. Le thème du voyage, par exemple. Grand voyageur devant l'éternel, Rabelais a mis en scène toute une galerie de personnages, qui sont à leur tour « amateurs de pérégrinités », pour reprendre une de ses formules encore une fois admirablement ambiguës : voyages « domestiques » (le tour des universités de Pantagruel, qui reprend un itinéraire déjà parcouru par l'auteur) et voyages « externes », dans la direction du

Catlay comme vers l'outre-mer, le nouveau monde récemment découvert. Bientôt, de physique le voyage devient idéologique, et les personnages se dirigeront vers le pays d'Utopie, et d'autres contrées étranges, le pays des Amaurotes, le royaume des Dipsodes : transformé en une quête mythique, le voyage les entraînera vers la fin du livre au bout du monde, dans de fantastiques paysages où toutes les amarres avec la réalité sont coupées. Il s'agit d'un thème caractéristique de l'époque, qui est celle des grandes découvertes géographiques (on a voulu établir un parallèle entre le voyage de Panurge et l'expédition de Cartier, qui venait de découvrir le Canada) ; on perçoit aussi une correspondance plus profonde avec les aspirations de la culture du temps.

Le voyage de Rabelais a une signification symbolique, voyager pour explorer et aussi pour connaître le monde, les hommes, les choses ; ses personnages ont besoin de cette confrontation avec la création, c'est leur manière de se la réapproprier. On saisira au passage l'optimisme gnoséologique — et donc anthropologique — qui sous-tend une pareille position. « Rarement à courir le monde on devient plus homme de bien », dira quelques décennies plus tard un poète du temps de la Contre-Réforme : Rabelais semble bien persuadé, lui, qu'au moyen du voyage l'homme apprend à dominer la réalité qui l'entoure. Occasion de connaissance menue et directe, le voyage est surtout initiation ; c'est grâce aux étapes successives de leur pérégrination que les héros rabelaisiens parviennent à leur double révélation, Messer Gaster et la Dive Bouteille. Celle-ci donne à travers l'ivresse la connaissance de la nature des choses, mais celui-là est sans doute l'un des symboles les plus concrets et charnels du naturalisme rabelaisien. On dirait que le premier secret du monde est la nature, dans sa réalité la plus crue, faite de chair, de chaleur, de sang.

Avant d'entraîner à sa suite l'homme à la décou-

verte de ce monde qui lui est restitué, Rabelais a eu
besoin de « réinventer » l'homme. D'où l'apparition
du géant : la culture précédente semble s'être appliquée à rétrécir les contours de la créature humaine, à
la rapetisser ; on lui donnera donc une taille gigantes-
que, au point qu'elle encombre tout l'horizon, pour
qu'elle ne puisse échapper à la vue des philosophes,
des théologiens, des savants. La corpulence arro-
gante du géant est aussi une réponse au spiritualisme
desséchant d'une culture — qui peut être celle d'un
certain Moyen Age — concevant l'aventure terrestre
de l'homme comme préparation à un accomplissement qui sera donné ailleurs. Rabelais reprend ici
une idée qui avait déjà été exploitée par des écrivains
italiens de la fin du xve siècle, Pulci et Folengo,
auteurs de poèmes héroïcomiques qui ont pour
protagonistes des géants. Morgante et Baldo, comme
Gargantua et Pantagruel, sont aussi entourés par une
cohorte de personnages mineurs aux noms abstrus et
allusifs : que Rabelais ait puisé chez les Italiens
l'inspiration pour introduire son Panurge (« homme
à tout faire ») et les compagnons des deux géants
(Carpalim, « rapide », Eusthènes, « fort », Episté-
mon, « sage », etc.) nous prouve surtout que, dans
cette utilisation d'un motif littéraire, il participe
d'une exigence largement partagée par la culture de
la Renaissance. Elle est bien à lui, néanmoins,
l'intuition que cet homme énorme peut avoir une
valeur polémique à l'égard de la culture précédente,
ses modèles italiens s'étant contentés d'exploiter une
veine burlesque.

Cet homme retrouvé, il s'agira par la suite de
l'éduquer. Dans le programme pédagogique de
Rabelais, qui a soulevé autrefois des enthousiasmes
et des polémiques, nous retrouvons surtout l'optimisme anthropologique auquel nous avons déjà fait
allusion. Il s'agit de renverser des murailles que les
préjugés, l'autorité, l' « ignorance » ont élevées,
pour étouffer le libre épanouissement de la personne

(corps et âme, pense Rabelais, l'homme est un) et de s'approprier des domaines arbitrairement interdits ; il ne peut plus y avoir de sciences défendues, et on est encore frappé par l'enthousiasme gnoséologique, la belle confiance dans la réussite d'une pareille opération que cette attitude comporte.

Nanti d'une connaissance adéquate, qui va de la littérature aux sciences exactes, des mathématiques aux sciences « caldaïques » (autrement dit, la magie), de la théologie chrétienne aux religions du monde, le géant entreprend un voyage qui est itinéraire de vérification et donc de libération. Au cours des différentes étapes il règlera ses comptes avec les « idola » qui jalonnent de leur présence encombrante le chemin de l'existence de l'homme de son temps. La critique, extérieurement bouffonne et paradoxale, est dense et chargée d'intentions : il y entre aussi un quotient important de moralité.

Quant au pouvoir en place, le bon géant est anarchiste : il interprète en cela la veine authentiquement populaire dont il se nourrit. Pantagruel et Gargantua défient « naturellement », du simple fait d'exister, la « police » mondaine ; par leurs gestes comme par leurs initiatives ils s'appliquent méthodiquement à la renverser. Il y a comme une forme féroce d'allégresse dans la tonitruance avec laquelle les géants défient les ordres établis ; il y a plus de pondération et de gravité dans la dénonciation des méfaits des états (la colonisation, les guerres de conquête). La guerre picrocholine qui éclate, comme on le sait, pour une question de fouaces (galettes), est seulement un apologue ; mais que penser de Pantagruel qui s'engage dans une guerre « humaine » pour faire triompher la justice et qui s'apprête au duel suprême avec Loup-Garou seulement après avoir adressé à Dieu une prière et la promesse de faire « prescher ton saint Evangile purement, simplement, et entièrement » et aussi d' « exterminer » « les abus d'un tas de papelars et faulx prophetes qui ont par constitutions humaines et inventions dépravées envenimé tout le monde »? Il est difficile d'admettre qu'ici Rabelais pense seulement à Messer Gaster, ou à la bonne Déesse Physie qui incarne la volonté du créateur.

Même entrain sauvage dans la démolition de la culture dominante. Certains sobriquets — « sorbonnagres », « sorbonnicoles » — qui ont conservé à travers les siècles leur valeur péjorative, remontent à Rabelais : on peut justifier la violence des critiques contre la Sorbonne, qui était la Faculté de théologie. On comprend moins la haine et le mépris qui se dégagent de l'épisode de Janotus de Bragmardo, le docteur de Sorbonne qui vient réclamer les cloches de Notre-Dame que Gargantua a pendues au col de sa jument. « La terre ne porte gens plus mechans que vous estes » : ignorants, parlant un langage incompréhensible, ils portent de plus les marques d'une dégradation morale qui justifie qu'on les repousse avec horreur. Les assistants qui ont écouté le discours prononcé par Janotus en un latin macaronique farci des formules pseudophilosophiques d'une scolastique parvenue à son extrême degré de décomposition, nous dit Rabelais, se mettent à rire « tant profondément que en cuidèrent rendre l'ame à Dieu » ; on a quelque hésitation à les imiter, car l'épisode est triste.

Ensuite, ce sera le tour du catalogue burlesque de la bibliothèque de Saint-Victor, l'une des plus riches de l'époque. Rabelais l'avait certainement fréquentée et il était loin de considérer comme inutiles les livres et les manuscrits qu'elle conservait. Il en donne pourtant un catalogue qui est plus qu'un sottisier de la culture du Moyen Age finissant, qui veut faire rire, peut-être, mais qui suggère aussi des sensations beaucoup plus fortes, de refus et de condamnation. Une intention de bafouer, qui va au-delà de l'occasion ludique, est quand même perceptible derrière certains titres : *La Patenostre du Singe, Soixante et neuf Breviaires de haulte graisse...*

On ne sera pas surpris des attaques contre l'histoire et les historiens que l'on rencontre dans le *Cinquième Livre*. Dans le pays de Satin, gouverné par Ouy-dire, une foule innombrable d'hommes et de femmes s'appliquent à apprendre l'art de rendre témoignage de choses qu'ils n'ont point vues ni connues ; il y a des historiens modernes, mais aussi des anciens, et parmi les plus connus, Hérodote, Pline, Strabon, à côté de Paul Jove. Dans ce royaume, le seul moyen de « parvenir en cour » est de ne jamais dire la vérité. Le même traitement sera réservé à la justice : dans le *Tiers Livre* le juge Bridoye est accusé devant le parlement de Myrelingues d'avoir rendu un jugement non équitable. Il se justifie longuement devant ses collègues par un étalage prodigieux de citations de textes juridiques, qui doit nous prouver que sa prétendue science se réduit à un pur verbiage ; l'argument décisif de sa défense reste qu'en cette circonstance il s'est comporté comme il le fait depuis quarante ans — et comme le font tous les juges ses collègues : il a tiré le jugement au sort. Il n'est disposé à admettre qu'une faute de lecture : sa vue a baissé et il a peut-être mal lu l'indication fournie par les dés. Il ne faut pas le condamner, opine gravement Pantagruel, qui a assisté à tout le débat : le juge Bridoye a agi correctement, comme tout le monde et comme il faut le faire, de quoi rend témoignage la bonté des jugements rendus au cours de sa longue carrière, dont personne n'a songé à contester le bien-fondé...

La contestation rabelaisienne

La contestation du géant rabelaisien attaque à tour de rôle les différentes faces de la société sans qu'on puisse établir une préférence accordée à l'un ou à l'autre aspect. Les mises en cause partielles représentent des objectifs, mais peut-être surtout des occasions pour aiguiser sa verve. Le nœud sensible,

autour duquel roule tout le mécanisme des mises en
accusation, est ailleurs : les rapports privilégiés de
Rabelais avec le monde ecclésiastique nous suggèrent
sans difficulté la direction dans laquelle il faut le
chercher.

Reste la religion, en effet, étape décisive du grand
voyage de reconnaissance des conditions mondaines.
Le grand clerc François Rabelais est loin d'être
tendre à l'égard des structures de l'église mondaine, à
l'intérieur desquelles, comme nous l'avons vu, il a su
pourtant évoluer avec dextérité. Certaines attaques
contre le commerce des bénéfices, par exemple, ont
pu être inspirées par le désir de complaire à la
politique de Henri II, simple tentative de s'insinuer
dans la faveur royale. Pour d'autres critiques il s'est
contenté de puiser dans l'arsenal de la littérature
anticléricale, très florissante tout au long du Moyen
Age. Il est probable qu'il nous a livré un aspect
essentiel de sa pensée lorsqu'il a dressé le portrait de
frère Jean des Entommeures, qu'il présente en ces
termes :

> Jeune, guallant, frisque, de hayt, bien à
> dextre, hardy, adventureux, délibéré, hault,
> maigre, bien fendu de gueule, bien advantaigé
> en nez... pour tout dire sommairement, vray
> moyne si oncques en feut depuis que le monde
> moynant moyna de moynerie...

Bien plus que Panurge le retors, frère Jean est le
personnage pour lequel Rabelais a une prédilection.
Est-ce parce qu'il incarne un type d'homme qu'il
aurait voulu être, un idéal humain qu'il n'a pas su
réaliser ? Frère Jean, lui aussi, est un moine, mais il a
su rompre avec la règle de son ordre et s'en va libre
par le monde : homme complet, sur le plan physique
notamment, libéré d'inhibitions comme de scrupules,
prêt à affronter la grande expérience de la vie avec
une disponibilité totale, la bagarre comme la ripaille.

Ici, la rupture est complète à l'égard d'un idéal
humain fondé sur l'ascèse : la renonciation à soi-
même comme l'espoir en une vie ultérieure paraissent manifestement dérisoires, dans la lumière méri-
dienne d'une totale immanence. Ce n'est pas toute la
philosophie de Rabelais ; mais il s'agit sans doute
d'idées qu'il a partagées et dont il a nourri sa
protestation contre l'institution qui, à tort ou à
raison, lui paraissait incarner un idéal de mortification.

A la lumière de ces réflexions, certaines pages
prennent une signification précise. Dans le quatrième
livre, l'expédition de Pantagruel approche de l'île de
Tapinois, que gouverne Quaresmeprenant. Un symbole dur, en dépit de la forme burlesque : Quaresmeprenant est un monstre hideux, dont les comportements ne sont guère moins révoltants que son aspect
extérieur. Ceux qui vivent dans ce monde, humiliés
et offensés, parce qu'ils ont tourné le dos au présent
et attendent le futur, sont dignes de pitié, et l'on peut
sourire d'eux ; leur prince, qui les oblige à vivre les
yeux tournés vers la terre, en attitude d'expiation,
soulève l'indignation. Pantagruel ne débarquera
même pas dans l'île de Tapinois.

Il débarquera en revanche dans l'île Sonnante (au
Cinquième Livre) qui est peuplée d'une grande
quantité d'oiseaux voletant, sifflotant, chantant et
croassant qui répondent aux noms de Clergaux,
Monagaux, Prestregaux, Abbegaux, Evesgaux, Car-
dingaux (avec leurs femelles Clergesses, Monagesses,
etc.). Il y a encore Papegaut, « qui est unique en son
espèce » ; mais l'île est aussi envahie par un nombre
incroyable de cafards qui ont « le col tors, les pattes
velues, les griffes et ventre de Harpies... et n'estoit
possible les exterminer ». Les oiseaux comme leurs
parasites ne laboument ni ne travaillent mais passent
leur temps « à grandir, gazouiller et chanter » — sans
oublier de s'entredisputer. C'est déjà une prise de
conscience d'une insurmontable altérité et l'on sent

bien que, derrière l'écran de la plaisanterie, Rabelais prend ses distances de façon définitive. Il y a toutefois une page encore plus sévère : c'est la rencontre de Panurge avec Hippotadée, le théologien. Panurge pose sa question et le théologien répond ; Panurge veut finasser, essaye de tourner en ridicule le conseil qui lui a été donné, avance des objections sournoises ; Hippothadée répond encore en citant carrément saint Paul, l'Evangile, la parole de Dieu. La réponse est sans réplique ; Panurge est réduit au silence. Il se tait en effet, pendant un moment, en caressant pensivement sa barbe, et c'est un grand silence : il se ressaisit pourtant et donne à son tour sa réponse définitive. Le théologien est remercié, on lui offre un verre pour qu'il boive à la santé de l'assistance, et on passe au suivant. Une fin de non-recevoir, qui va au-delà du mépris.

Une interprétation plus problématique, et donc plus intéressante, nous vient de l'apparition de Triboulet, le fou, qu'on rencontre à la fin du *Tiers Livre*. La consultation de Panurge s'est soldée par un échec, aucune des « puissances mondaines » qu'il a interrogées n'a su donner une réponse. Il se peut que la quête de Panurge ne puisse pas aboutir et que les questions de l'homme soient destinées à toujours rencontrer le silence ; mais là où la sagesse du monde fait défaut, pourquoi ne pas faire appel à la folie ? Ce que la raison et la science n'ont pas su indiquer, pourrait être suggéré par le renversement des catégories logiques, par la gratuité du non-sens, peut-être par la poésie.

Dans un tableau aussi complexe que celui que nous venons d'esquisser, il faut faire encore entrer ce qu'il est convenu d'appeler l'évangélisme de Rabelais. Aucun doute que le fait existe : la prière de Pantagruel à la veille de son duel avec Loup-Garou contient l'énonciation d'un programme de réforme de l'Eglise ; au moment du départ de l'expédition outre-mer, Pantagruel fait célébrer un office qui est un vrai culte réformé ; dans l'abbaye de Thélème, d'où sont exclus moines et clercs, seront librement accueillis ceux qui annoncent le Saint-Evangile « quoy qu'on gronde ». Ce ne sont que quelques exemples particulièrement convaincants. Dans le groupe des « évangéliques » de Meaux les humanistes étaient largement représentés : l'on songe aussitôt à Lefèvre d'Etaples. Rabelais, qui n'a pas eu de contacts avec les amis de l'évêque Briçonnet, suit son propre chemin, qui passe justement par Thélème. L'abbaye, qui est offerte à frère Jean en récompense des exploits accomplis dans la guerre picrocholine, est un splendide château de la Renaissance, décoré d'or et de jaspe, somptueusement meublé et fourni de bibliothèques, salles d'armes et terrains de jeux. Les hôtes seront des deux sexes et y mèneront joyeuse vie, en développant harmonieusement leur corps et leurs facultés intellectuelles : admis lorsqu'ils sont jeunes et beaux (les laids sont exclus), ils la quitteront au moment de se marier ; en dépit de la devise qui se lit à l'entrée, *Fay ce que vouldras,* il ne se passera rien de mal, entre ces jeunes gens, car il ne peut rien arriver de peu convenable à des gens bien nés, bien instruits et qui connaissent l'Evangile. Les thélémites parlent en effet cinq ou six langues, et pratiquent tous les sports ; ils incarnent en cela l'idéal de l'homme rénové par la culture et libéré de toute forme de mortification : c'est dans l'Evangile lui-même qu'ils sont allés chercher le message qui les pousse à un accomplissement total de soi. Quel sera leur destin ? La réponse est « rabelaisienne », une longue énigme en vers qui met le point final à l'épisode (on ne parlera plus de Thélème par la suite) et qui peut se lire comme bon nous semble. Apparemment, elle annonce la venue de temps troubles, les conflits idéologiques, puis les guerres et le bain de sang qui les accompagnera, et c'est ainsi que Pantagruel l'interprète, « ce n'est de maintenant que les gens réduictz à la créance Evangelique sont persecutez ». Mais frère Jean a une autre réponse : tout ceci n'est qu'une allégorie du jeu de paume et des trémoussements dans lesquels il entraîne les joueurs...

Hardiesses de Rabelais. Mais, devant les conclusions ultimes, l'auteur recule. Il y a peut-être une signification générale, qui rejaillit sur l'œuvre comme sur l'homme, dans l'épisode des paroles gelées. Pendant sa navigation vers la Dive Bouteille, le bon géant s'aperçoit que des paroles volent tout autour de lui, que ses compagnons n'entendent pas. Une fois ramassées par poignées, les paroles se dégèlent et laissent échapper leur contenu : des pleurs, des bruits d'armes qui s'entrechoquent, des cris de haine, des lamentations de mourants. Il y a des paroles qu'il est devenu dangereux de prononcer, et qui doivent être écoutées seulement par des oreilles amies, lorsque la chaleur d'un accueil consentant aura dégelé l'horreur et la peur qui les ont figées.

L'écrivain est à la taille du penseur, et comme lui plein de contradictions. Il a peut-être inventé le roman moderne, comme le voudrait Lucien Febvre, il a créé, avec Pantagruel et Panurge, un de ces couples immortels qui représentent une conquête définitive de la littérature, analogue en cela à d'autres couples, Faust et Méphistophélès, Don Quichotte et Sancho, qui incarnent la nécessité d'une réponse aux grandes énigmes de l'existence ; mais son écriture, comme sa pensée, réclame une glose. Des reparties fulgurantes, et une énorme lourdeur, des situations irrésistibles, et un comique qui n'est perceptible qu'à force d'érudition : ce passage continuel du registre de la finesse, voire de l'ironie, à celui de la scatologie a quelque chose de fatigant. Sans oublier ce qu'on est bien obligé de définir comme une forme de délire, qui le saisit parfois et qui le pousse à débiter un torrent de paroles devenues de purs sons, qui se gonfle et déborde en flots magmatiques : on dirait qu'il s'écoute lui-même, attentif à saisir dans cette cascade incoercible le mystérieux écoulement du verbe, le secret de l'être.

« *Quamquam lutulentus flueret...* » (« Bien qu'il coule comme de l'eau bourbeuse... ») : la place de Rabelais est grande surtout dans le domaine de la pensée. L'œuvre de Rabelais est un acte de confiance en l'homme, comme l'écrit Madeleine Lazard : plus que tout autre en son temps il a collaboré à la construction d'une nouvelle idée de l'homme, que l'on devait définir par la suite, et pendant quelques siècles, l'homme moderne. Individualisme, donc libération : libérer l'homme des effets d'un déterminisme paralysant pour lui restituer tout ce qui est en sa puissance. Que nous ayons perdu aujourd'hui la plus grande partie de son optimisme anthropologique n'enlève rien à l'importance de l'entreprise qu'il a accomplie.

CHAPITRE V

MARGUERITE DE NAVARRE

L A destinée exceptionnelle de Marguerite
d'Angoulême, duchesse d'Alençon puis
reine de Navarre, a fini par faire de cette
femme mêlée de très près aux luttes politiques et
religieuses, au mouvement des idées et des lettres de
son temps, une figure symbolique incarnant tous les
scrupules et tous les progrès, tous les espoirs et tous
les échecs de la Renaissance. Elle était l'aînée de
Louise de Savoie et elle passa ses premières années
dans la petite cour de Cognac ou de Blois. Elle retira
de ses études et de ses lectures une bonne connaissance de l'Antiquité et des grands textes du Moyen
Age, tout en partageant avec son cadet des passe-
temps violents et virils. Elle éprouva pour celui-ci un
attachement passionné, et toute sa vie fut orientée
vers son « seul Soleil ». Elle ne trouva pas dans ses
deux mariages l'entente et l'amour dont elle avait pu
rêver. Charles d'Alençon, terne et inculte, lourd
d'esprit, fut un mari insignifiant ; Henri d'Albret, roi
de Navarre, futile et volage, ne lui apporta guère que
déceptions. Connut-elle la passion ? Il est permis
d'en douter. Les contemporains ont insisté sur la
richesse de son caractère, sur sa grande bonté et sa
douceur. De complexion délicate, Marguerite possé-
dait beaucoup de charme et d'agrément, sachant

mêler au sérieux de la pensée et de l'œuvre la gaîté dans la vie quotidienne. Mais aux distractions communes elle préféra toujours la méditation et les conversations polies, se montrant attirée par les plus graves questions ; son ouverture d'esprit, doublée d'indulgence, lui permit de s'intéresser aux hommes et aux idées les plus étranges.

Venue à la cour de France dès 1509, Marguerite rechercha de bonne heure la compagnie d'esprits profonds et novateurs. Son rayonnement fut considérable malgré la vie itinérante qu'elle mena longtemps. Elle séduisait par ses libéralités, mais aussi par la franchise et la pénétration de son esprit, sa largeur de vues, son avidité de connaissance et l'étendue de sa culture. Elle protégea les poètes et les humanistes, et surtout les penseurs religieux.

Dès les premières années de son mariage, Marguerite découvrit l'expérience mystique grâce à sa belle-mère, la duchesse d'Alençon ; quelques années plus tard l'enseignement fabriste venait s'ajouter à l'effusion « piétiste ». C'est vers 1517 que Marguerite rencontra Lefèvre d'Etaples et en 1521 qu'elle fit la connaissance de Guillaume Briçonnet, avec lequel elle entretint une abondante correspondance. Le groupe de Meaux se situait à l'écart du courant humaniste ; faisant de la religion le centre même de la vie, Lefèvre et Briçonnet s'étaient attachés au thème du salut et de la justification par les œuvres ; ils insistaient sur la nécessité de l'abandon à la volonté divine et développaient un véritable christocentrisme, en plaçant le Sauveur à la base de la foi et de la piété. Conscients des imperfections du système ecclésial, ils appelaient de tous leurs vœux des pasteurs compétents et pénétrés de leur mission. Comme eux, Marguerite crut à la possibilité d'une réforme souple et efficace de l'intérieur même de l'Eglise et, comme eux, elle fut souvent prise entre les deux feux de la Sorbonne et des réformateurs, après avoir été séduite par les idées de ceux-ci.

N'avait-elle pas traduit vers 1525 la *Paraphrase du Pater* de Luther, et développé dans le *Miroir* la thèse de l'indignité absolue du pécheur ; n'avait-elle pas longtemps protégé le jeune Calvin ? Certes, toutes les idées religieuses du temps exercèrent une séduction sur Marguerite, avide d'enrichissement spirituel. Si elle reprit à son compte les grands articles du credo fabriste, elle ne les figea pas en une sèche attitude. Les trois points principaux toutefois demeurèrent constamment affirmés : la justification par la seule et pure foi, le salut octroyé par la grâce divine, le primat absolu de l'amour. Cependant, Marguerite ne donna jamais de réponse précise aux grandes questions décisives, la prédestination, les intercesseurs, les sacrements, ce qui la place en dehors des partis religieux.

C'est de cette période que datent les premiers textes importants où se marque le point de départ d'une longue quête spirituelle, recueillis dans les *Marguerites de la Marguerite des Princesses,* publiés à Lyon en 1546 seulement. Le *Dialogue en forme de vision nocturne* fut écrit peu après la mort de Charlotte de France, fille du roi, et édité en 1533. C'est un débat au cours duquel l'esprit de la petite princesse vient réconforter et éclairer l'âme de sa tante, aux prises avec l'inquiétude de l'incertitude ; le poème, après un préambule en rondeaux, est écrit en tercets, forme rare où se trahit l'influence de Lemaire, mais aussi de Dante et de Pétrarque, que Marguerite avait lus dès cette date. Le problème de la mort en lui-même est rapidement tranché : elle est « fin d'une prison obscure ». Quant au salut de l'âme, l'accent est déjà mis sur la nécessité de l'amour : « en lui seul est sûre salvation » ; la raison doit être mortifiée par la foi, et la souffrance nécessaire endurée patiemment. Suit l'exposé d'une méthode d'exercices spirituels, qui conduit à tout rapporter à l'amour de Dieu, « l'amour déifiante ». Les œuvres ne peuvent rien pour le salut de l'âme. La question même du libre arbitre est un débat superflu :

> Soyez sûrs qu'en liberté vous êtes
> Si vous avez l'amour de Dieu et grâce [...]
> Impossible est vous garder de bien faire
> Si votre Dieu parfaitement aimez.

Tout vient de Dieu et de sa Providence, dont l'homme dépend absolument : n'aura même la vraie foi que celui-là seul à qui Dieu en fera la grâce. Ainsi, le dépouillement de l'âme est la condition nécessaire à l'intervention divine : celui qui n'a rien, a tout. Autre jalon important : le *Miroir de l'âme pécheresse*, écrit en 1531, dont la valeur ne peut être niée malgré toute la lourdeur de la phrase, la confusion de la disposition, l'absence d'un thème central. Importance historique d'abord : c'est de ce moment que datent les difficultés de la reine avec la Sorbonne qui voulut censurer l'ouvrage et n'y renonça, de mauvais gré, que sur l'intervention du roi. Importance religieuse ensuite, car le *Miroir* aborde de front le problème du péché, lié à celui de la charité divine. A la tentation du désespoir, provoquée par la conscience des faiblesses et des fautes, répond un grand élan de supplication et d'humiliation ; la joie profonde de se découvrir déchargé du fardeau de misère par l'amour de Dieu se mue en l'ardent désir d'union mystique avec le Consolateur. Ainsi l'âme se renouvelle et peut renaître en Dieu, pénétrée d'un amour ineffable. Ce poème théologique et mystique retrace donc « l'histoire d'une âme » se réfugiant dans un ascétisme passionné. Avec le *Discord étant en l'homme* et l'*Oraison de Notre Seigneur Jésus-Christ*, l'*Oraison de l'âme fidèle* développe les trois thèmes qui domineront la réflexion ultérieure : l'opposition radicale entre le néant de l'homme et l'infinie puissance de Dieu, l'emprise néfaste du « Cuider », cette folle présomption de la créature qui croit pouvoir impunément se passer du soutien de son créateur, et l'efficace de l'amour dans lequel l'âme se confie tout entière : « Las, viens, Jésus ! car je languis d'amour ».

Ces premiers poèmes manifestent l'attrait de Marguerite pour la méditation lyrique longuement développée : avec sincérité, elle cherche, à travers les digressions et les reprises, la formule qui rendra exactement son idée, suivant scrupuleusement les élans de son cœur. Ainsi, la reine de Navarre arrache la poésie au simple divertissement pour la vouer aux grands débats spirituels et religieux. A partir de 1533, Marguerite compose abondamment, poursuivant sa réflexion dans ses vers ou dans ses comédies. Le *Triomphe de l'Agneau,* chef-d'œuvre de la reine selon Abel Lefranc, est un vaste poème symbolique au dessein ambitieux. L'homme, livré à ses trois ennemis, la Loi, le Péché et la Mort, est secouru par l'Agneau divin, le Verbe, qui vient combattre ces trois adversaires avant de remonter en apothéose dans les cieux. Plus d'un passage atteint au véritable lyrisme sacré dans cette œuvre grandiose où se trouve exposé tout le dogme de la Rédemption.

Dans un cadre d'églogue, partiellement emprunté à Sannazar, Marguerite traite à nouveau de la grande erreur de l'homme avec sa *Fable du Faux Cuider* ; elle y raconte, non sans charme, la triste métamorphose des nymphes de Diane abusées par des satyres et punies de leur sotte vanité. Ici, l'auteur a renoncé aux réflexions religieuses pour « moraliser » sur une aventure et on pourrait noter l'apparition, encore fugitive, des idées platoniciennes sur le véritable amour, exposées dans les derniers vers du poème. Quant aux *Chansons spirituelles,* elles constituent un ensemble cohérent, tournant autour d'un thème unique, celui de l'amour parfait, avec une variété d'accents que l'on ne trouve nulle part ailleurs dans l'œuvre de la reine. La forme, pleine d'agrément, porte l'empreinte marotique.

Peut-être est-ce le spectacle de quelque mystère qui donna à Marguerite l'idée d'écrire à son tour des « pièces de théâtre » : elle commença vers 1530 par une tétralogie biblique, *La Nativité, Les Trois Rois, Les Innocents,* et *Le Désert.* Puis elle composa, entre 1535 et 1549, sept pièces sur des sujets profanes, mais tout imprégnés de religion. La forme du dialogue dramatique convenait assez bien au talent de Marguerite et mieux encore à la tournure dialectique de son esprit ; elle lui permettait d'épouser les mouvements contrastés de son âme au fil de ses réflexions. La reine destinait sans doute ses pièces à la représentation devant un public choisi et dans un cadre mondain, ce qui explique certaines caractéristiques : la simplification de l'action, la réduction du nombre des personnages et des « mansions », le dépouillement de la mise en scène et la suppression des épisodes comiques fréquents dans les mystères. Les quatre comédies sacrées suivent fidèlement le récit des évangélistes, mais en intercalant, comme dans les paraliturgies médiévales, des cantiques spirituels et des développements moralisants. Le dialogue a souvent une saveur naturelle, utilisant un langage à la portée de tous ; il n'y manque ni les jeux de mots de la rhétorique ni un certain souci du pittoresque populaire. Les personnages restent assez flous ; simples porte-parole, ils incarnent des attitudes ou des idées. Cependant, la comédie du *Désert* manifeste déjà une évolution sensible dans la place faite aux effusions lyriques, où l'influence du *Cantique des cantiques* est constamment perceptible. Avec ses pièces « profanes », Marguerite reprend le cours de sa réflexion religieuse, guidée par les circonstances et l'évolution de ses opinions. *Le Malade* correspond à un grand espoir de conciliation entre l'évangélisme et l'autorité religieuse (vers 1535) : un malade est guéri non par son médecin, mais par une chambrière qui lui conseille de mettre toute sa confiance en Dieu seul. Le médecin, qui représente un dignitaire de l'Eglise, est dépeint comme un homme à l'esprit assez étroit, mais honnête et de bonne foi : ainsi, la « moralité polémique » est ici bien conciliante, visant à l'apaisement des consciences. C'est dans cette seule « farce » que Marguerite a introduit l'élément comique, avec discrétion, accompagnant un certain pittoresque. Le même esprit de concorde anime *L'Inquisiteur*, autre « farce » aux notations réalistes, où le théologien cynique, hypocrite, vénal et balourd est contredit par des enfants qui affirment leur abandon total à Dieu, leur joie insouciante. L'Inquisiteur finit par se convertir à cette attitude quiétiste, à l' « absolu devoir d'imprévoyance ». Toute différente dans sa conduite et dans son argument, la *Comédie à dix personnages* (1542) appartient à la querelle des Amies : ce n'est qu'un débat verbeux et artificiel de casuistique amoureuse. C'est dans cette œuvre que le souvenir des « mommeries » est le plus apparent ; mais il n'y a presque rien de théâtral dans cette suite de vers, qui prolonge le débat de *La Coche,* poème composé en 1540, où l'on se demande quelle est la plus malheureuse de trois dames, l'une abandonnée, l'autre trahie, la dernière prête à la tromperie.

Trop, Prou, Peu, Moins, farce au titre énigmatique (1544), marque une étape intermédiaire entre les premières pièces et les grandes méditations dramatiques des dernières années ; c'est ici que la satire religieuse est la plus sévère. Trop et Prou sont deux seigneurs qui représentent le clan de l'orthodoxie ; Peu et Moins, petites gens, vivent dans la joie : leur fidéisme mystique correspond à l'attitude des libertins spirituels avec qui Marguerite est liée depuis peu. La reine y condamne d'abord la folie orgueilleuse et hypocrite de Trop et Prou, pendant qu'elle justifie la folie bienheureuse des humbles. Leur foi est souriante, dénuée de prosélytisme, détachée de tout ; leurs devises sont « N'avoir rien, fors que nous-mêmes » et « Il n'est rien, qu'être ». La démarche

stylistique du dialogue s'apparente par moments au
coq-à-l'âne, incohérence et sautillement bien adaptés
à ces personnages atteints de folies d'espèces différentes.

Le jour de Carême-prenant 1548, on joua à Mont-
de-Marsan une autre comédie de Marguerite, la plus
importante sans doute de toute la série. La Mondaine
et la Superstitieuse s'opposent, puis s'unissent contre
la Sage qui vient leur tenir le langage de la foi
intelligente, de l'évangélisme. Mais toutes trois sont
confondues par une bergère, la Ravie, qui chante le
pur amour, la béatitude mystique de l'union totale
avec « l'ami ». On reconnaît ici encore la doctrine
des libertins spirituels, qui insiste sur l'innocence
fondamentale de celui qui aime follement et avec
ivresse, sur le détachement qui résulte de ce don
absolu, la vacuité, l'oisiveté de l'âme uniquement
préoccupée d'amour : « Je ne sais rien, sinon
aimer », dit la Ravie. A la limite, la parole même est
inutile : on ne peut plus que rire, chanter et danser,
tant la joie est grande, oppressante. « Jamais d'aimer
mon cœur ne sera las » : comment l'âme pourrait-elle
se détacher de l'illumination et de l'embrasement de
cette union parfaite, immédiate, avec Dieu ?

Marguerite écrivit encore une comédie, *Le Parfait
Amant,* peut-être à l'occasion du mariage de sa fille
avec Antoine de Bourbon ; ce fut sans doute sa
dernière œuvre. Une vieille femme part à la
recherche de qui saura parfaitement aimer : elle
écarte l'une après l'autre trois filles : chez l'une,
l'amour n'a pas résisté à l'absence, l'autre n'en a pas
encore fait l'épreuve, la dernière a surmonté la
séparation mais n'accepterait pas la tromperie. Enfin
arrive un couple dont chacun revendique la couronne
pour l'autre ; ils la recevront tous deux, ayant compris que, par-delà l'exigence de « fermeté », l'amour
humain doit mener à l'oubli total de soi. Toute la
comédie baigne dans une atmosphère détendue,
souriante même : au soir de sa vie, Marguerite a

enfin conquis la sérénité. Il n'y a pas beaucoup de métier dramatique dans toutes ces pièces, où l'on insiste bien davantage sur les idées que sur leur présentation. L'expression, souvent marquée par la rhétorique, n'atteint à un certain relief que dans les strophes lyriques, qui reprennent parfois des chansons spirituelles ou les prolongent. Tout tourne en effet autour du mystère de l'amour, et le personnage central est toujours un « petit », un humble, qui est le premier atteint par le coup de foudre de la grâce et qui montre la voie aux mondains et aux grands. Ce théâtre édifiant est, dans sa forme comme dans son dessein, hors du mouvement théâtral de son temps ; plutôt une simple extension de l'œuvre poétique.

C'est vers 1540 que la vie de Marguerite prend une orientation différente, à la suite d'une crise longue et douloureuse. Entraînée par les manœuvres malhabiles de son mari, elle a mécontenté son frère, qui la tient à l'écart de la vie politique française : c'est l'échec de son désir d'action pour le bien du royaume, c'est aussi la cassure dans une entente jusque-là si étroite. Après l'affaire des Placards, Marguerite a compris que la réconciliation des partis religieux opposés n'était plus guère possible. Enfin, dans son propre ménage, la reine n'a trouvé d'accord ni avec son mari ni avec sa fille Jeanne sur laquelle elle a reporté un amour peut-être trop étouffant. Tout cela explique le tour de plus en plus méditatif et mystique de sa réflexion et de ses écrits, son désir de détachement du monde. La « seule Minerve de France », retirée à Nérac en 1542, passe ses jours à se réfugier dans la contemplation des choses divines et dans le culte des lettres. C'est pourtant le moment où elle entreprend la rédaction d'un recueil de nouvelles, dont la composition s'étendra jusque vers 1546. En a-t-elle écrit cent, comme Boccace son modèle ? Le livre fut d'abord publié, posthume, en 1558 (67 nouvelles) ; en 1559, Claude Gruget donna un recueil plus complet (72 nouvelles) et plus satisfaisant. Mais divers manuscrits nous ont transmis des textes parfois bien différents, selon une autre disposition, voire des contes inédits : nous en connaissons aujourd'hui quatre-vingt-deux.

C'est en parcourant son royaume, « dans sa litière », que Marguerite a noté une bonne partie de ces nouvelles, pour se délasser de soucis plus pressants. Sans doute était-elle désireuse de donner à son entourage un compromis entre le *Courtisan* de Castiglione et les « passe-temps » des conteurs. La structure même du livre trahit cette double volonté de divertissement et d'édification. Un prologue relate une mésaventure donnée pour authentique : quelques nobles personnes sont retenues par les pluies, le mauvais temps et la crainte des brigands, à l'abbaye de Serrance, dans les Pyrénées, et pour occuper leurs journées elles se livrent à la lecture des « Saintes-Lettres », à la méditation, et elles se récréent au récit d'histoires vécues, dont elles s'attardent à discuter le sens et la leçon. L'*Heptaméron* est donc plus qu'une simple collection de contes : un recueil d'exemples, destiné à éclairer certaines vérités morales ou à renforcer certains arguments des débats. Mais ces récits méritent d'être étudiés pour eux-mêmes : ils mettent en scène un monde brutal, cruel et pourtant naïf, où la duplicité et la candeur alternent, comme les plus atroces vengeances et les plus nobles dévouements. Or, sur les soixante-douze nouvelles de l'édition Gruget, plus d'une vingtaine s'appuient sur des faits réels et trente-neuf ont pour personnages des rois, des princes ou des grands et de nobles dames ; presque partout l'auteur prétend faire œuvre de mémorialiste, « n'écrire nulle nouvelle qui ne soit véritable histoire ». L'*Heptaméron* permet donc de scruter les mœurs de ce temps, le comportement d'êtres partagés entre la courtoisie et la grossièreté, la violence et la réserve, et qui, s'ils sont nobles, font de l'amour leur principale occupation. L'amour est au cœur du livre ; il est question de la « malice et

tromperie » des femmes, des amants insouciants ou
volages, des « transis d'amour » et des moines pail-
lards, en somme de tous les types amoureux, victimes
ou héros. Les uns sont prêts à sacrifier leur propre
vie, d'autres cachent une « grande hardiesse sous une
extrême hypocrisie » ; ici l'on n'hésite pas à supprimer un amant devenu gênant, là des années
d'absence et l'entrée en religion ne parviennent pas à
entamer un amour fidèlement entretenu. C'est que
Marguerite est prise dans un faisceau de contradictions où se mire la vie réelle : elle a donné, pêle-
mêle, le meilleur et le pire, dans ces épisodes galants
ou scatologiques, dans ces tragédies de l'amour
« traversé » ou menant à la mort, dans ces hymnes de
l'amour préservé, ennobli et victorieux.

Certes, la technique du conte est encore gauche, et
Marguerite ne peut guère rivaliser sur ce plan avec
Boccace, Bandello ou Bonaventure. Elle raconte de
façon bien sèche, schématisant ses personnages,
passant sous silence leurs motivations, peu soucieuse
de portraits ou de psychologie, et trop encline aux
longs discours. Au fond, les vraies réussites techniques, à l'exception de l'histoire de *Floride et Ama-
dor,* ce sont les brefs contes grivois qui daubent sur
les moines ou vantent la ruse féminine. Le vocabu-
laire est pauvre, le style diffus, le dialogue guindé :
l'auteur manque d' « art » ; pourtant, le ton et la
structure sont variés, de la brève anecdote gaillarde à
la vaste fresque de mœurs, du petit roman pastoral à
la moralité mondaine, du récit réaliste au conte de
pure fiction, et les effets dramatiques ou comiques
sont habilement diversifiés.

Mais on devine que l'essentiel pour la reine de
Navarre est ailleurs et que, par-delà les joyeux ou
pitoyables devis, il s'agit pour elle de « donner un
style à l'amour » (Huizinga), de corriger les erre-
ments de la passion grâce aux conversations des
protagonistes. Son manuel de civilité peut bien être
largement illustré, entrecoupé de nombreuses digres-

sions : le fond même du propos n'est pas tant l'histoire que le jugement porté sur elle, les controverses morales qu'elle provoque. Aussi serait-ce une grave erreur que de lire les contes sans les « devis » qui les encadrent, car, plus qu'une œuvre de conteur, l'*Heptaméron* est une œuvre de moraliste. Dans sa peinture, Marguerite s'intéresse autant à la vie mondaine qu'à la vie intérieure, dont elle proclame la nécessité ; étudiant les problèmes du couple, elle expose une morale du devoir et de la charité, avec autant d'indulgence que de conviction.

La théorie du pur amour a, dans le livre, outre Parlamente, un défenseur passionné : Dagoucin, le sentimental dogmatique, l'idéaliste impénitent, amant de l'amour plus que de la femme, qui véhicule les grandes idées du platonisme chrétien. Pour lui, il convient de traverser le royaume de la « Vénus populaire », pour chercher à conquérir les dons de la Vénus céleste grâce à la « parfaite et honnête amitié ». L'amour devient « le ressort moral par excellence, le fondement des belles actions, la source des hautes pensées » (Lefranc) : en lui se résume toute forme de vie évoluée, en lui est la fin de toute destinée humaine bien comprise. Ainsi, devenu principe spirituel d'ordre général, il porte en soi sa justification et sa plénitude ; comme les libertins spirituels prônant la doctrine de l'amour seul, Marguerite affirme que rien ne saurait s'opposer à un amour bien compris et bien vécu : « La gloire de bien aimer ne connaît nulle honte ».

« Regardons de là où nous sommes venus : en partant d'une très grande folie, nous sommes tombés en la Philosophie et Théologie » : la réflexion d'un devisant souligne parfaitement la démarche de l'*Heptaméron* et peut-être de Marguerite elle-même. A cette femme mal aimée et pleine de tendresse déçue, il fallait d'abord, puisqu'elle était de son temps, le dérivatif de la grivoiserie et des folies de la chair alertement contées ; à ce cœur avide de dépassement,

de réconfort et de sérénité, il fallait dégager lentement de sa gangue trop humaine l'image d'un amour
enfin dépouillé de toute contingence et de toute
imperfection.

Tout à la fin de son existence, Marguerite connut
encore les épreuves. Le coup le plus rude fut la
nouvelle de la mort du frère bien-aimé. Marguerite,
en proie à la mélancolie et abattue par les revers, se
retira dans les Pyrénées pour n'en plus guère sortir.
Elle mourut à Odos, le 21 décembre 1549. Jusqu'au
bout, la poésie resta pour elle un refuge et un mode
de réflexion : outre ses dernières comédies, le *Miroir
de Jésus-Christ crucifié* et diverses pièces assez
brèves, elle composa encore deux grands poèmes,
inédits jusqu'au XXe siècle, qui marquent autant la
permanence des thèmes auxquels s'attacha sa pensée
que leur aboutissement.

La Navire (titre donné *a posteriori*) pourrait s'inti-
tuler « *Consolation de François Ier à sa sœur* » : écrite
peu après la mort du roi, l'œuvre trahit l'accablement
et le bouleversement de l'âme endeuillée. C'est une
longue plainte lyrique, une complainte où se ramas-
sent tous les souvenirs maintenant douloureux,
toutes les appréhensions sur l'avenir, jusqu'au
moment où l'esprit du défunt fait entendre des
paroles de consolation en appelant sa sœur à la mort
qui couronnera la longue route. Mais l'atmosphère
reste sombre, lourde, presque pessimiste : on devine
que la reine se laisse aller ici à la mélancolique
lamentation : « De l'ancolie autant j'aime les fleurs.
Que de la rose... »

Les Prisons constituent la somme de la pensée de
Marguerite : « confession spirituelle » et « autobiographie intellectuelle » à la fois. Ce très long poème,
où l'on relève l'influence de Boèce, est divisé en trois
livres. Dans le premier, l'Ami s'avoue heureux de la
prison où l'amour le tient ; mais, convaincu de la
fausseté de sa dame, désabusé, il se révolte contre
l'amour et s'en libère. Il découvre alors (Livre II) le

monde, et ses séductions, il succombe à l'ambition, aux tromperies du milieu courtisan, jusqu'au jour où un bon vieillard vient l'admonester en lui montrant que trois tyrans se sont emparés de lui : Plaisir, Honneur et Richesse, et qu'aucun ne peut lui apporter de satisfaction durable. Le vieillard, qui se nomme « Amateur de Science », l'arrache à cette deuxième prison en lui apprenant à mépriser le monde. Le narrateur entre donc dans la prison de Science (Livre III), qu'il édifie lui-même en pierres qui ont nom Philosophie, Médecine, Théologie, etc. Séduit par « Faux Cuider », il s'enorgueillit de cette somme de savoir. C'est à ce moment que Dieu se révèle à lui et le révèle à lui-même. Dieu est celui qui est, l'homme celui qui n'est pas : Marguerite s'extasie longtemps sur ce « Je suis » de l'Esprit Divin ; Dieu est Tout, l'homme Rien, cette antithèse est développée avec insistance. Ainsi l'homme prend conscience de ce qui, jusqu'alors, lui était caché et il découvre cette science suprême qui ne peut s'acquérir, mais qui résulte d'un don gratuit du « Loin Près ». Le voici enfin dans la vraie liberté de celui qui accepte de n'être Rien et désire s'unir à Tout, s'abandonnant joyeusement à la volonté divine :

O petit grand ! ô Rien en Tout fondu !
O Tout gagné par Rien en toi perdu !

Les Prisons s'achèvent sur cette fusion mystique de l'âme en Dieu et sur un cri de confiance et d'espoir. La réalisation du poème n'est pas à la hauteur de cette théodicée ; Marguerite l'a conçu comme l'une de ces œuvres médiévales au dessein encyclopédique. Mais elle en dit trop, et le déroulement litanique du vers, les longueurs, les répétitions, même s'ils ont un rôle esthétique ajouté à leur fonction pathétique et morale, risquent de lasser. A plusieurs reprises cependant, la forme et la frappe du vers ont un attrait qui manquait aux premiers poèmes et qui souligne la fermeté et la hauteur de la pensée. Ce qu'elle a découvert, Marguerite veut le faire découvrir, dans un grand élan de charité et de passion, à ceux qu'elle aime.

L'œuvre littéraire de Marguerite de Navarre est le prolongement fidèle des pensées, la traduction sincère des convictions intimes. Ce serait une erreur et une injustice que d'en considérer le seul aspect artistique, qui atteint rarement aux sommets. Les raisons en sont multiples : le goût abusif de l'allégorie et de procédés chers aux rhétoriqueurs, le côté démonstratif et raisonneur de son esprit, l'intarissable prolixité. Marguerite n'écrit jamais pour faire œuvre littéraire, elle est, Dieu merci, très peu « femme de lettres ».

On n'a pas manqué de lui reprocher ses gaucheries et ses lourdeurs ; Lucien Febvre parle même d' « écrits de nonnain ». Mais on peut aussi être sensible au ton de Marguerite, si personnel, si ardent, si pressant qu'il en fait oublier tout le reste.

Marguerite nous intéresse moins par ses qualités d'écrivain que par sa pensée et par son rayonnement. Dans son caractère très complexe de femme perpétuellement inquiète, livrée à une interminable crise de conscience, vibrant de toute son hypersensibilité et en proie à de graves contradictions, se reflète l'esprit de l'époque entière. C'est une valeur exemplaire que prennent la devise choisie à Nérac : *Ubi spiritus, ibi libertas,* et l'emblème des dernières années, la fleur du souci. La reine de Navarre entendit toute sa vie l'appel de l'idéal spirituel et fut habitée par le souci de la perfection. Rien ne pouvait entamer une sincérité qui se manifeste jusque dans les maladresses et les indécisions ; rien ne pouvait la détourner d'elle-même et du but qu'elle avait assigné à sa vie. Si la poésie philosophique et religieuse en France date de Marguerite, si elle est le premier poète mystique de nos lettres, nous lui devons quelque chose de plus précieux et de plus grand encore : l'attention scrupuleuse, droite et sans complaisance aux mouvements de la conscience, l'apparition du moi dans le domaine littéraire.

Chapitre VI

CLÉMENT MAROT

O N croit connaître Marot pour avoir trouvé en
lui les traits du passionné et de l'émotif
« primaire », primesautier, enthousiaste et
irréfléchi, pour l'avoir salué comme un amuseur
plaisant, futile et changeant selon son humeur, pour
avoir enfin décelé dans son œuvre une rare limpidité
et une simplicité naïve. Les apparences sont trom-
peuses : l'homme fut secret et l'œuvre a son mystère.
Personnalité souvent déconcertante, parfois fuyante,
en tout cas complexe, Marot ne se livre pas au
premier regard. Il a dissimulé presque tout ce qui
touche profondément à lui-même. Il semble avoir
mené une vie d'abandon et de quiétude joyeuse, mais
son insouciante bonhomie et sa candeur ont pu
voiler, en plus d'une occasion, des tourments et des
inquiétudes qui percent çà et là, presque malgré lui.
Pris entre sa fidélité au passé et son attrait pour la
nouveauté, il a su trouver un compromis, sans éviter
les contradictions et les échappatoires.

Clément est né à Cahors d'un père normand et
d'une mère quercynoise. Il est resté quelque chose de
méridional en lui : sa verve et sa ronde jovialité, son
inconséquence nonchalante et son imprudence, le
verbe haut et coloré. L'atavisme normand explique
peut-être la conscience de l'écrivain, attaché à faire

facilement des vers difficiles, l'amour de la jonglerie intellectuelle, la malice et la fine ironie. Jean Marot a enseigné à son fils l' « art de rimoyer » : certes, il y a loin de la sève un peu épaisse, mais solide et franche, du « bon Janot », à la souveraine légèreté, à l'aisance aérienne et détachée du fils ; néanmoins, il est resté quelque chose de l'un en l'autre, ne serait-ce que la science du vers, le goût du terme inattendu et imagé, la technique de l'amplification poétique.

De bonne heure, Clément s'était donc familiarisé avec la poésie : écueil redoutable que cette orientation précoce vers un art dépassé, fait de difficiles recettes et de recherche gratuite. Par chance, l'éducation fit moins que « la nature aux Muses inclinée », et l'apprenti commença par les chants rustiques, laissant ainsi deviner un esprit indépendant et un talent original. Des écoles il n'avait pas gardé un très bon souvenir : les régents n'étaient que de « grands bêtes », les livres ne l'attiraient guère et il partageait avec les Enfants sans souci une conception fort détachée des études de droit. Car il tâta de la Basoche quelques années après son arrivée à Paris (1505 ou 6). Mais, voyant les dispositions de son fils pour la poésie, Jean Marot essaya de le placer en lui assurant une carrière analogue à la sienne. Voilà donc Clément admis comme page chez Nicolas de Neufville (1514). Au début de 1519, il est présenté au roi, dont son père est valet de chambre. François Ier donne le jeune « Dépourvu » à sa sœur Marguerite, qui en fait son secrétaire. D'emblée, Marot est sous le charme étrange de ce « monstre » à « corps féminin, cœur d'homme et tête d'ange ». C'est le début d'une longue période de faveur à la cour.

Dès 1512 ou 13, Marot s'était lancé dans des traductions de Virgile et de Lucien. Surtout, il donnait déjà la mesure de son futur talent dans une héroïde, l'*Epître de Maguelonne* et dans un poème où l'élégante ingéniosité de la pensée se double d'une virtuosité prometteuse. Dans *Le Temple de Cupido ou la Quête de Ferme Amour,* le poète souhaite montrer la difficulté de trouver les joies que procure l'amour véritable. L'amant parvenu au « temple cupidique » en décrit minutieusement les beautés dans une longue suite d'allégories plaisantes et raffinées, parfois même gentiment ironiques. Mais ce temple est un lieu équivoque, enfer et paradis, puisqu'on y trouve plaisir et peine mêlés ; Ferme Amour ne se livre pas d'emblée. L'amant rencontrera enfin sa belle déesse dans le chœur du temple. On devine Clément sous les traits de ce jeune amoureux qui se complaît aux évocations voluptueuses et tendres, qui s'émerveille devant toute beauté. *Le Roman de la Rose,* le *Joli Buisson de Jonece* de Froissart et le *Temple de Vénus* de Lemaire ont fourni le cadre, l'esprit et plus d'un détail du tableau ; la conduite de l'ensemble sent encore un peu l'exercice d'école, mais le goût est loin d'être détestable. Et l'atmosphère langoureuse, sensuelle, reflète déjà tout l'esprit de la Renaissance épanouie. Quant à *Maguelonne,* elle n'échappe pas à la convention d'un genre à la mode et il est vain d'en relever les invraisemblances. Avec Marot, l'élégie devient chant d'amour, la lettre fictive traduit les mouvements du cœur. L'intérêt principal du poème est ailleurs : la franche spontanéité des images, le naturel des idées, le tour gracieux et familier de la phrase portent la vraie marque marotique dans cette belle peinture de la passion tourmentée, pleine d'une tendresse diffuse. Les autres poésies de jeunesse sont moins ambitieuses et plus inégales : la rhétorique y est parfois voyante. Mais somme toute, Marot n'a pas trop mal employé sa jeunesse ; s'il n'a pas été un enfant prodige, il a très honorablement fait ses classes poétiques et a su profiter des enseignements de la rhétorique. Toutefois, c'est entre sa vingtième et sa trentième année que se place la véritable formation de son génial talent. Marot continue à lire les poètes de la génération précédente ; il donnera une édition du *Roman de la Rose* (1527), de Villon (1532) et des *Epîtres de l'Amant vert* de Lemaire (1537). Il doit à ses devanciers la conscience méticuleuse du bon facteur, la science du mètre et de la rime, le goût de l'ornement et la technique de la composition. Excellentes leçons sans doute, mais encore insuffisantes pour assurer une place hors pair. Heureusement une autre « maîtresse d'école » vient compléter ce fonds : la Cour. Une cour vagabonde, ouverte à toute nouveauté comme Marot lui-même ; une cour magnifiquement animée par le frère et la sœur, l'un arbitre des élégances et esthète avisé, l'autre contemplatrice des âmes et avide de recherche spirituelle : Marot les a servis tous deux. Il traitera toujours le roi avec la naïve familiarité des poètes, sans jamais se départir du respect sacré dû au monarque. Il y a plus d'intimité et d'entente, malgré les différences, entre le poète et la princesse à laquelle il voue un culte déférent. Jusqu'aux *Psaumes,* il restera fidèle aux leçons de Marguerite, qui a su jeter sur cette âme insouciante le voile de l'inquiétude et dans cette cervelle légère le plomb de la réflexion. Il est encore redevable à Marguerite de son initiation à l'humanisme. Sans doute, il en restera aux rudiments, il ne sera jamais un docte ; du moins a-t-il acquis une curiosité et une ouverture d'esprit aux tentatives de renouveau qui le conduiront à s'intéresser sincèrement aux grands thèmes humanistes.

Ce contact direct avec la cour se reflète fidèlement dans l'œuvre de Marot poète officiel du royaume : les grands événements de la vie publique y sont salués en vers familiers ou solennels animés parfois du souffle épique de l'Histoire.

A côté de cette production, Marot brosse aussi la petite histoire du règne dans certaines de ses épigrammes : y voisinent pêle-mêle compliments galants, relations de menus faits, réactions à l'actualité. Ailleurs, le poète déplore la mort de grands ou d'amis (*Cimetière*); en de plus rares occasions il développe une longue *Complainte* (pour Louise de Savoie ou Florimond Robertet). Enfin, il complimente les puissants du jour, Montmorency, Tournon ou Lorraine. Tout cela ne constitue pas la meilleure partie de l'œuvre : que d'esprit, que de talent dépensé pour des bagatelles ou des créations d'artifice ! Retenons tout de même cette attention très grande portée aux détails du quotidien, que double la volonté de les dégager d'un contexte matériel pour les sublimer dans la poésie. Et surtout, Marot a été un homme de la Renaissance, qu'il ne manque pas de célébrer en chaque occasion ; il sait la vivre, il sait qu'il assiste à ce grand mouvement des esprits, à la lutte « contre Ignorance et sa troupe insensée. »

Son admiration va à ce roi

> Sous et par qui ont été éclaircis
> Tous les beaux arts par avant obscurcis.

Au fond, malgré les déboires qu'il put y connaître, Marot fut toujours heureux de vivre à la cour, de la retrouver et de s'y retremper pour rafraîchir son inspiration. Comment ce poète bien en cour en vint-il à mener une existence de suspect, de prisonnier, de fuyard et de banni ? A partir de 1526, la vie de Marot, malgré quelques moments de répit ou de crédit retrouvé, se ramène en fait à l'histoire de ses démêlés avec les représentants de la stricte orthodoxie, dont la terrible Sorbonne. En février 1526, Marot est jeté en prison pour avoir mangé du lard en carême : c'est en quelque sorte un aveu de luthéranisme. La Sorbonne et le Parlement, profitant de la captivité du roi pour arrêter la diffusion de l'hérésie, ne s'y sont pas trompés. Marot est alors attiré par les idées nouvelles et les gens qu'il fréquente témoignent de ses compromissions. Grâce à l'intervention d'amis fidèles, il ne passe qu'un mois et demi en prison. Il aura eu le temps d'y écrire quelques épîtres de requête et d'y méditer sa grande satire, l'*Enfer*. Dans cet opuscule allégorique, il étale toutes les ressources de sa malignité ingénieuse et de son ardeur vengeresse ; le sinistre Châtelet devient l'enfer, les procès prennent la forme de serpents et le juge Rhadamantus représente le lieutenant criminel. Marot ajoute à cette description allégorique de la meilleure venue une série de réflexions morales sur la justice et la liberté individuelle ainsi que de nombreux traits vigoureux et vibrants.

Quelques mois plus tard, Marot se retrouve à nouveau sous les verrous : il a prêté main forte à un prisonnier qui essayait de se défaire des sergents. Episode bien connu grâce à l'admirable *Epître au Roi pour le délivrer de prison*, supplique qui portera ses fruits puisque le poète sera non seulement promptement élargi mais même nommé valet de chambre du roi.

En 1531, il est atteint de la peste et volé par son valet, occasion d'une épître fameuse elle aussi. L'an d'après, il est de nouveau inquiété pour avoir fait gras en carême ce qui ne l'empêche pas de donner au libraire son *Adolescence clémentine* et de connaître une période d'intense production. A la suite de l'affaire des Placards (1534), Marot prend peur et s'enfuit en hâte, d'abord auprès de Marguerite, puis outre-monts. Il sera condamné à mort par contumace pour hérésie. Par bonheur, il trouve à Ferrare Renée de France, épouse du triste Hercule d'Este et fervente adepte des idées réformées. Elle prend le fugitif à son service et, pendant plus d'une année, Marot sera heureux dans ce havre. Mais il garde la nostalgie de la France et ne peut se résigner à son exil : il écrit plusieurs épîtres afin d'obtenir sa grâce ou la cassation de l'arrêt. A-t-il sincèrement reconnu son erreur et renoncé à elle ? Il semble du moins prêt à toutes les concessions en matière de foi et il se justifie avec un peu trop d'habileté, tout en persévérant dans ses attaques contre le Parlement et contre la Sorbonne. La grande profession d'orthodoxie qu'il place dans *l'Epître au Roi* témoigne ou d'une très rare habileté dans l'art du double jeu et de l'esquive, ou d'une noble vision du christianisme épuré et ramené à l'essentiel.

Marot a dû quitter Ferrare, où sa présence déplaisait au duc, et il passe quelques semaines à Venise, menant une vie assez difficile et continuant à réclamer son rappel, tout en décochant plus d'un trait satirique dans de sibyllins coq-à-l'âne. Enfin il apprend qu'il peut rentrer et il se met en route sans tarder pour Lyon, où il se pliera à la cérémonie d'abjuration avant de courir vers Paris retrouver la cour, ses amis et ses « petits Maroteaux ». La bonace est douce au cœur du vieux poète, qui reprend sa place, la première, dans la société des lettres de 1536 ; il pourfend l'outrecuidant Sagon, il donne quelques-unes de ses plus belles poésies, mais déjà le voici lancé dans une entreprise risquée, la translation des *Psaumes*. Poétiquement, c'est une réussite, autant par la variété métrique que par l'ampleur de la phrase ou l'art de l'adaptation. Mais les réformés les adoptent d'emblée pour leur culte, honneur bien redoutable, puisqu'en 1542, alors que de nouvelles poursuites sont engagées contre les hérétiques, Marot, se sentant menacé, doit reprendre le chemin de l'exil. Il gagne Genève où, bien vite, il se sent mal à l'aise : il repart vers la Savoie avant de passer les Alpes, et c'est à Turin qu'il meurt, solitaire, en 1544.

Il est difficile d'avoir une vue d'ensemble de l'œuvre de Marot, qui n'a pas fini de poser des problèmes de divers ordres : authenticité, classement, établissement du texte et, bien sûr, interprétation. Trois grands recueils paraissent du vivant de Marot : l'*Adolescence clémentine* de 1532 (réimprimée vingt-cinq fois en six ans), les *Œuvres* publiées par Dolet en 1538 et par Constantin en 1544. Les éditions posthumes et les manuscrits contiennent de nombreux inédits.

Une première remarque s'impose : dans cette production, il y a peu de poésies de dimensions importantes. Parmi les pièces les plus développées, l'*Enfer* n'atteint pas 500 vers, et la *Déploration de Fl. Robertet* en compte 560 ; la seule œuvre de longue haleine est la traduction des deux premiers livres des *Métamorphoses*. Marot est plus à l'aise dans la concision et l'alacrité des « petits » genres, dizain épigrammatique, rondeau ou quatrain d'étrenne, ou encore dans la poésie de dimension moyenne, épître ou élégie. Marot reprend et développe certaines formes poétiques précédemment apparues, telles que l'épître, le grand genre chez lui, l'églogue ou l'élégie. Il pratique avec bonheur l'épigramme et la chanson, strophiques ou non, librement développées au gré de la fantaisie créatrice. Restent les poèmes rangés sous le titre d'*Opuscules* : satire (*L'Enfer*), allégorie *(Le Temple de Cupido),* dialogue et poèmes religieux, d'attribution parfois discutable. Les *Psaumes* inaugurent en France le grand lyrisme religieux. Enfin, Marot a traduit Virgile, Martial, Lucien, Musée et Ovide, Erasme, Béroalde et Pétrarque, en des versions qui rivalisent souvent avec le modèle.

Cette œuvre, on sait quelle fut sa diffusion et son écho, après la brève éclipse de la fin du siècle. La manière marotique représente une référence et une source d'inspiration constantes, dans la résistance au style « noble », tendu, dépersonnalisé, auquel s'opposent la bonhomie amène et la vivacité étincelante du vieux poète gallique.

Si le meilleur du génie de Marot se reflète dans ses *Epîtres*, c'est qu'il y a déployé toutes les facettes de son talent, toutes les séductions d'une langue souple, colorée, et d'un style aux effets les plus variés. Marot n'a pas créé l'épître, mais il lui a donné la vie, en l'allégeant de toute érudition conventionnelle, en remplaçant l'artifice et la fiction par le naturel. Ces poésies sont bien le journal d'une vie, un entretien familier ou grave où se révèle l'homme tout entier. Les grandes épîtres du poète royal marquent l'un des sommets de cette production. Les textes les plus connus sont des requêtes, qui atteignent parfaitement leur but : piquer la curiosité, séduire, amuser et disposer favorablement le destinataire. L'épistolier flatte, mais n'est jamais dupe de ce qu'il écrit ; il « enfle son style » tout en avouant avec une fausse ingénuité cette même exagération. Il déploie se verve spirituelle qui détend et désarme, présentant sa demande sur le mode humoristique. Il lui arrive aussi de pincer une autre corde sensible, celle de l'émotion, en faisant appel à la compassion du destinataire, en dissimulant à peine ses infortunes sous un feint détachement. Il sait adapter son argumentation à la psychologie du personnage auquel il s'adresse. Dans les épîtres familières, Marot se montre cordial et charmant ; ailleurs il taquine gentiment. Les épîtres de l'exil sont plus sérieuses : on y lit les confidences du poète soupçonné ou condamné, ses tristesses, ses regrets et son espoir d'être bientôt réhabilité. C'est à ce moment qu'apparaissent des missives d'un genre spécial, les quatre coq-à-l'âne, qui accompagnent d'autres lettres au tour déjà satirique. L'essentiel de ce genre réside dans l'incohérence voulue des enchaînements, la disparate volontiers saugrenue et l'allure générale de non-sens. Le coq-à-l'âne donne un aperçu des préoccupations de Marot à un moment précis, traduites non sans quelque élaboration artistique, mais en préservant l'extrême liberté des mouvements de l'esprit. Les associations d'idées se créent par l'équivoque, par la rime, par l'antilogie ou par l'imbrication de formules populaires clichées. Quant aux sujets, on y trouve un peu de tout : satire religieuse, allusions aux événements contemporains, réflexions littéraires, propos grivois, facéties et calembours ; en bref, une petite chronique rimée, dont « la plus grande élégance est la plus grande absurdité » (Sébillet).

Les diverses suppliques que Marot adresse au roi, au dauphin, à Marguerite, pour obtenir son rappel sont d'une facture hors pair : sans doute les a-t-il soigneusement calculées pour que l'effet corresponde au souhait. A ces plaidoyers ardents et habiles succède l'entrain des épîtres du retour : « Jamais peut-être Marot n'a prodigué plus de verve ni plus d'esprit, ni plus d'observation malicieuse, ni une entente plus heureuse de la sonorité et du pittoresque des mots, de la cadence des vers » (Vianey). Ajoutons-y l'épître de *Frippelippes,* d'une élégance parfois discutable, mais si enlevée, si preste, si étincelante.

Marot n'écrira plus guère d'épîtres pendant la dernière partie de sa vie, à l'exception d'un petit art poétique adressé à Bellegarde ou de cette belle pièce exaltant Cérisoles, tout entière animée par un ardent souffle patriotique. Si les épîtres ne sont pas de simples poésies de circonstance, elles sont bien moulées sur la réalité même ; loin de « nous lasser par une profusion d'allusions obscures » (A.-M. Schmidt), elles nous permettent de suivre un poète tout au long de son existence, et de pénétrer, au moins partiellement, les mouvements de sa conscience, tout en admirant la rare perfection de ce style.

Depuis Boileau, la manière marotique est caractérisée par l'élégant badinage. Apparemment, ce n'est qu'une démarche nonchalante, l'art de dire des futilités ; mais que de nuances et sans doute aussi que d'arrière-plans ! Notons tout d'abord la persistance de l'esprit gaulois et du rire jovial ; il s'exerce, dans les épigrammes et certaines épîtres aux dépens des victimes traditionnelles, femmes, maris trompés et moines.

Marot est encore plus à l'aise dans la plaisanterie « de salon », le trait qui fuse, calembour ou jeu de mots d'une ingéniosité brillante. Il lui arrive aussi de

faire preuve d'ironie ou d'antiphrase, débitant les
invraisemblances les plus saugrenues sur un ton
sérieux, donnant les truismes pour profondes vérités,
les tautologies pour raisonnements rigoureux. Marot
mérite d'être appelé l'un des premiers grands humo-
ristes de la littérature française : il est l'homme du
clin d'œil, du détachement feint, de la fausse discrétion, il a l'art de la suggestion par petites touches,
sans « l'air d'y toucher ». Il incarne la malice alerte,
primesautière, qui va de l' « hénaurme » à l'imper-
ceptible. Et que de nuances, de l'humour noir au
persiflage, de l'humour mélancolique au détachement de l'humour par jeu à l'humour par précaution !
Les frontières sont délicates à fixer ; du moins
trouvera-t-on presque à chaque page d'abondants
exemples de ce badinage, qui ne provoque pas
nécessairement le sourire, mais donne une impression d'aisance, en refusant toute insistance et toute
lourdeur. Jouant habilement de tous ces registres,
Marot a vraiment le génie de l'épigramme.

Ne le figeons pas cependant dans la pose de
commande de l'homme d'esprit brillant et superficiel : à tout instant dans son œuvre l'émotion, la
véhémence ou la mélancolie apparaissent. Marot se
révèle ainsi sous un jour réellement humain, autant à
l'égard d'autrui que de lui-même. Il s'élève avec
vigueur contre la guerre, ne craignant pas d'avouer sa
peur du risque et de la souffrance inutiles, brossant
un tableau apitoyé des méfaits guerriers, de l'inanité
des discordes et des luttes et exaltant, dans un élan
passionné, cette paix qu'il nomme « très sacrée fille
de Jésus-Christ ». Il donne une vision sensible et
vibrante des misères humaines, il dénonce avec
compassion l'inhumanité des tortures ; il évoque de
façon poignante les affamés, alors qu'il est lui-même
dans la misère à Venise :

> Les pauvres voudraient être chiens,
> J'entends à l'heure qu'on repaît.

Marot ne se départit jamais de son respect à l'égard du roi et de Marguerite, de Renée de France, « qui me reçoit quand on me chasse », ou de Villeroy ; il s'inquiète des maladies de François Ier et s'apitoie sur sa captivité, il se réjouit des naissances princières comme s'il était de la famille ; il s'enorgueillit de la gloire de ce règne. En revanche, il est infiniment plus discret sur sa propre famille : seul son père est évoqué avec attendrissement ; l'amour paternel n'apparaît que furtivement lorsque Marot songe à ses « petits Maroteaux ». Les amis occupent une large place dans l'œuvre ; Marot a toujours été très sensible à l'amitié, prêt à vibrer en recevant un témoignage d'affection vraie et désintéressée. Enfin, le poète jette souvent sur lui-même un regard plein d'émotion. Les évocations du passé sont empreintes d'une mélancolique nostalgie, que la détente apparente du vers dissimule mal, de l'amer constat de l'homme vieilli avant l'âge :

> [...] car l'hiver qui s'apprête
> A commencé à neiger sur ma tête.

La vie affective de Marot se ramène à très peu d'éléments certains et ne saurait être reconstituée qu'avec prudence. Faut-il rappeler que nous ignorons jusqu'au nom de la femme qu'il épousa avant 1529 ? En dehors de ses protectrices et des dames de la cour, il a chanté, d'une note plutôt aigre, une Isabeau qu'il semble avoir aimée sincèrement avant de lui être violemment hostile car, si nous l'en croyons, c'est elle qui le dénonça en 1526. Quelques poésies sont adressées à d'autres femmes : vers de commande, galanteries sans conséquence ou reflets d'une véritable passion ? De cette foule de créatures féminines émergent un visage et un prénom : celui d'Anne, la très chère sœur, la sœur par alliance. Nous serions volontiers tentées de rapporter à cette femme la plus

grande partie des vers d'amour écrits par Marot ;
l'ensemble constitue un canzoniere vibrant et passionné, d'une importance poétique et humaine indiscutable.

Les amours de Marot et d'Anne suivent les alternances traditionnelles de peines et de plaisirs,
d'espérance et de découragement, au long de leur
déroulement figuré ou réel. Amour imparfait sans
doute (rien n'autorise à parler de liaison) et qui s'est
nourri pour une bonne part de compensations : les
rêveries complaisamment entretenues délivrent le
poète d'un désir de possession insatisfait. Mais aussi
que de tendre respect dans cet amour impossible, fait
de douce complicité, d'entente cordiale ! Et l'œuvre
poétique sera un effort d'idéalisation et de fixation,
une revanche sur le destin : la poésie fera ce que la
vie n'a pu faire. Marot chante d'abord son *innamora-
mento* en rondeaux pétrarquisants et dans quelques
épigrammes où il se déclare, tout en avouant l'audace
de sa pensée. Comparant sa condition à celle de sa
dame, il ressent et appréhende l'impossibilité d'une
satisfaction durable. Son amour sera loyal et soumis,
heureux de sa souffrance même : les chansons le
répètent sur un ton tantôt lumineux et serein, tantôt
langoureux et mélancolique. De longs mois durant,
Anne se dérobe, et le poète revient avec insistance
sur ses souhaits et sur sa loyauté mal récompensée.
Mais dès qu'Anne a échangé avec lui le premier
baiser, l'exaltation, le ravissement l'emportent : l'alliance conclue avec celle qu'il nomme sa « Pensée »
l'a réconforté. Mais la joie rayonnante qui éclate
alors n'annihile pas tout autre mouvement du cœur et
de l'âme : Marot s'engage, non sans un certain
trouble, sur la pente dangereuse de la taquinerie
familière et du badinage volontiers égrillard ; ses
rêveries, qui au réveil se révèlent mensongères,
avivent son insatisfaction et son désir : aussi va-t-il se
faire plus pressant. En vain, semble-t-il ; de plus, en
mai 1527, Anne quitte la cour ; l'amant se lamente,

en se souvenant trop souvent des clichés pétrarquistes. Au retour d'Anne commence la grande période de cet amour longtemps tourmenté. Jusqu'en 1534, le poète, délivré de graves soucis, peut consacrer à sa dame ses loisirs et son talent. Il lui adresse de nombreux billets galants, dans le ton musard et léger qu'il pratique avec aisance, et il ne manque pas une occasion de rappeler ce qu'il attend encore. Hardiesse malicieuse et révolte plaintive, tendre délicatesse et mignarde plaisanterie emplissent ces mois d'entente et de détente. L'exil viendra mettre un terme à cette liaison : Marot a eu vent des calomnies et des efforts faits par la famille d'Anne pour la détacher de lui. Lorsqu'il aura regagné la France, il ressentira bien une dernière flambée d'amour, mais furtive et comme résignée devant l'inévitable. La séparation, semble imposée par la famille de la jeune fille. Marot, avec une dignité pleine de retenue et de noblesse d'âme, mais empreinte d'une ineffable tristesse, prend congé de celle qu'il a approchée au long de ces dix années. Même s'il renonce à la voir, il sait que leur amour s'est transporté et établi à un niveau où rien ne pourra attenter à sa nouvelle plénitude : il lui adresse cet admirable et poignant finale qu'est l'épigramme 151.

Qu'ajouter à l'histoire de cet amour qui, à notre avis, domine toute l'œuvre marotique ? Cette poésie est faite d'un lyrisme franc, direct et sobre, accompagné d'une expression mesurée, juste et spontanée. Marot sait exprimer à la perfection une gamme très variée de sentiments. Si les billets galants sont souvent dans la tradition pétrarquisante, si parfois un maniérisme naissant masque le frémissement de la vie, il dépasse de beaucoup le niveau de la pure imitation. Nous rencontrons un poète profondément humain, nous sentons vibrer encore un homme tour à tour avide et apaisé, confiant et tourmenté, leste et profond, serein et tragique ; bref, un grand poète de l'amour.

Marot est aussi l'un des premiers à avoir réfléchi sur

la mission du poète et sur la notion de gloire ; il exprime nettement le désir de montrer que le poète est l'un des rares hommes à pouvoir défier le temps et qu'il est l'auxiliaire indispensable des princes, des héros et des amants. Au *faire* il ajoute le *dire* : il proclame les actions d'éclat ou les nobles sentiments qui, sans lui, seraient comme non advenus ou non éprouvés. Ainsi, Marot peut placer sur un pied d'égalité le prince et le poète : celui-ci dans l'exercice de sa fonction n'a pas de supérieur, tout au plus des égaux, et il dispose même d'un pouvoir souverain, puisqu'il confère l'immortalité. En 1538, dédiant à son premier protecteur *Le Temple de Cupido,* il écrit sans forfanterie, tout naturellement :

> Soit donc consacré ce petit livre à ta prudence, noble seigneur de Neufville, afin qu'en récompense de certain temps que Marot a vécu avec toi en cette vie, tu vives là-bas après la mort avec lui tant que ses œuvres dureront.

Phrase très significative : on sent un Marot confiant dans le jugement des siècles et certain d'être parvenu à la renommée impérissable. A ce moment, qui est celui de sa pleine maturité, il peut même affirmer hautement :

> J'ai entrepris, pour faire récompense,
> Un œuvre exquis, si ma Muse s'enflamme,
> Qui malgré temps, malgré fer, malgré flamme,
> Et malgré mort fera vivre sans fin
> Le Roi François et son noble Dauphin.

On n'est pas plus net : le roi lui-même ne vivra dans la mémoire des hommes que grâce à son poète. Et le poète s'élève au-dessus de l'humaine condition, il touche au divin. C'est ce que proclame la devise de Marot : « La Mort n'y mord ». Cette certitude lui permet de mépriser la fortune passagère, belle revanche sur le sort :

> Riche ne suis, certes je le confesse, [...]
> Mais je suis lu du peuple et gentillesse [noblesse]
> Par tout le monde et dit on : « C'est Clément » ;
> Maints vivront peu, moi éternellement.

Ici se marque la fière assurance de celui qui se sent dépositaire d'un talent hors du commun. Aussi peut-il offrir à la femme qu'il aime les vers qu'elle lui a inspirés en cadeau plus que royal :

> Et mon renom en autant de provinces
> Est dépendu comme celui des princes. [...]
> S'ils sont puissants, j'ai la puissance telle
> Que faire puis ma maîtresse immortelle.

Noble conscience de son génie qui sera la revanche de l'homme malheureux sur le destin injuste, la consolation qu'il propose à sa dame. Mélancoliquement certes, mais aussi très fièrement, il adresse à Anne ces vers d'adieu qui sont parmi les plus beaux, les plus poignants dans leur réserve délicate et leur tristesse voilée :

> Pardonne donc à mes vers le tourment
> Qu'ils t'ont donné, et ainsi que je pense,
> Ils te feront vivre éternellement :
> Demandes-tu plus belle récompense ?

La poésie est le seul gagne-pain de Marot et de ses confrères : il ne faut donc pas s'étonner de le voir soucieux du « profit joint à l'honneur ». Mais il ne s'attarde guère à cet aspect, préférant insister sur l'état ou le don du poète, retrouvant la vision antique du poète élu d'Apollon, inspiré d'une fureur surnaturelle.

Quant à la doctrine littéraire du poète gallique,

rien de moins systématique et pourtant que de vues justes et neuves ! Il insiste plusieurs fois sur la nécessité du travail de l'expression, humble métier du versificateur attentif au détail : il convient de « raboter » les vers pour en ôter les « gros nœuds », de « limer mesures et césures ». Mais Marot connaît bien le dicton « sans rime ni raison » et il s'efforce constamment de faire la part égale, en montrant qu'il faut aller au-delà de la pure recherche expressive pour traduire des sentiments vrais. Il revendique donc la simplicité, le style « coule-doux », en condamnant l'obscurité et les latinismes inutiles autant que prétentieux. Marot dénonce sans équivoque les mauvais poètes, se moquant gentiment mais fermement de leur éloquence pompeuse, de leurs « grandes levées de Rhétorique », et de la faiblesse de leur invention. Pour lui, il place au premier rang l'originalité du thème, ou sa noblesse, nécessairement accompagnée d'une recherche de la perfection formelle.

Malgré une diversité parfois fort marquée dans le détail, le style de Marot présente au moins une grande constante, qui est son aisance. Chez lui la poésie coule de source, le vers possède une souplesse difficile à égaler. Restant toujours, sauf pour quelques épigrammes, dans les limites du goût le plus délicat, il ne donne jamais l'impression d'une recherche, d'une tension créatrice, d'un calcul prosodique. Ce n'est pas qu'il soit sans affectation ou sans raffinement : mais toute subtilité de l'image, tout calcul de l'expression se dissimulent ou se voilent si habilement que l'impression de fraîcheur directe n'est ni amoindrie ni atteinte. Sa manière est un compromis très adroit entre l'effort de construction artistique et la saine simplicité de la conversation spontanée.

La versification marotique est sans nul doute la plus parfaite du temps. Marot a employé presque tous les mètres, mais il a marqué une nette prédilection pour deux d'entre eux, l'octosyllabe, vers malicieux et léger, d'une grande liberté rythmique, et le décasyllabe à la carrure plus rigoureuse, vers héroïque ou familier qui se prête à merveille aux emplois les plus divers. Et lorsqu'il lui arrive d'écrire en petits vers, il le fait avec une maestria funambulesque étincelante ; en revanche, il semble moins à l'aise dans l'alexandrin, plus rarement utilisé et qui convenait moins bien à son talent. Il se divertit aux enjambements cocasses ou narquois, souvent très expressifs et audacieux. Quant à la rime, il s'y révèle souverain et nonchalant, trouvant des accords rares et pleins ou se permettant les pires facilités ; il a pratiqué pour se jouer toutes les singularités de la rhétorique. Et il aime particulièrement les jeux de sonorités, allitérations ou apophonies, et les jeux de reprises, anaphores, répétitions, refrains. Sébillet n'avait pas tort de choisir presque tous ses exemples dans l'œuvre de Marot : elle est une admirable démonstration de l'art de faire des vers. Ainsi, la conscience artistique et l'artifice sont constamment soumis à la grande règle du naturel ; si les premiers essais de Marot sentent encore la rhétorique, ils ont été pour la maturation de son art une étape nécessaire et utile et lui ont permis de trouver rapidement cet équilibre si savant et si simple qui fait de lui un maître insurpassé.

Marot n'offre sans doute pas à son lecteur une pensée très riche et très approfondie, ni d'ambitieux systèmes ; il se contente de porter son témoignage d'homme, avec ses enthousiasmes et ses repentirs, ses engagements, ses contradictions et ses hésitations ; mais il le fait avec tant de bonne grâce et d'honnête simplicité qu'on ne peut manquer d'en subir le charme et même d'en tirer plus d'une leçon. C'est ce qu'il proposait déjà aux lecteurs de son *Adolescence* : « Lisez hardiment : vous y trouverez quelque délectation et en certains endroits quelque peu de fruit ».

Chapitre VII

MAURICE SCÈVE

L A vie de Maurice Scève est mal connue dans le détail. Il semble avoir constamment fui la foule, l'ambition ou la soif de gloire, pour être pleinement à lui-même et mener « une vie recluse en poésie » ou, selon ses propres termes, une « vie contemplative ». Il est quasiment muet sur sa personne et sur son existence ; il n'a jamais signé ses ouvrages, y glissant tout au plus ses initiales, se contentant de devises sybillines : *Souffrir se ouffrir, Souffrir non souffrir, Non sinon là.* Nous imaginons un homme épris de liberté et de solitude, un écrivain scrupuleux et confiant dans sa destinée poétique, plein de l'orgueil ombrageux de certains aristocrates de l'esprit.

Né avec le siècle en 1500 ou 1501, Scève était dès 1515 titulaire d'un prieuré et donc clerc. En 1533, un fait divers porta au monde savant le nom de ce parfait inconnu : la découverte de la tombe avignonnaise de la Laure chantée par Pétrarque. A ce moment, Scève rêvait peut-être d'imiter Pétrarque, se sentant comme « prédestiné » par sa trouvaille. Mais, pour ses premiers essais poétiques, Scève marotise dans ses *Blasons*. En même temps, ou peu avant, il a adapté un roman de Juan de Flores, *La Deplourable Fin de Flamecte.* En 1536, il donne plusieurs pièces

sur la mort du dauphin François. C'est sans doute
vers cette époque qu'il s'éprend de Pernette Du
Guillet. Il a presque la quarantaine, elle vingt ans au
plus. Cet amour sera révélé par Pernette, fière d'un
tel amant dont la renommée lyonnaise fait oublier
l'apparence ingrate. Scève se montre beaucoup plus
discret : il ne la nommera jamais. Peut-être com-
mence-t-il, dès ce moment, à composer des vers qui
prendront place, huit ans plus tard, dans la *Délie.*
Pernette se marie : il ne reste plus à Scève qu'à se
réfugier dans la poésie et à y faire vivre son amour.
Délie paraît en 1544 ; l'année suivante, Pernette
meurt en pleine jeunesse. Mais, de 1543 à 1546, nulle
trace de Scève : s'est-il retiré à l'Ile Barbe ? Il en
aurait rapporté la belle églogue de *Saulsaye,* imprimée en 1547. Nous savons encore qu'en 1548 Scève
fut l'organisateur de l'entrée solennelle du roi Henri II à Lyon. On peut estimer qu'entre 1550 et 1560
environ il s'est adonné dans la retraite à la rédaction
de *Microcosme,* qui sera publié en 1562. Mais on ne
sait quand situer la mort du poète : à partir de 1559,
on perd toute trace de son existence.

Un roman sentimental inaugure la carrière de
Scève, un livre qui est à la fois une suite, une
« translation » et un exercice de plume. Il appartient
aux séquelles de la célèbre *Fiammetta* de Boccace,
dont une traduction avait paru à Lyon en 1532.

Mais la *Deplourable Fin de Flamecte* n'est pas un
ouvrage bien passionnant. Sa marche est lente, ses
débats interminables, son style diffus et prolixe. Il
n'ajoute à la belle élégie de Boccace que des développements, des gloses, des amplifications. Nous ne
trouvons guère à y racheter que certaines formules à
nouveau utilisées dans *Délie.*

A côté du prosateur alambiqué se révèle un poète
blasonneur et bucolique. Scève avait signé de son
nom cinq blasons qui parvinrent jusqu'à Ferrare ; on
les remarqua, sentant peut-être qu'ils différaient de

la veine ordinaire. Ils ne s'arrêtaient guère aux descriptions anatomiques, ils évitaient les thèmes scabreux ou la plaisanterie facile, ils dépassaient la sphère du charnel, du terrestre, pour aller vers des préoccupations morales. Scève y étalait une « préciosité sentimentale » (Baur) étonnante dans un tel contexte. Le vers était habile et naturel. C'étaient, somme toute, des œuvres de compromis, dont le caractère composite accentuait le charme un peu étrange : coulées dans un moule en tout point marotique, ornées d'images, d'associations d'idées ou de jeux de mots dérivés de l'ancienne esthétique des rhétoriqueurs, et révélant pourtant une attitude originale. La mort du dauphin François inspira à Scève une longue églogue marine, *Arion* : poésie de rhétoriqueur encore, tout entière construite sur l'allégorie, les lieux communs moraux, les exclamations sentencieuses. Avec quelque retenue toutefois, avec un louable souci de la fermeté du trait, avec même une certaine animation du mythe. Mais enfin rien encore qui prouve, qui annonce le grand poète.

C'est un tout autre écrivain qui se révèle en 1544 dans un recueil au dessein entièrement nouveau, *Délie, object de plus haulte vertu*, qui fait toute la gloire de Scève. Nouveauté du plan : pour la première fois, un ensemble de 449 dizains, séparés en groupes de 9 par des emblèmes gravés, à l'exception d'un prologue (5 dizains) et d'un épilogue (3 dizains). On a flairé la cabale : 441 dizains en 49 groupes de 9, c'est « évidemment » le carré de 3 multiplié par le carré de 7. Brunetière avait voulu expliquer cette combinaison, sans succès ; et pour A.-M. Schmidt, « Délie retrace les aventures initiatiques d'une âme incarnée, mais déjà épanouie dans la " rose trémière " des mystères du Quintefeuille (5), qui se dirige vers la réintégration finale (9) en gravissant tous les échelons de la " haute Science " (49) dans l'espoir de passer la porte de l'illumination suprême (50) pour participer substantiellement à l'œuvre d'une Déité éternellement active et créatrice (3) ». Décryptage peu convaincant. En revanche, il est vrai que le livre se présente aussi comme un recueil d'emblèmes ; et ce serait une grave erreur que de négliger les gravures avec leurs devises qui annoncent, en termes souvent très voisins, la chute du dizain qui les suit. D'autant que nous avons tout lieu de penser que Scève a trouvé ces emblèmes et leurs devises tout prêts et que toute son expérience s'est « cristallisée autour d'eux » (Saulnier).

Le titre a fait couler beaucoup d'encre, lui aussi : « Délie », est-ce par anagramme « L'Idée » ? C'est à la rigueur possible, mais cela ne mène pas très loin. Est-ce le « senhal » de Pernette ? Oui, sans doute, mais aussi un souvenir de la maîtresse de Tibulle, élégiaque cher à nos néo-latins. C'est surtout l'un des surnoms de Diane, la déesse froide, la vierge farouche, l'astre qui éclaire la nuit du poète, ce qui pourrait expliquer le rôle de la Lune dans la symbolique de l'œuvre. Il y a un peu de tout cela dans ce simple surnom qui symbolise une certaine forme de beauté et qui s'inscrit dans une lignée poétique. Mais il est évident que le recueil repose sur une expérience sentimentale et spirituelle qui a pour objet principal Pernette Du Guillet. L'amour a représenté une étape décisive et pathétique de la vie du poète. Ce fut sans nul doute un sentiment complexe que cet amour d'automne : le trouble, l'éblouissement d'abord, en face de la jeunesse, de la beauté, de la grâce. Délie est à la fois Soleil et Lune : elle représente la Lumière qui éclaire et qui réchauffe en même temps que le scintillement froid et lointain. Ce ne fut pas un amour chaste, car la continence fut acceptée et subie de mauvais gré par un homme dont les sens étaient irrités. Pourtant, en même temps, Délie devint un « objet de plus haute vertu », objet d'un amour à la fois idéal, idolâtre, paroxystique. Ainsi, *Délie* est le poème d'un amour tourmenté et complexe ; Scève passe par un désir platonique, puis éprouve l'ardeur des sens avant d'aborder la conquête difficile de l'apaisement, et la reconversion de la passion en désir d'absolu. Le poète insiste ici sur l'expérience immédiate de l'amour, sur l'étreinte souhaitée ; là, attiré par cette créature qui est en fait une déesse en qui Nature a rassemblé tous ses dons, il est contraint au dépassement, à la quête de l'idéal. Enfin, l'amour permet à Scève de prendre conscience de son être ; le poète connaîtra l'inquiétude salutaire et tendra à la possession du monde en même temps qu'à l'appréhension de ses mystères.

Tout n'est pas original dans *Délie,* qui ne manque ni de modèles ni de sources de détail et qui est embarrassée d'une érudition un peu indigeste. De plus, il ne faudrait pas méconnaître la permanence de l'esprit allégorique des rhétoriqueurs, qui commande cette recherche de la difficulté, ce symbolisme obscur, ce refus du « plain-style ». Ce qui, somme toute, est proche de l'esprit des emblèmes, où la nécessaire concision réclame une densité un peu sibylline. Il est difficile de déceler une structure précise et cohérente dans l'ensemble du canzoniere ; l'ordre des dizains paraît en plus d'un endroit quasiment indifférent. Il y a certes un ordre chronologique, non de composition, mais de recomposition esthétique de cette histoire d'amour ; encore *Délie* n'est-elle pas un journal intime. Nous y voyons bien davantage un thème central, repris en d'inlassables variations, sans qu'il y ait progrès. « Le temps s'écoule sans que la douleur cesse, sans que le tourment s'apaise. La poésie de l'amour solitaire est nécessairement monotone » (Tortel). Mais ce déroulement lent et sans dissonances n'est pas sans faille ni sans interruption : à preuve, les dizains de circonstance, qui s'intercalent au hasard. Le seul progrès du livre, plusieurs fois relancé, est le mouvement qui porte Scève de l'angoisse, de l'appréhension de la mort, du sentiment de sa néantisation à la contemplation d'une image divine.

Certains motifs acquièrent dans le livre une importance notable. L'abondante répétition des mots
« œil » ou « voir » est très frappante : *Délie* se
présente comme une investigation sans cesse recom-
mencée. Le mouvement de l'âme se greffe sur une
impression des sens. C'est d'abord le thème de la
surprise de l'amour par le regard. Les yeux, source
de lumière, astres étincelants, sont aussi l'instrument
d'une révélation brutale, immédiate. Ce thème se
prolonge dans celui du miroir : la beauté du visage
aimé se reflète et se réfléchit dans les yeux de
l'amant, la cohérence entre Elle et Lui n'est parfaite
que dans la superposition des deux images. Enfin,
Scève insiste sur le rôle des yeux qui guettent la
lumière, la lente montée du jour, l'approche lointaine de la bien-aimée. Regard scrutateur qui fouille
avec une intensité tendue et incessante, regard qui
est le seul lien sensoriel et déjà sensuel entre la
femme et l'amant.

La lumière est, selon H. Weber, le symbole central
du recueil. C'est grâce à elle que la beauté de la
Dame se reflète jusque dans l'âme aimante, c'est elle
que le nom même de Délie évoque constamment.
Les jeux répétés d'ombre et de lumière, chers aux
platoniciens, sont le symbole du combat de l'esprit et
de la matière ; la lumière extérieure opposée aux
ténèbres de l'âme souligne la nature contradictoire
de l'amour. Ce qui explique l'importance accordée à
l'aube, moment où Lune et Soleil sont sensibles, où
la lutte entre l'obscurité et la clarté est encore
indécise. L'aube correspond à un sursaut de la
conscience, et la Lumière peut être la Connaissance
même.

Mais la mort joue également un grand rôle dans la
pensée poétique scévienne ; mort angoissante, ou
mort incessante, celle qu'endure l'amant (« Les
morts qu'en moy tu renouvelles »), ou encore douce
mort, celle de l'abandon (« Comme corps mort
vaguant en haulte mer »). C'est surtout avec le thème

de la mort vivifiante ou de la mort vivante (et on notera à ce propos, dans l'héritage pétrarquiste, l'importance des couples antithétiques vie-mort, présence-absence, lumière-ténèbres, correspondant à l'expérience alternée du bonheur et de la souffrance), le thème de la mort nécessaire, celle qui est re-création : l'amant doit mourir sans cesse pour continuer à vivre, ce que marque le symbole du Phénix.

Et, parmi les thèmes mineurs, celui des fleuves, Saône et Rhône, comme il se doit, dont Scève contemple longuement l'union symbolique et pleine de présages. Le flux ininterrompu : est-ce le Temps, ou les larmes, ou la conscience ? Le Rhône majestueux et superbe, qui pourra s'enorgueillir d'avoir abrité sur ses bords Délie. Enfin, tous les tableaux familiers de la nature voisine : la pêche aux aloses, les joutes festives, les rives fleuries.

Au fil du canzoniere, l'image de Délie s'est enrichie jusqu'à la grande ambiguïté : femme et divinité, « de corps très belle et d'âme bellissime » ; image d'une plénitude absolue, sans tache, au rayonnement cosmique qui provoque à la fois la contemplation d'une Beauté incarnée et l'adoration d'une Beauté spiritualisée. En quelque sorte, Scève est un mystique de l'amour : il rapporte au plan profane ce que Marguerite de Navarre disait de l'amour divin, en utilisant les idées centrales du platonisme ficinien. A la fin du livre, Délie s'identifie à Diotime, révélatrice de tous les mystères d'amour. C'est dans cette montée vers la Beauté surnaturelle, aidée par l'attraction de l'Eternel Féminin, que se condense l'essentiel de la quête scévienne.

« Aussi se souciait bien peu le Seigneur Maurice que sa *Delie* fût vue ni maniée des veaux » (Tyard) : le dessein du livre était de nature si haute que la nécessaire difficulté de l'approche devait en écarter le vulgaire. Du même coup, on pouvait se croire autorisé à parler d'obscurité, d'ésotérisme, d'hermétisme. Obscurité dans le style, on l'a souvent noté, encombré de latinismes, d'abstractions, de périphrases, témoignant d'un goût marqué pour les termes rares. Scève se livre à une alchimie poétique, que Gide jugeait sévèrement : « Alambic imparfait qui ne livre quelques gouttes de pure essence qu'en laissant échapper beaucoup de vapeur et de fumée. » Il est juste cependant de remarquer que, dans les meilleurs dizains, la recherche formelle donne au vers scévien une frappe longtemps inégalée. Obscurité dans le dessein aussi : le livre tourne en rond, au moins dans sa partie centrale ; on ne peut « aboutir » dans sa lecture. La personnalité de l'auteur ne se livre pas ; la réalité intérieure évoquée étant unique est incommunicable. Tout reste au niveau de la suggestion. H. Staub a montré que nous ne pouvions avoir de clef cohérente et complète qui puisse expliquer ou justifier une intention ésotérique dans l'œuvre. Il n'y a pas de gnosticisme scévien, car le poète cherche la connaissance non dans l'abstraction de l'idée, mais dans le devenir de l'expérience terrestre ; il n'écrit pas pour démontrer une vérité, mais pour tenter de comprendre une réalité. Ainsi, nous ne pouvons retenir qu'une difficulté stylistique : un « langage impénétrable » au profane, une « véritable extase du langage » (Tortel) qui se complaît aux allusions érudites, à un maniérisme subtil, à la complexité des vocables, à une extrême tension verbale qui fait de Scève le poète de la densité. On pourra être gêné par ce recours nécessaire à la glose : le poème risque parfois de disparaître sous le poids du commentaire, qu'il faut dépasser pour retrouver le discours dans sa pleine pureté.

Car la forme, la technique poétique est belle, admirablement maîtrisée. Scève a repris à Marot pour le faire sien le dizain épigrammatique de décasyllabes, qui possède la qualité insulaire du carré bien clos, déjà un « microcosme » : à la scansion normale du vers (4 + 6), horizontale, s'ajoute, verti-

calement, le découpage de la strophe (4 + 6) par le
sens et la ponctuation, alors que le schéma des rimes
la coupe en 5 + 5 (ababb/ccdcd). Cette structure de
base, dont la répétition constante risquerait de lasser,
est très habilement variée par Scève tout au long du
recueil. Il se révèle l'un des grands maîtres du dizain,
qu'il construit presque toujours en deux parties,
sachant donner à ses clausules relief et concision. En
revanche, Scève est moins bon rythmicien et terne
dans sa rime. Dans la démarche même tout n'est pas
excellent : ici l'idée se perd, s'embarrasse dans
d'inutiles complications, qui n'ont même pas le
mérite de la perfection formelle ; ailleurs, une pensée
banale, conventionnelle, se dissimule sous les volutes
peu cohérentes de l'image. Œuvre inégale, *Délie* n'en
possède pas moins le privilège d'être le premier
recueil poétique articulé autour d'un thème central et
soutenu à la fois par une pensée platonisante et par
une riche expérience humaine, à travers une expression lyrique et dans un style serré. C'était bien un
chant inouï dans la France de 1544.

Quelques années plus tard paraît chez Jean de
Tournes *Saulsaye, églogue de la vie solitaire,* au titre
révélateur. Poésie à la fois « facile » et équilibrée
(730 vers en quatre parties, la première et la dernière
lyrique, la deuxième narrative et la troisième spéculative). L'essentiel de son thème (l'opposition entre
la vie rustique, solitaire et oisive, et la vie citadine
trop agitée) s'inspire de Sannazar, dont l'*Arcadie*
fournit le cadre bucolique et les *Salices* l'épisode
central, la fuite et la métamorphose des nymphes
poursuivies par des satyres et changées en saules,
d'où le titre. La dernière partie s'apparente aux
traités italiens ou espagnols, en particulier à Guevara. Le débat entre les deux bergers Antire et
Philerme sur les mérites respectifs de la vie active et
de la vie contemplative reprend un thème au goût du
jour. Le poème est un « manifeste » scévien, hymne

à la nature consolatrice, qui exalte l'isolement
(« Pensif, selon mon naïf vice, m'ébattais seul ») qui
permet de revivre les souvenirs amoureux et de
s'adonner à la rêverie, parfois teintée de mélancolie,
au sein d'une nature presque verlainienne :

> Le son de l'eau murmurant comme pluie,
> Qui lentement sur les arbres descend...

Inspiré par des paysages familiers, Scève donne à
cette vision sylvestre une précision et une transparence exceptionnelles ; il lui confère un charme
indéfinissable et mystérieux. Cette nature se trouve
très étroitement liée à son âme ; il vibre au spectacle
qui s'offre à lui et s'éprouve au cœur d'un réseau de
correspondances harmoniques. Scève peintre familier de la nature, amant lyrique de la solitude,
amoureux inquiet et tourmenté : on voit que *Saul-*
saye, malgré certaines analogies avec *Délie,* offre un
registre différent et, somme toute, complémentaire.

Enfin, après un long silence, après le temps perdu
dont il semble se plaindre, Scève achève l'œuvre qui
couronnera toute sa réflexion, *Microcosme.* Ce grand
poème scientifique et théologique, veut résumer
toute la science du temps et toute l'histoire épique
des premiers âges de l'humanité en une double
triade : trois livres de mille vers chacun, suivis d'une
conclusion de trois vers. Le premier chant retrace la
Genèse du monde jusqu'à la mort d'Abel, en ampli-
fiant de développements méditatifs les données bibliques. Scève insiste sur le thème adamique de la *felix*
culpa, qui vaudra à l'homme châtiment et triomphe ;
sur le microcosme humain, reflet de Dieu, ministre
divin et animal tout ensemble, créature créatrice,
androgyne où se fondent les natures, *homo faber* et
homo sapiens. Si Adam est le parfait microcosme
(Scève emprunte ce terme à la patrologie, mais
surtout à l'astronomie et à l'alchimie), c'est qu'il
annonce et porte en lui tous les progrès de l'humanité

future : le livre II va montrer l'invention des sciences et des arts, le perfectionnement technique et moral de l'humanité, après un temps de confusion marqué par la ruine et la chute de Babel. Cet avenir, Adam en a la révélation dans un songe prophétique, qui lui découvre toute l'évolution de sa descendance, et qui concentre ainsi l'Histoire en une seule conscience. Scève insiste sur les thèmes de la génération, de l'investigation spirituelle et scientifique, accompagnée de l'invention technique. Le livre III débouche sur le triomphe de l'effort humain, triomphe voulu par Dieu, et ce progrès spirituel et savant permettra à l'homme de rejoindre son Créateur dans un paradis qui s'ouvrira à nouveau devant lui.

Œuvre complexe, *Microcosme* pourrait passer pour l'une des dernières « sommes » médiévales ; c'est surtout une grande œuvre humaniste. La confiance en l'homme s'y affirme hautement : l'esprit l'emporte sur la matière et la vie est victorieuse de la mort ; si l'homme est une projection de l'action divine, la connaissance sera de nature créatrice, et il est licite, nécessaire même de s'y adonner : l'activité humaine y trouvera sa vraie fécondité. Or rien n'arrête l'esprit de l'homme, rien ne le satisfait absolument, lui qui est sans cesse épris d'un besoin de dépassement. Ainsi toute connaissance est bonne, dans son principe et dans ses résultats, à condition de mener plus loin : il y a une beauté de l'effort inlassable, de la conquête infiniment étendue. Et si Dieu s'est développé dans sa création, l'homme devra, pour parvenir à la connaissance de soi, passer par la connaissance de ce qu'il n'est pas.

Peut-on dire que *Microcosme* soit une réussite en tout point ? Certes non, et d'abord parce que Scève a eu le tort de vouloir dresser un inventaire passant en revue toutes les acquisitions accumulées par l'homme en vue de rejoindre Dieu. Ensuite, à cause d'un langage volontairement ardu et hardi, où les néologismes voisinent avec les termes techniques, les mots

obsolètes et les emprunts. Scève a voulu faire naître
la poésie des plus sèches définitions :

> Triangle au demeurant
> Isoceler se peut de scalène ambligone,
> Se variant de forme, et de nom exigone.

Extraordinaire tentative de tout plier au souffle
poétique, ambition démesurée de maîtrise totale du
langage, qui conduit aussi bien à la broussaille
hérissée de ces vers géométriques qu'à la marmo-
réenne perfection d'un incipit admirable, où se
développe, à mi-chemin entre la science et la mystique, l'image de la sphère divine :

> Premier en son Rien clos se celait en son Tout
> Commencement de soi sans principe et sans bout,
> Inconnu fors à soi, connaissant toute chose,
> Comme toute de soi, par soi, en soi enclose.

Ce langage a sa beauté, comme plus d'une imagination poétique parsemant une œuvre toujours dense
et originale. Plus d'un vers exhale aussi la mélancolie
du vieil homme, du poète qui se sent au bord de
l'oubli et qui a renoncé au monde. On y devine
encore l'exaltation du visionnaire scrutant les horizons de l'esprit, abîmé dans l'appréhension des
mystères révélés à l'homme : Scève peut chanter la
naissance du premier fils d'Adam avec le même élan
qu'il célèbre l'avenir de la race humaine et la
réconciliation du divin et de la créature.

Microcosme était réservé à un petit nombre de
lecteurs choisis, de par l'ampleur de ses conceptions
et la nouveauté de son langage ; *Saulsaye* ne pouvait
suffire, en un temps de riche production poétique, à
assurer le renom de son auteur ; *Délie* rebutait les
esprits faciles : « Il ne voulait être entendu. Il affecte

une obscurité sans raison, qui fut cause que son livre mourut avec lui » (Pasquier). Scève, ignorant le grand public, les goûts littéraires de ses contemporains, la renommée mondaine, avide de perfection poétique, ne pouvait recueillir le fruit de son œuvre. Ses disciples se comptèrent sur les doigts d'une main, et furent loin de le valoir. Poète sans public, sans écho, sans postérité, voilà ce que fut Scève jusqu'au début de notre siècle. Nous lui avons découvert une valeur que son époque n'avait guère soupçonnée. Tout d'abord celle de la recherche stylistique, qui fait de la poésie un langage différent, avec cette extrême attention à la nouveauté, à l'étrangeté, à la saveur du terme, avec cette concentration de la phrase, débarrassée de tout ce qui ralentirait sa marche. La valeur aussi d'un artiste conscient de la dignité et du sérieux de son métier poétique. Mais surtout, Scève reste pour nous le premier à avoir condensé dans ses écrits la totalité d'une expérience humaine et poétique : ils reflètent les états d'une âme à la sensibilité toute moderne, dolente du désir insatisfait et éprise d'idéal. Poète de l'amour, il est écartelé entre ce qu'il sent en lui de trop humain, auquel il ne veut ni céder ni renoncer, et ses élans vers l'idéal purificateur. Poète de la nature, il vibre et s'enchante au spectacle de scènes ou de paysages familiers : jamais lassé par son Fourvière ou son Ile Barbe, il renonce aisément au « vain travail de voir divers pays ». Poète de la connaissance enfin, Scève veut enfermer en un poème épique toute l'aventure humaine : s'il n'y parvient qu'imparfaitement, ce n'est pas faute d'idée ou de fermeté de pensée, mais parce que l'instrument poétique s'y refuse parfois et le trahit. Il lui reste tout l'honneur de ses entreprises et de leurs réussites partielles mais grandioses.

RONSARD
ET
DU BELLAY

IL a en nostre langue représenté un Homère, Pindare, Théocrite, Virgile, Catulle, Horace, Pétrarque et par mesme moyen diversifié son style en autant de manières qu'il lui a plu ». L'enthousiasme d'Etienne Pasquier, saluant dans ses *Recherches de la France,* à la fin du XVIᵉ siècle, le poète de Cassandre, ne provoque ni ironie ni surprise. Ronsard domine le monde poétique de son temps avec un éclat et une force qui déjouent toute tentative de lui opposer un interlocuteur de sa taille et apparaît sans conteste comme la personnalité la plus représentative d'une époque en soi extraordinaire. Certes, le lecteur d'aujourd'hui doit accomplir un effort pour retrouver les raisons de cette admiration. Comme cela arrive pour tous les grands poètes, la gloire tient lieu de vraie connaissance ; cette gloire, en outre, s'établit sur la base de données où l'habitude et la convention tiennent une large part ; et s'il est normal que nous admirions Ronsard pour des raisons autres que celles qui justifiaient l'enthousiasme de Pasquier, cela ne signifie pas que sur le plan critique nos raisons soient toujours les plus fondées. Finalement, ce jugement de Pasquier nous offre un point de départ recevable dans la mesure où il met l'accent sur la « multiplicité » du poète. Poète multiforme veut dire aussi, en effet, poète divers, et que l'on peut aborder par plusieurs biais : de quoi justifier à l'avance l'admiration des contemporains et le dédain de Malherbe, l'attitude équivoque de Sainte-Beuve et l'ennui des lycéens.

Pasquier, d'ailleurs, et en cela il nous propose un schéma critique qui convient à une approche, suggère aussi autre chose. Dans son contexte, diversité est synonyme de fécondité, et ces deux catégories, la multiplicité et l'abondance, représentent les rubriques majeures qui s'offrent à qui voudrait tenter de définir l'œuvre de Ronsard. On a pu parler de « globalité » de Ronsard, en ce sens qu'il s'est plu à essayer toutes les cordes de la lyre : il faut ajouter qu'il a mis dans ses essais successifs un enthousiasme, un débordement de sève et d'élan vital qui étonne et qui impose l'admiration. Une vraie force de la nature : plus de cinquante mille vers et une infinité de registres. Celui qui a été couronné, dès son vivant, du prestige de l'immortalité, ne s'est pas seulement plu à s'évertuer dans les domaines les plus variés, de la poésie d'amour à la poésie cosmique, des débats théologiques à la poésie civile, de l'érotisme à la satire : en quelque sorte il a su illustrer dans sa carrière la vraie condition du poète. Son refus de la prose (pratiquement il n'a écrit que des vers) prend ainsi une portée symbolique : on devine que l'ambition suprême qu'il a caressée a été celle de créer une langue et un style à part pour la poésie française, un langage inédit qui lui permet de proférer des choses uniques.

Le secret de l'homme n'est pas dans l'histoire de sa carrière, mais dans ce qui donne sa signification profonde à l'œuvre, dans cette ardeur qui l'engage en un projet immense : reconstruire le monde au moyen du verbe. Cette passion essentiellement intellectuelle qui cherche à mettre en forme l'univers des connaissances suivant le rythme du poème, au moyen du papier et de la plume, révèle le trait marquant de sa personnalité : homme de lettres dans le sens le plus intense du mot, poète qui fait de la poésie son tout, moyen de connaissance, méthode d'appropriation du monde, en dernier ressort critère de justification.

Né en 1524, Ronsard n'est pas le plus âgé du groupe des poètes de la Pléiade : Tyard (1521) et Du Bellay (1522) le devancent de quelques années, Peletier (né en 1517) fait à son égard figure d'aîné. Plus jeune que Jodelle, Baïf (nés en 1532) et Belleau (1528), il mourra, comme la plupart de ses amis, assez tôt, à soixante et un ans, en 1585. Ronsard vivra toutefois assez longuement pour assister à la disparition de Du Bellay (1560), de Jodelle (1573) et de Belleau (1577) : en 1570, au moment où finit notre enquête, il lui reste encore quinze ans à vivre. Si l'on considère qu'il commence à écrire en 1550 et qu'il continuera à produire jusqu'à sa mort, les vingt années de notre période ne représentent qu'une partie de sa vie poétique ; elles renferment pourtant des cycles d'évolution que l'on peut considérer comme partiellement indépendants. C'est Ronsard lui-même qui nous le suggère, faisant paraître dès 1560 la première édition de ses œuvres complètes (il en publiera six avant sa mort), comme s'il avait eu conscience que sa première saison poétique était terminée. L'histoire de sa vie nous le confirme, nous montrant le poète se tournant progressivement, à partir de 1560, vers la poésie « engagée » (polémiques contre les protestants) et vers la carrière mondaine (chasse aux bénéfices ecclésiastiques, accentuation de l'intérêt pour la poésie courtisane, qui aboutira à la publication des quatre premiers livres de *La Franciade* en 1572) : dans les quinze années qui suivent 1570 il n'y aura qu'un seul retour — particulièrement éclatant, il est vrai — à la grande poésie, avec les *Sonnets pour Hélène*. Le Ronsard des *Odes*, des *Amours*, des *Folâtries* et des *Hymnes* est antérieur à 1560 ; le poète des *Discours* et celui de la

Bergerie et des *Masquarades* appartient à la décennie suivante : ce n'est pas tout Ronsard, mais c'est sans doute assez pour nous permettre de présenter l'œuvre dans son ensemble.

La vocation poétique de Ronsard est tardive : il commence à écrire à vingt-cinq ans, après s'être efforcé de pallier les lacunes de sa culture grâce à la retraite fameuse en compagnie de Du Bellay, sous la direction de Jean Dorat, entre les murs d'une institution scolaire de la montagne Sainte-Geneviève que l'on identifie traditionnellement avec le collège Coqueret. Destiné à une carrière de courtisan, peut-être d'hommes d'armes, page du Dauphin, jeune secrétaire de l'ambassadeur et humaniste Lazare de Baïf, qu'il accompagne dans différentes missions, il se voit obligé de se rabattre sur la cléricature et les bénéfices ecclésiastiques à partir du moment où une maladie inopinée — la surdité — semble lui interdire tout espoir de carrière dans le monde. Après des débuts comme ceux que l'on vient d'évoquer, Ronsard ne cachera nullement, dès son apparition sur la scène littéraire, ses aspirations à assumer la direction du mouvement novateur (auquel il a contribué à donner un programme par sa collaboration à la *Défense,* publiée en 1549) ; mais il sera aussi à même, au cours d'une décennie, de mettre en lumière une production aux registres multiples comme celle qui est confiée à la première édition des œuvres complètes de 1560. L'ambition n'aura pas été mauvaise conseillère, sans doute parce qu'elle pouvait s'appuyer sur les ressources d'un tempérament exceptionnel ; mais si ce trait fondamental de sa nature ne jette pas sur le poète une lumière sympathique, on peut se demander si, sans cette ambition, Ronsard aurait pu se lancer avec tant de juvénile assurance dans les entreprises auxquelles il a lié son nom. Plus d'esprit critique aurait rétréci les marges disponibles pour la construction de son œuvre. Ajoutons que cette haute conscience de soi, don sacré de la

jeunesse, est un trait caractéristique de sa génération. Lorsqu'il souhaite tout recommencer, et qu'il se
croit en mesure de mener à bien une pareille tâche,
Ronsard participe de l'un des mythes les plus pre-
nants de son époque. C'est à une « illusion » de ce
genre qu'il devra — du moins en partie — l' « invention » des *Odes* et des *Hymnes*.

Les *Odes* de 1550, par la densité extrême du
langage poétique et la débauche des références
mythologiques ne sauraient en tout état de cause
prétendre à une large audience. On sait que la poésie
de la Pléiade ne visait pas un public populaire, mais
se proposait de plaire aux doctes. Les odes pindariques de Ronsard illustrent avec beaucoup de clarté ce
caractère essentiel de la poésie du xvie siècle : la
poésie « haute » est un exercice réservé aux esprits
supérieurs, elle nous introduit dans le commerce des
dieux, nous ouvre la connaissance de vérités célestes.
Pour Ronsard comme pour Du Bellay, c'est un fait
scandaleux que l'on ait pu réduire la poésie à un pur
verbiage (d'où le mépris pour les rhétoriqueurs et,
dans une certaine mesure aussi, pour Marot) ; il est
au contraire normal, surtout pour Ronsard, de
concevoir l'art de tourner des vers comme une
activité de la plus haute importance, qui comporte
une responsabilité et s'identifie avec une manière
d'ascèse. C'est dans les *Odes* et dans les *Hymnes,* là
où le poète se montre moins affable, que nous
sommes en droit de chercher une réponse à la
question principale qui concerne sa conception de la
poésie.

On croit comprendre que Ronsard a eu l'intuition
que dans la poésie il y a quelque chose d'*ineffable.* Ce
qui est dit, l'assemblage des mots, les images qui en
jaillissent, ce que le lecteur peut en tirer n'est pas
tout ; il y a aussi quelque chose d'*autre,* que le poète
ne saurait dire pleinement, mais vers quoi il tend
obscurément, de toutes les forces de son être. C'est là
qu'il faut chercher la signification de son idée, qu'il

reprend des Anciens et qui apparaît notamment dans les *Odes*, d'après laquelle la poésie a son accomplissement dans la musique : ce qui revient à dire que la poésie a son accomplissement au-delà du poème. Devra-t-on admettre que le sens ultime de la poésie est indépendant de l'intelligence que le lecteur peut en avoir, de ce que la poésie « dit » ? Ce sens ultime et seul vrai dépasse le niveau de la raison raisonnante et nous élève dans les régions de l'intuition, peut-être de la divination. Conception austère, mais exaltante, qu'il faut retrouver au-delà du débit de l'exécutant, engagé dans une tâche qui est par définition au-dessus des forces humaines. Demi-dieu, en ce sens, le poète, et digne pour cela d'être placé au sommet de l'échelle des valeurs sociales. Le poète pindarique des *Odes*, s'il nous engage à monter à sa suite vers des régions où l'air se raréfie, ne nous propose pas un débat stérile. Il connaît d'ailleurs, et dès les quatre premiers livres, des tonalités plus légères, car, dès le début, il recherche aussi l'enseignement de maîtres plus souriants, Horace surtout, et aussi Anacréon. Nous avons alors un poète plus familier, qui chante des émotions élémentaires, les joies de la vie, les plaisirs de l'amour, la mélancolie du temps qui s'enfuit : le Ronsard le plus connu que l'on considérerait toutefois à tort comme le plus significatif. Mais cette veine anacréontique est importante dans l'économie générale de l'œuvre : on la retrouve dans la poésie amoureuse (qui a été l'une des grandes occupations de ce poète tonsuré) et plus encore dans la veine gaillarde qui produira les *Folâtries* de 1553. L'un des secrets de Ronsard est bien cette simultanéité de registres : assez de souffle pour mener de front le cinquième livre des *Odes* et le premier livre des *Amours* (qui paraissent ensemble en 1552). Il est vrai que les *Amours* de 1552 signifient en substance Cassandre et donc l'incursion momentanée du poète vendômois dans le domaine du platonisme : le ton reste soutenu, et tout en parlant d'amour, il peut continuer à jongler avec les idées. Le fait qu'il n'aime pas Pétrarque ne l'empêche pas d'utiliser toutes les recettes du platonisme d'où l'amour pétrarquisant tire sa source. Cassandre est apparentée à Laure, dans la même mesure où elle est étroitement liée aux Francines, aux Olives et à tant d'autres inspiratrices de passions déchirantes et impossibles. Le poète de Cassandre a lu Léon Hébreu (il offrira un exemplaire des *Dialogues* à Charles IX) et connaît le mythe de l'Androgyne aussi bien que la doctrine de la *fureur,* grâce à laquelle la rencontre amoureuse se change en une aventure, le délire amoureux s'identifiant avec l'émotion la plus haute que peut éprouver l'âme humaine à qui est révélé le secret de la connaissance.

Sur ce chapitre Ronsard s'est contenté d'une parfaite adéquation à la thématique qui caractérise l'époque. Il est plus intéressant de constater que la distillation de pensées sublimes concernant l'amour platonicien s'accompagne de l'élaboration d'images beaucoup plus concrètes évoquant les réalités de la débauche. L'alternative que le poète lui-même propose à Cassandre est représentée par le *Livret de folâtries,* qui paraît au début de 1553 (et qui a donc été élaboré en même temps que les *Amours* de 1552, parus en novembre) : il marque l'irruption de l'érotisme dans la poésie du Vendômois. Un exercice de haute rhétorique avant tout, et le poète est le premier à se laisser griser par ses mots : n'empêche que le ton monte objectivement et que délire verbal et délire érotique à un certain moment se recoupent. Ronsard a été en mesure d'exprimer ce vertige que les plus grands écrivains érotiques ont ressenti devant le mystère de l'amour physique. C'est encore une forme de gnose, car l'érotisme entre de plein droit dans cette réalité multiforme qu'on appelle Renaissance. Retrouver l'homme au centre du monde, c'est l'assumer tout entier. L'érotisme ronsardien sera donc susceptible d'une récupération sur le plan philosophique, l'assouvissement et la joie, l'explosion et la libération ne sont que les préliminaires d'un discours qui ne cesse d'être centré sur la condition humaine.

L'étape suivante sera celle des *Amours* (*Continuation des Amours*, 1555 ; *Nouvelle Continuation des Amours*, 1556), liée à l'apparition de Marie et des autres femmes aux traits moins nets dont on entrevoit la silhouette à travers les vers chargés de sensualité de ces deux recueils (Hélène, qui sera la grande aventure des années du déclin, se situe en dehors de cette perspective). L'amour impossible symbolisé par Cassandre a trouvé son pendant dans une autre impossibilité, la reconnaissance de la malédiction de la chair, du plaisir sans lendemain : l'alternative, l'amour pour une femme, avec ses servitudes mais aussi avec ses joies, le clair-obscur de l'amour, joie et douleur, assouvissement et désir renaissant, et finalement mélancolie devant la fuite irréparable du temps ; en bref une manière d'acceptation. La légèreté des vers pour Marie, qui charme le lecteur, ne doit pas être prise à la lettre : Ronsard célèbre ici, non pas l'abandon de ses inquiétudes métaphysiques, mais la conquête de son équilibre. La réussite sur le plan formel de ces vers est, elle aussi, une garantie.

Les vers pour Marie sont contemporains des *Hymnes* (1555 et 1556). C'est en partie un retour aux grands thèmes des *Odes,* héroïsme, noblesse, grandeur humaine, mais à la leçon de Pindare s'ajoute désormais l'enseignement d'Hésiode. Le seul terme de référence possible semble être *La Légende des siècles* (d'autres points de contacts entre Ronsard et Hugo se trouveraient facilement) : le poète ne cache plus ses prétentions, monte sur la colline inspirée et se tourne maintenant vers le sens ultime des choses. Une émotion profonde de nature intellectuelle parcourt parfois ses vers, c'est le cosmos tout entier qu'il essaie d'arrêter dans les mailles de sa méditation poétique, jusqu'à s'interroger sur la signification de l'histoire, l'essence du divin, la structure de l'univers. Nous avons là le Ronsard le plus authentique : le poète orgueilleux qui se sent en mesure d'enfermer dans le cadre des structures verbales l'immensité du monde et qui parvient à rêver d'une « reconstruction » poétique de l'univers.

Plus dur que fer j'ai fini mon ouvrage,

dès 1550, à la conclusion du quatrième livre des *Odes*, Ronsard a pensé pouvoir écrire son *Exegi monumentum aere perennius*. Au bilan de 1560, dix ans après les projets de la *Défense*, il se présente nanti d'un riche butin : par ses odes il a égalé les modèles vers lesquels il regardait (Pindare, Horace, Anacréon), par ses sonnets il ne s'est pas montré indigne de Pétrarque, par ses *Hymnes* il a renouvelé les fastes des poètes philosophes de l'antiquité. Il s'est même montré capable de se dégager de ses modèles, en s'efforçant de donner naissance à une poésie d'amour dans laquelle l'équilibre et le réalisme l'emporteraient sur l'abstraction et la recherche de l'absolu. Il a su rester fidèle à son idée originelle quant à la nature de la poésie, et n'a pas cessé de concevoir le fait d'écrire comme un acte de moralité.

Dans les années qui suivront, moins fécondes que celles qui les ont précédées, Ronsard se maintiendra pour l'essentiel dans la même ligne. Certains éléments caractéristiques de sa personnalité connaîtront un développement différent : la poésie d'amour sera quelque peu délaissée à la suite d'un regain d'intérêt pour le civisme, voire pour la politique, que le vrai poète ne saurait négliger. Les temps ont changé, d'ailleurs, et l'époque des troubles approche. Les problèmes matériels, eux aussi, pressent : la nécessité de s'assurer des moyens de subsistance pousse naturellement le poète vers la cour. Dans l'ensemble, la continuité l'emporte sur le changement.

Le « moment » courtisan est aussi intéressant, quoique à un degré moindre ; il a, de toute façon, inspiré des œuvres nombreuses. Les règles du genre sont précises ; Ronsard ne s'y soustrait pas. Poète de Henri II, qui commence à faire tomber sur lui la pluie féconde des bénéfices ecclésiastiques (le premier en date, Mareuil-les-Eaux, remonte à 1552 ; d'autres suivront, jusqu'en 1559, date de la nomination comme aumônier ordinaire du roi), Ronsard doit à Charles IX, dont il a su faire la conquête, l'attribution d'un canonicat au Mans (1560) et surtout les deux prieurés de Saint-Côme et Croixval, qui seront pour lui un havre sûr dans les années du déclin. Littérairement, on peut toutefois proposer de cette page de la vie du poète une interprétation en partie positive (1565, soit dit en passant, voit la publication de l'*Art poétique*). Par son activité dans un secteur qui touche à la politique et aux affaires autant qu'aux amusements d'une société de privilégiés, Ronsard s'approche de la vie active, entre en contact avec les réalités et les problèmes du monde (la guerre, les conflits entre les groupes humains, les difficultés quotidiennes de l'existence d'une grande communauté). Il retrouve ainsi, au sein de sa condition de poète courtisan, l'exigence de moralité qui avait caractérisé sa démarche dès ses débuts. Les circonstances se chargeront en outre de lui découvrir, voire de lui imposer, une vocation de poète civique.

En 1562 éclatent les troubles, et aussitôt voici Ronsard au cœur de la mêlée. Ses *Discours des misères de ce temps* comme sa *Remonstrance au peuple de France* (1562) nous font connaître un homme imprévu et nous renseignent aussi sur sa capacité de renouvellement poétique. Le poète noble et pompeux des *Odes* et des *Hymnes* peut descendre de l'olympe de la spéculation pure et employer un langage cru et cinglant. Lorsque les attaques des adversaires le piqueront au vif, il répliquera sans toujours garder la mesure : les pages qui comptent toutefois sont celles où retentit une indignation qui ne concerne plus les membres d'un seul parti et jaillit de la constatation, non du mal des « autres », mais de

la folie de tous. Ronsard a mesuré la gravité du
déchirement qui s'opérait avec les guerres de religion
dans la conscience collective et il s'en est effrayé :
acculé à la nécessité de rendre un jugement, il a su
s'élever à la constatation que la tragédie dont il était
le témoin prenait sa source dans l'aveuglement
général. Son moralisme foncier revient ainsi à la
surface : le poète, chercheur d'absolu, sait aussi se
transformer pour son peuple en un maître inspiré,
lorsqu'il entre en contact avec la réalité souffrante
des hommes, avec la tragédie permanente de l'histoire.

Dans la même mouvance spirituelle se situe la
tentative de poésie épique, représentée par les quatre
premiers livres de *La Franciade,* par laquelle
s'achève, autour des années 70, une partie de la
carrière de Ronsard. La nécessité de doter la littérature nouvelle d'une poésie épique est réaffirmée dans
le programme de la *Défense* : le résultat, que Ronsard peut présenter au roi Charles IX en 1572,
constitue l'aboutissement d'au moins trois lustres de
travail (dès 1554, un plan de l'œuvre est arrêté, que le
poète fait connaître au public).

Les intentions entrent ici en ligne de compte ; le
projet de Ronsard a sa justification dans les prémisses de son programme : le poète « illuminé » qui
parcourt les sentiers abrupts menant à la parfaite
connaissance, qui reconnaît les grandeurs et les
misères de l'homme, qui s'élève à la méditation sur le
destin des choses et la structure de l'univers, et pense
que le caractère principal de sa condition d'écrivain
est d'être le guide de son temps, se doit de devenir un
jour l'aède qui célèbre l'histoire mythique de son
pays. L'intérêt de *La Franciade* est avant tout dans
cette convergence, de la vocation civique, qui se
manifeste après les expériences des années soixante,
et de la composante héroïque, qui, dans les années
cinquante, avait inspiré les *Odes* et les *Hymnes.* C'est
à *La Franciade,* en somme, que l'œuvre de Ronsard

doit aboutir pour une nécessité de cohérence intérieure. On voit alors s'esquisser une ligne ascensionnelle : de l'égotisme foncier des *Odes* et des *Amours* au moment cosmique représenté par les *Hymnes*; du moment de la poésie civique à la conclusion nécessaire de *La Franciade* : l'héroïsme (ou le panache baroque?) dans le cadre de la collectivité nationale, au service de la gloire du pays. Ces considérations aident à comprendre que Ronsard n'ait pas beaucoup écrit après *La Franciade,* ou des œuvres de moindre importance (si l'on met à part les *Sonnets pour Hélène*) : dans un certain sens, il avait fait son œuvre.

Exemple parfaitement réalisé de la condition du poète, Ronsard dépasse le cadre de son temps; inutile en ce sens de le rattacher trop étroitement à un phénomène comme la Pléiade (dans la mesure où celle-ci a vraiment existé). Si la Pléiade marque l'avènement d'une littérature qui se veut classique dans son inspiration, le cas de Ronsard montre bien que classicisme et baroque sont deux catégories complémentaires et que la possibilité d'établir une ligne de séparation nette entre héroïsme et panache, entre représentation et illusion, est bien faible.

Puisqu'on ne vit pas impunément dans son époque, Ronsard a connu les servitudes de sa condition de poète du xvie siècle et notamment la doctrine de l'imitation. Son œuvre est caractérisée par une série de reprises : l'homme, le monde, la nature, la gloire, l'héroïsme, la grandeur, autant de motifs d'école, autour desquels tourne depuis toujours l'inspiration des poètes. Ronsard est un grand poète, non parce qu'il invente des thèmes nouveaux, mais parce qu'il reprend en maître des thèmes anciens. Son secret est dans l'élan qu'il met à reprendre pour son compte les vérités éternelles de la poésie. Pas plus que les autres poètes humanistes, Ronsard ne songe à nous faire croire que sa fontaine Bellerie ne doit rien à la « *fons Bandusiae* » d'Horace; il est persuadé que le modèle ancien amplifie la résonance de sa propre création.

C'est en ces termes qu'il faut comprendre ses « sacri-
fices » à la mode, une manière de soumission à des
maximes qui informent le comportement de l'écrivain contemporain. C'est par sa participation totale
qu'il a été grand poète ; parce qu'il conçoit en termes
exaltants la dignité de sa mission et qu'il place très
haut les devoirs qu'elle lui impose, il a été amené à se
faire tour à tour courtisan et révolutionnaire, théologien et amuseur, poète engagé et pétrarquisant,
moraliste et comique, toujours au service d'un maître
exigeant, la poésie, qui contient tout cela. La touche
qui complète le tableau est le désir de perfection, qui
explique l'insatisfaction éternelle. Ronsard maladroit
correcteur de ses vers (on n'ignore pas qu'il a
retranché de son œuvre quelques-uns de ses poèmes
les mieux venus) jusque dans sa maladresse rend
hommage à sa vocation. Quelques années plus tard,
Malherbe dira que le poète n'est guère plus important, dans le cadre d'une société bien réglée, qu'un
joueur de quilles. Ronsard pense que le poète, qui
manie le verbe et qui, à l'aide des mots, reconstruit le
monde, participe du secret de la puissance divine.
Qu'il se soit essayé à cette tâche surhumaine, de
recréer au moyen des images un univers de beauté,
reste la meilleure définition que l'on puisse donner
de son œuvre, et de sa grandeur.

Dès le xvie siècle, la situation littéraire de Joachim
Du Bellay se précise en fonction de celle de Ronsard.
Un humaniste flamand, qui fut l'ami de tous ces
poètes, Charles Utenhove, les définit, vers 1560,
« *ambo pares* », mais sans omettre d'ajouter que le
premier, Du Bellay, est proprement « *amabilis* »,
Ronsard seul étant « *admirandus* ». On saurait difficilement dire mieux. C'est au sein d'une « communauté idéale » avec Ronsard que la question de
l'originalité de la poésie de Du Bellay doit être

considérée. Ronsard signifie évidemment une certaine conception de la poésie et, en fonction de celle-ci, des réalisations d'un certain ordre : il est seul à avoir choisi le chemin de la poésie « haute » qui se nourrit d'ambitions philosophiques et d'émotions sublimes. L'autre, le compagnon de route, a choisi de se situer à un niveau moins ambitieux : négligeant le domaine des idées, il s'est contenté de celui du sentiment, il s'est proposé de plaire (et sans doute y est-il parvenu) au lieu de prétendre enseigner. Il est donc aimable, mais en fait n'est-il que cela ?

Il faut dire que l'on connaît mal l'homme et que la légende bienveillante qui l'enveloppe semble faite pour estomper les vrais contours du caractère. Un malade, se plaît-on à répéter, parce qu'il s'est souvent plaint de ses infirmités physiques : nous avons pourtant devant nous un homme qui meurt d'apoplexie à trente-neuf ans, à la suite — ou des suites — d'un réveillon du Jour de l'an. Une vie courte et manquée, dit-on. Pourtant, Du Bellay revient de Rome richement pourvu de bénéfices ecclésiastiques (que son cousin le cardinal lui a abandonnés ou lui a procurés), il est chanoine prébendé de Notre-Dame de Paris, protonotaire du Saint-Siège apostolique, archidiacre de Château-du-Loir, prieur de Bardenay (Bordeaux)... la liste est longue. On doit ajouter que, d'une façon générale, les composantes ecclésiastiques, voire religieuses, de sa carrière matérielle et spirituelle sont mal connues. Ce qu'on oublie moins pour Ronsard — la tonsure — semble peu significatif dans le cas de Du Bellay (lui aussi avait pris les ordres mineurs pour pouvoir accéder aux bénéfices) ; on néglige volontiers la veine religieuse qui affleure dans l'œuvre de ce théoricien du retour au paganisme littéraire. On parle aussi d'une enfance malheureuse et d'une formation hâtive et incomplète, qu'il a fallu refaire par la suite ; dans cette cohorte d'autodidactes qu'est la Pléiade, il est pourtant le seul à avoir fréquenté l'Université. Il a suivi des cours de droit à

Poitiers, car il se destinait à une carrière dans le monde (armée ou diplomatie) et c'est d'une formation adéquate que sa famille (peut-être moins nonchalante à son égard qu'on a tendance à le dire) avait pensé à le pourvoir.

L'homme donc nous échappe, du moins en partie. Il n'a pas la franche ambition d'un Ronsard, il est plus discret, plus secret ; sa démarche est presque furtive. Comme tout homme il dit et se dédit, il aime la vie, comme il est normal, mais il aime aussi à se plaindre et à affirmer parfois que cette vie lui est insupportable. Pour être refoulée, son ambition n'est pas moins tenace : mais, tout en recherchant les succès mondains, il aime aussi à prendre ses distances, au moment même où il recherche le commerce des autres il fait l'éloge de la vie solitaire. Du Bellay est, en somme, un inquiet : ce qui le rapproche de nous, sur le plan humain, mais sympathie n'est pas toujours synonyme de compréhension critique.

Tout commence avec la *Défense*, que Du Bellay écrit à l'âge de vingt-sept ans (s'il est vrai, comme on l'affirme, qu'il est né en 1522, au château de La Turmelière, près de Liré). On chercherait en vain, dans sa carrière précédente, de quoi justifier la prétention de s'ériger en chef d'école, on pense plutôt à une décision imposée par les circonstances. Il fallait contrecarrer l'initiative de Thomas Sébillet, qui venait de publier, en 1548, un *Art poétique,* où le programme d'une nouvelle littérature s'esquissait avec beaucoup de netteté ; mais une certaine ambition n'est pas à exclure.

Que penser de ses idées ? Dans une large mesure, elles ne sont pas de lui. Quand il veut « défendre » la langue française, il paraphrase ou il traduit le *Dialogo delle lingue* de Sperone Speroni (paru à Venise en 1542) ; quand il veut l' « illustrer », il s'adresse à Quintilien et ici encore il traduit ou il paraphrase. A qui pense-t-il quand il dénonce la « sotte arrogance et témérité » de ceux qui « déprisent et rejettent » le français ? Personne en France à cette époque ne pensait à remettre en honneur le latin aux dépens de la langue nationale, le mouvement général de l'opinion va dans le sens inverse. On peut faire la même remarque au sujet de son exigence d'un « plus haut et meilleur style que celuy dont nous sommes si longuement contentez » : tous les poètes de son époque, même Jean Bouchet et François Habert, déclarent qu'ils veulent améliorer, ennoblir et enrichir la littérature nationale en empruntant des exemples aux Anciens, voire en pillant les Italiens.

De toute façon il y a, à la base de la *Défense*, l'intention de promouvoir la culture contemporaine, ce qui a une valeur certaine sur le plan historique ; même si l'ambition de mettre en œuvre un vaste programme de renouvellement appartient à toute la génération du poète. En dépit de ses incohérences donc, une idée forte se dégage de l'œuvre, axée sur deux pôles, l'Antiquité et la France, l'humanisme et le nationalisme. Que ces deux termes soient antithétiques, c'est à quoi on songe le moins, et fort heureusement d'ailleurs, car la tension dialectique qui s'établit entre eux finira par déterminer un mouvement et par indiquer une direction de marche, qui sera celle de toute la littérature française « classique » : la *Défense* n'usurpe pas le titre de manifeste de l'école littéraire de 1550.

Des idées de cet ordre étaient-elles vraiment de Du Bellay ? On veut bien admettre qu'il ait un moment partagé cet idéal d'une poésie érudite et nourrie de vastes ambitions, qu'il se soit approché pour un temps des conceptions mythologiques et de la pompeuse luxuriance qui seront chères à Ronsard : il est toutefois évident que, de même qu'il se tient à l'écart du baroquisme de l'ode pindarique, il est amené à prendre ses distances vis-à-vis du style noble et haut dont il invoque l'avènement. En fait, il ne sera grand que lorsqu'il écrira dans un style « bas » (du moins en apparence) et sans pompe. Si la participation a été sincère, elle n'a donc pas été bien durable : peut-être y a-t-il eu aussi, de sa part, une forme de mimétisme culturel, ce programme lui en imposait et il était rempli d'admiration pour Ronsard.

Même discours en ce qui concerne *L'Olive* de 1549 (cinquante sonnets) ou celle, plus touffue, de 1550 (cent quinze sonnets). *L'Olive* se maintient, avec aisance et assurance, dans la ligne du pétrarquisme amoureux : la femme est un double symbole, de l'éternel féminin et de l'amour, et elle est donc avant tout le lieu d'une passion métaphysique. Elle ne donne pas le bonheur, mais provoque dans l'âme de délicieux frissons : elle promet un épanouissement qui n'aura pas lieu sur cette terre, mais « en plus clair séjour » ; et le poète s'impatiente de pouvoir bientôt contempler, dans un lieu plus convenable, cette idée qui le ravit et dont la femme qu'il aime n'est qu'un reflet. Il y a donc adéquation aux maximes du pétrarquisme, tel que la Pléiade l'a conçu ; il y a même plus, la capacité, que Du Bellay est presque seul à posséder, de transformer parfois cette matière en occasion poétique. L'expérience directe de la passion n'est pas totalement absente de *L'Olive* : épurée grâce au souvenir, qui rejette l'éphémère, elle reste à la base de cette élaboration de quintessence à quoi se réduit le labeur du poète. *L'Olive* conserve ainsi un cachet particulier par rapport aux recueils analogues des hommes de la Pléiade, et il reste possible d'y lire le récit transfiguré d'une aventure humaine.

Mais que vaut *L'Olive* sur le plan de l'engagement culturel de Du Bellay quant au programme de la Pléiade ? Au moment où il publie son livre (avril 1549), il met aussi au jour un recueil d'odes, les *Vers lyriques,* contenant un long poème, « Des misères et fortunes humaines ». D'un côté, les pompes du monde, la carrière et la gloire, le cortège de vanités qui entoure les puissants et, de l'autre, les réalités sûres de l'esprit et de l'intelligence, qui durent au-delà de l'apparence. Entrent dans la catégorie des gloires mondaines non seulement la chasse au bonheur, mais tout souci de modernité : le souci d'être à la page, de s'insérer dans la course où s'engagent les hommes. Bien que ces propos aient avant tout une valeur littéraire, ils constituent aussi une forme de désengagement. L'homme tout entier est dans cette nostalgie de la retraite, loin du tumulte, hors du vacarme mondain ; et on peut croire que la littérature aussi est intéressée par cette tentation de démission.

Car si le poète est capable de philosophie, c'est d'une philosophie morose. Dans sa *Musagnaeomachie* qui accompagne, en 1550, la réédition de *L'Olive,* si c'est encore chez Pétrarque qu'il puise son inspiration, il s'adresse non plus au poète de Laure, mais au poète des *Triomphes,* c'est-à-dire au poète de la mort. Encore un motif littéraire, mais la préférence accordée à un tel sujet est révélatrice : elle jette une ombre même sur cette « idée » que l'auteur poursuit à travers la femme, au-delà de la passion amoureuse. Mélancolie qui alimente l'insatisfaction à l'égard de l'existence : d'où l'apparition de cette rubrique « Lyre chrestienne », que l'on enregistre dès 1552 (à la suite du quatrième livre de l'*Énéide,* dans les *Autres Œuvres de l'invention du translateur*), bien originale pour un poète de la Pléiade. Nous voici parvenus, en effet, à un spiritualisme d'inspiration chrétienne : devant les misères de l'existence, le poète se tourne vers ce qui est au-dessus de nous.

La *vis* poétique de Du Bellay nous apparaît ainsi se nourrissant toujours de données psychologiques concrètes ; elle est foncièrement réfractaire aux problèmes abstraits de « poétique » d'où la muse de Ronsard tire sa substance. Par égotisme invincible, c'est toujours sa propre personnalité qu'il place au centre de son œuvre. On comprend pourquoi on aurait tort de lui reprocher de ne pas s'être efforcé de rester fidèle au programme ambitieux qu'il avait tracé à l'intention du poète futur. Cela, au fond, l'intéressait moins que s'écouter, s'épier, enregistrer ses sautes d'humeurs, ses rêves et ses amertumes.

Commencée en 1549, la première saison poétique de Du Bellay s'achève en 1552. Ensuite, un silence de près de six ans, qui correspond à la période du séjour à Rome. Cette expérience a été de la plus grande importance pour le mûrissement du poète, ainsi que pour sa carrière mondaine : nous avons vu qu'il revient de Rome disposant enfin d'une certaine aisance financière. De ce point de vue-là, tout au moins, les années romaines ont été fructueuses. Ce n'est pas aux *Regrets* qu'il faut s'adresser pour se faire une idée de ce que pouvait être sa situation à Rome, dans la maison de son cousin le cardinal Jean. Que Du Bellay ait ressenti l'humiliation d'être pauvre et de vivre dans une condition subalterne, c'est bien normal : mais une lecture autobiographique peut présenter des risques, car la littérature passe avant toute chose. L'éloignement a pu hâter un certain désenchantement de Du Bellay à l'égard des programmes ambitieux de ses amis de Coqueret ; en outre, vivant en Italie, il dut s'apercevoir que cette révolution culturelle, dont on avait tant rêvé à Paris, était déjà faite, et depuis bien longtemps. C'est avant de partir pour Rome, toutefois, qu'il publie (février 1552) une traduction du quatrième livre de l'*Enéide*, en se rangeant ainsi du côté de son « ennemi » Thomas Sébillet, qui avait indiqué dans la traduction des poètes anciens l'un des moyens pour enrichir la littérature contemporaine. Son évolution avait donc déjà commencé. C'est avec de nombreux vers dans son portefeuille qu'il regagne la France dans la seconde moitié de 1557. Dès janvier 1558 il commence à publier, recueils et plaquettes se succèdent jusqu'à sa mort ; après, ses œuvres continueront de

sortir des presses, tout au long de 1560 et de 1561 ;
l'édition collective posthume de 1568 contiendra
encore des inédits.

Le ton est donné avec les *Jeux rustiques* (janvier
1558) : le poète s'amuse, se délasse, et c'est pourquoi,
au lieu de créer lui-même, il se borne la plupart du
temps à traduire. Parmi les auteurs mis à contribution,
Virgile et Ovide, mais surtout un écrivain néo-latin
aujourd'hui bien oublié, Navagero (douze pièces), et
encore Bembo. Des genres naguère méprisés, tels
que le vœu, le baiser, le blason, sont maintenant remis
en honneur et maniés avec complaisance : la palinodie
d'ailleurs est explicite dans le poème *Contre les
pétrarquistes,* qui se retrouve ici dans une forme plus
complète, après avoir paru sous le titre d'*Adresse à
une dame* dans le *Recueil de poésie* de 1553.

> J'ai oublié l'art de pétrarquiser
> Je veux d'amour franchement deviser.

« Deviser franchement » d'amour voudra dire revenir
à l'amour naturel et spontané, qui rejette les subtilités
et l'ascèse mystique (l'amour « à la française », dira-t-
on polémiquement à cette époque), et aussi revenir à
l'expression franche d'un tempérament poétique fon-
damentalement simple. Le désaveu du savant édifice
érigé dans la *Défense* est explicite dans les vers à
Bertrand Berger, où prend place l'exaltation d'une
poésie qui jaillit de source et qui ignore les affres du
labeur et de la recherche. On préférera donc une
poésie qui vise tout simplement à plaire. Le changement de registre a une portée qui dépasse la littérature : qui renonce au génie en faveur de l'ingéniosité
choisit du même coup de renoncer à une vision
héroïque du monde pour se contenter de la recherche
du bonheur.

Les *Regrets,* qui paraissent à la même époque, vont
dans le même sens. Le refus de la poésie haute y est
également explicite :

Je ne veux point fouiller au sein de la nature
Je ne veux point chercher l'esprit de l'univers
Je ne veux point sonder les abîmes couverts
Ni dessiner du ciel la belle architecture.

Pensait-il à Ronsard ? Sa poésie désormais n'est plus conçue que comme un cadre auquel il confie les épanchements naturellement mélancoliques de son tempérament ; à côté de l'élégie, il utilisera pourtant la satire (où il s'était déjà essayé avec le groupe de sonnets consacré aux courtisanes romaines des *Jeux rustiques*). Les cent quatre-vingt-onze sonnets des *Regrets* se répartissent, fort inégalement d'ailleurs, entre les deux moments de la nostalgie et du sarcasme. Ce n'est pas une poésie « simple » pour autant : le titre évoque celui des *Tristia* d'Ovide, autre poète exilé ; par l'utilisation de sources multiples, latines et italiennes, elle rappelle plutôt un travail de marqueterie. Quant à la satire contre la cour romaine, qui peut passer pour une nouveauté (relative) en France, elle bénéficiait d'une tradition bien établie en Italie ; sans compter que le thème de la corruption de la vie romaine avait déjà retenu l'attention des écrivains de l'Antiquité (de Lucrèce à Juvénal).

Pour construire sa poésie « basse », il a donc recours à la même technique qu'emprunte Ronsard pour dresser le somptueux édifice baroque de sa poésie mythologique. Des résultats sont à enregistrer. En se donnant en spectacle aux lecteurs, Du Bellay fait en quelque sorte une découverte : à force d'effacer de sa poésie tout contenu substantiel, à force de parler à bâtons rompus de choses menues et modestes, « sans rechercher ailleurs plus graves arguments », il aboutit presque à une poésie faite de rien, débarrassée d'ambitions, de messages, d'enseignements, à une poésie qui ne serait plus que pure transparence, immanence totale à sa nature de chant.

C'est une réussite considérable, même par rapport à *L'Olive* : nous sommes tout près, en certains passages des *Regrets*, de cette poésie pure et immatérielle qui représente le rêve des poètes de toutes les époques.

Ce même poète publie, au cours de cette même année 1558, le premier livre des *Antiquités de Rome,* dont les ambitions philosophiques sont perceptibles. Du Bellay ne se soustrait point ici à la fonction de poète-mage et, rempli de la grandeur de son sujet, retrouve, sans effort apparent, la noblesse du ton épique. Sans doute s'agit-il d'un motif d'école : le thème de la grandeur et de la décadence des empires a séduit les hommes de l'antiquité (« *altas turres ruere et putrescere saxa* », « les hautes tours sont précipitées et les pierres sont en putréfaction », lit-on, par exemple, dans Lucrèce), le motif de la « vicissitude », sous-jacent à la poésie tragique des Grecs, connaît d'innombrables développements dans la littérature de la Renaissance ; un livre, *De antiquitatibus urbis Romæ* (un guide des ruines archéologiques de la ville éternelle), d'un certain Lucio Fauno, paru en 1549, a pu offrir à Du Bellay le titre de son recueil. Mais, devant ce motif d'école, le poète ressent un profond frisson et il tire du spectacle des ruines de Rome des conclusions personnelles. La veine grave d'un écrivain qui se plaît parfois à se montrer sous les traits d'un simple poète de confession, se retrouve ici. L'homme, nous l'avons vu, n'était pas incapable d'émotions de nature religieuse : les ruines (ce sera le sujet des trente-deux premiers sonnets) évoquent l'idée des hommes qui les ont un jour habitées : où sont-ils ? Néant de la condition humaine : car le destin des constructions, des architectures savantes, est moins grave que le sort qui l'attend, lui, Du Bellay : il ne laissera pas de traces. Jaillit alors ce chant de l'anéantissement de Rome aux truculentes couleurs baroques, représenté par les quinze sonnets de la deuxième partie, *Le Songe*. Une philosophie amère se dégage des *Antiquités,* où l'on ne retrouve plus le poète souriant et mélancolique d'autres recueils. Une carrière limitée et, au bout, l'anéantissement dans l'abîme de l'oubli : le sens de la vie ne serait-ce donc que cela ? C'est bien sur ce sentiment du néant universel que s'arrête la spéculation du poète, à son tour prématurément enlevé par la Parque.

Après l'avoir suivi dans ses « égarements », loin de la ligne qu'il s'était lui-même tracée, on peut, en regardant d'un peu plus haut, conclure que le temps a fait défaut à Du Bellay et ne lui a pas permis de mettre de l'ordre dans une œuvre touffue et disparate, qui s'est élaborée trop rapidement. Il n'a eu à sa disposition qu'une douzaine d'années. La moisson est pourtant riche : on peut croire que la maturité aurait comporté un élagage de ce qui ne paraît pas indispensable et confirmé les lignes essentielles. On n'aurait peut-être pas eu, dans ce cas, l'Ovide français que, sur la trace de l'abbé Goujet, on se plaît à retrouver dans Du Bellay, mais probablement un poète au timbre plus viril et plus grave.

CHRONOLOGIE

Les dates sont données suivant le « nouveau style ». L'astérisque indique la date de naissance. Pour bon nombre d'éditions anciennes, il est souvent impossible de connaître la date exacte de publication : d'où leur absence dans ce tableau ; de même, le théâtre manque presque complètement, pour des raisons analogues. Les faits sont présentés dans l'ordre suivant : repères biographiques, événements historiques, événements religieux, culture-idées-mentalités, littérature française, littératures étrangères et traductions en français, arts.

1431   * Villon (?) ; † Jeanne d'Arc ; Henri VI d'Angleterre sacré roi de France à Paris ; Eugène VI pape ; concile de Bâle (→ 1449) ; Baudet Hérenc, *Doctrinal de seconde Rhétorique*.
1433   * Marsile Ficin ; * Guillaume Fichet ; †Alain Chartier (?).
1434   Cosme de Médicis dictateur de Florence ; Jan van Eyck, *Portrait des Arnolfini*.
1435   * Jean Molinet ; Traité d'Arras (Charles VII et Philippe le Bon) ; René d'Anjou reçoit en héritage le royaume de Naples-Sicile ; Jacques Cœur maître des monnaies ; † Bedford, régent anglais en France ; R. van der Weyden, *Descente de croix* ; L. B. Alberti, *Della pittura*.
1436   Les Anglais chassés de Paris ; J. van Eyck, *Vierge du chancelier v.d. Paele*.
1437   Entrée de Charles VII à Paris ; *Mystère de la Passion d'Arras* ; L. B. Alberti, *Della famiglia ;* construction de Saint-Maclou (Rouen).

1438   Famine en France ; Pragmatique Sanction de Bourges.
1439   Le concile de Bâle dépose Eugène IV et nomme Félix V antipape.
1440   Retour de captivité de Charles d'Orléans ; procès de Gilles de Rais ; révolte de la Praguerie en France ; P. Chastellain, *Le Temps perdu* ; *Mystère du Siège d'Orléans* ; Nicolas de Cuse, *De docta ignorantia ;* construction du Palais Médicis à Florence.
1441   † Jan van Eyck.
1442   Alphonse d'Aragon roi de Naples ; Martin Le Franc, *Le Champion des dames ;* A. de La Sale, *La Salade ;* retable de *l'Annonciation* (Aix-en-Provence).
1443   Fondation du Parlement de Toulouse ; Agnès Sorel maî tresse du roi ; Hôtel Jacques-Cœur à Bourges.
1444   Trêve de Tours (France-Angleterre) ; L. Valla, *Elegantiæ linguae latinae.*
1445   Institution des compagnies d'ordonnance ; J. Fouquet *Portrait de Charles VII.*
1446   † Brunelleschi.
1447   * Commynes ; le dauphin en Dauphiné ; Nicolas V pape (→ 1455) ; Michaut Le Caron, *Le Passe-temps.*
1448   Institution des Francs-Archers ; Ch. d'Orléans essaie de reconquérir le duché de Milan ; Martin Le Franc, *Estrif de Fortune et de Vertu ;* L. de Beauveau, *Le pas d'armes de la bergère ;* Jean Miélot, *Miroir de l'humaine salvation.*
1449   Reconquête de la Normandie ; fin du concile de Bâle (1431 ←) ; avril : réunification de l'Eglise autour de Nicolas V et abdication de Félix V ; R. van der Weyden, *Jugement dernier.*
1450   * Lefèvre d'Etaples ; † Michaut Taillevent (?) ; bataille de Formigny ; Francesco Sforza duc de Milan ; Année sainte ; débuts de l'imprimerie à Mayence ; création de la Bibliothèque vaticane ; *Miroir aux dames ;* G. de Launay, *Voyages et Ambassades ;* Fouquet, *Livre d'heures d'E. Chevalier.*
1451   † Agnès Sorel ; arrestation de Jacques Cœur ; A. de La Sale, *La Sale ;* P. Chastellain, *Le Temps recouvré ;* construction du chœur du Mont-Saint-Michel.
1452   Réforme de l'Université de Paris ; J. Milet, *Destruction de Troie ;* reconstruction de Saint-Pierre de Rome.
1453   Prise de Constantinople par les Turcs ; les Anglais chassés de France ; reconquête de la Gascogne ; G. Chastellain, *Les Princes ;* Donatello à Florence.
1454   Traité de Lodi ; Banquet du Faison ; René d'Anjou, *Mortifiement de vaine plaisance.*
1455   Guerre des Deux Roses ; Calixte III pape (→ 1458) ; Gutenberg imprime la Bible (ou 1456 ?) ; Le Prieur, *Mystère du Roi Avenir ;* † L. Ghiberti.

1456   Le dauphin se réfugie en Bourgogne ; réhabilitation de
       Jeanne d'Arc ; Villon, *Le Lais ;* A. de La Sale, *Le Petit
       Jehan de Saintré ;* Marsile Ficin, *Institutiones platonicae ;*
       P. Uccello, *Batailles de San Romano.*

1457   René d'Anjou, *Livre du cœur d'amour épris.*

1458   Jean d'Anjou occupe Gênes ; les Turcs occupent Athènes ;
       Pie II pape (→ 1464) ; D. Aubert, *Les Conquêtes de
       Charlemagne ;* E. Marcadé, *Vengeances Jésus-Christ.*

1459   Coutumes générales de Bourgogne ; J. Milet, *La Forêt de
       Tristesse ;* † Poggio Bracciolini ; Fouquet, *Portrait de Jouve-
       nel des Ursins.*

1460   † A. de La Sale ; révolution en Catalogne ; fondation de la
       Bourse d'Anvers ; fondation de l'université de Dole ;
       J. Meschinot, *Les Lunettes des Princes ;* Martial d'Au-
       vergne, *Les Arrêts d'amour ;* Guillaume Alexis, *Les Fein-
       tises du monde ;* retable du Parlement de Paris.

1461   * Guillaume Cretin ; † Charles VII ; avènement de
       Louis XI ; abolition de la Pragmatique Sanction ; Villon, *Le
       Testament ; Les Menus Propos ;* N. Froment, *Résurrection
       de Lazare.*

1462   † G. de Lannoy ; van der Weyden, triptyque des *Rois
       Mages.*

1463   * Pic de la Mirandole ; fondation de l'Académie romaine ;
       Le Purgatoire d'Amour ; construction de Plessis-lès-Tours.

1464   † Nicolas de Cuse ; Ligue du Bien Public ; P. de Médicis
       succède à Cosme (Florence) ; dispersion des derniers
       Croisés à Ancône ; Paul II pape (→ 1471) ; R. Lefèvre,
       Recueil des Troyennes Histoires.

1465   † Charles d'Orléans ; * Jean d'Auton (?) ; bataille de
       Montlhéry ; H. Baude, *Testament de la Mule Barbeau ;*
       P. Michaut, *La Danse aux aveugles ;* Ockeghem maître de
       chapelle de Louis XI.

1466   * Erasme (ou 1467 ou 1469 ?) ; † J. Milet ; † Francesco
       Sforza ; création d'une chaire de grec à l'université de
       Paris ; *Les Cent Nouvelles nouvelles ;* J. de Bueil, *Le
       Jouvencel ;* † Donatello.

1467   † Philippe le Bon ; avènement de Charles le Téméraire ; *Le
       Lion couronné ;* F. Lippi, *Couronnement de la Vierge.*

1468   † J. Régnier ; * Octovien de Saint-Gelais ; * Guillaume
       Budé ; entrevue de Péronne ; J. Molinet, *Trône d'Hon-
       neur ;* Marsile Ficin, *Theologia platonica ;* B. Gozzoli à
       Pise.

1469   Avènement de Laurent de Médicis ; mariage de Ferdinand
       d'Aragon et d'Isabelle de Castille ; *Farce de Maître Pathelin*
       (ou 1461 ?).

1470   * Roger de Collerye ; Guillaume Fichet installe une impri-
       merie à la Sorbonne ; *Le Livre des faits de Jacques de
       Lalaing ;* traduction de Xénophon ; Fouquet, *Les Antiquités
       judaïques.*

1471   Louis XI occupe la Picardie ; † Henri VI d'Angleterre
        (1422 ←) ; Sixte IV pape (→ 1484) ; † Thomas à Kempis ;
        les Portugais passent l'équateur ; *Passion* d'Autun.

1472   * S. Champier ; Commynes passe au service de Louis XI ;
        Martial d'Auvergne, *Vigiles de Charles VII ;* traduction des
        Commentaires de César.

1473   * J. Lemaire de Belges ; R. Gaguin, *De arte metrificandi* ;
        Botticelli, *Saint Sébastien.*

1474   Union de Constance (Louis XI — cantons suisses) ; M. Fi-
        cin, *De christiana religione ;* construction de la Chapelle
        Sixtine.

1475   * P. Gringore (?) ; † G. Chastellain ; traités de Picquigny
        (France-Angleterre) ; ouverture au public de la Bibliothè-
        que vaticane ; *Miracles de Sainte-Geneviève* ; † Guillaume
        Dufay ; Verrocchio, *David.*

1476   * Jean Bouchet ; Bataille de Morat ; N. Froment, *Le
        Buisson ardent.*

1477   † Charles le Téméraire devant Nancy ; Marie de Bourgogne
        épouse Maximilien d'Autriche ; impression du premier livre
        en français ; Olivier de La Marche, *Débat de Cuider en de
        Fortune ;* Botticelli, *Le Printemps.*

1478   * Thomas More ; conspiration de Pazzi à Florence ; J. Moli-
        net, *Naufrage de la Pucelle ;* J. Le Prieur, *Mystère du Roi
        Josaphat.*

1479   Memling, *Mariage mystique de sainte Catherine.*

1480   † René d'Anjou ; † Guillaume Fichet ; prise d'Otrante par
        les Turcs ; institution des postes royales ; Molinet, *Le
        Temple de Mars* (?) ; J. Macho traduit Esope ; † Jean
        Fouquet.

1481   Louis XI acquiert le Maine et la Provence ; débuts de
        l'Inquisition en Espagne ; Molinet, *Ressource du petit
        peuple ;* première édition du *Roman de la Rose ;* Sannazar,
        L'Arcadie ; Pulci, *Morgante maggiore* (→ 1482).

1482   Louis XI occupe Picardie et Artois ; Paix d'Arras ; Louis XI
        obtient la Bourgogne ; G. Flameng, *Mystère de saint
        Didier ;* M. Ficin dédie à L. de Médicis sa traduction du
        Banquet de Platon ; † Hugo van der Goes.

1483   * Luther ; † Louis XI ; avènement de Charles VIII ; régence
        des Beaujeu ; Venise appelle les Français en Italie ; disette
        en France ; Paul Emile professeur à Paris ; Platon, *Opera,*
        trad. Ficin.

1484   * J. C. Scaliger ; états généraux de Tours ; anon., *Griselidis.*

1485   La Guerre folle ; 109 imprimeries en Europe ; *Bergerie de
        l'Agneau de France ; Pierre de Provence* (édition) ; Gaguin,
        trad. des *Commentaires* de César.

1486   * C. Agrippa ; Maximilien empereur ; B. Diaz passe le Cap
        de Bonne-Espérance ; invasion de la Picardie par Maximi-
        lien ; Prédications de Savonarole (→ 1489) ; G. Alexis,

Blason des Fausses Amours; J. Michel, *Mystère de la Passion* (repr. à Angers).

1487 Disette en France; *Robert le Diable* (éd.).

1488 * C. de Longueil; Anne duchesse de Bretagne; fin de la Guerre folle; F. Andrelini arrive en France; *Lancelot* en prose (éd.).

1489 * G. Farel; * L. de Berquin; Commynes, *Mémoires* (→ 1498); édition de Villon.

1490 * S. Macrin; O. de Saint-Gelais, *Le Séjour d'honneur* (→ 1494).

1491 * Mellin de Saint-Gelais; * Ignace de Loyola; † Jean Meschinot; Mariage de Charles VIII et d'Anne de Bretagne; Lefèvre d'Etaples en Italie (→ 1492).

1492 * Marguerite d'Angoulême; * A. Héroët (?); traité d'Etaples avec Henri VII; Alexandre VI Borgia pape (→ 1503); C. Colomb découvre l'Amérique; Erasme ordonné prêtre; Ficin, *De Triplici Vita,* éd. par Lefèvre; Josse Bade s'installe à Paris; N. Gilles, *Annales et Chroniques de France;* G. Tardif traduit les *Facéties* du Pogge et les *Apologues* de L. Valla; † G. Busnois; J. Obrecht à Anvers.

1493 Traités de Senlis (avec Maximilien) et de Barcelone (avec Ferdinand); réforme du clergé français; disette en France; O. de Saint-Gelais, *Euryale et Lucrèce.*

1494 * Rabelais (?); * François d'Angoulême; † Pic de la Mirandole; † Ange Politien; Première campagne d'Italie; Philippe le Beau gouverneur des Pays-Bas; organisation des foires de Lyon; A. de La Vigne, *Ressource de la chrétienté; Jehan de Paris* (éd.); S. Brant, *Narrenschiff.*

1495 Prise et perte de Naples par Charles VIII; traité de Verceil avec Sforza; J. Lascaris vient enseigner à Paris; R. Gaguin, *Compendium de origine et gestis Francorum;* construction d'Amboise.

1496 * Cl. Marot; * Lazare de Baïf; † Guill. Alexis; † Henri Baude; G. Cretin, *Déploration d'Ockeghem;* A. de La Vigne, *Verger d'Honneur;* † Ockeghem; *Mise au tombeau* de Solesmes.

1497 Trêve de Lyon; départ de l'expédition Vasco de Gama; Cabot découvre Terre-Neuve; R. Gaguin, *Epistolae et Orationes;* O. de Saint-Gelais, trad. des *Héroïdes* d'Ovide; L. de Vinci, *La Cène* (Milan).

1498 † Charles VIII; avènement de Louis XII; R. Gaguin, *De arte metrificandi;* A. Brumel, maître de chapelle à N.-D. de Paris.

1499 * Robert Estienne; † Marsile Ficin; Deuxième campagne d'Italie; Louis XII entre à Milan; J. d'Auton, *Conquête de Milan*; P. Gringore, *Château de Labeur;* N. Oresme, *Ethique d'Aristote.*

1500   † Guillaume Tardif (?) ; † M. Marulle ; bataille de Novare ; traité de Grenade ; O. de La Marche, *Mémoires ;* J. d'Auton, *Chronique du roi Louis XII* ; Molinet, *Roman de la Rose moralisé ;* F. Colonna, *Hypnerotomachia Poliphili* ; Erasme, *De copia.*

1501   * M. Scève ; † R. Gaguin ; † J. Michel ; Troisième campagne d'Italie : prise de Capoue et de Naples ; Traité de Trente ; anonyme, *Jardin de Plaisance et Fleur de Rhétorique ;* Erasme, *Adages ;* débuts de l'imprimerie musicale (Petrucci, *Odhecaton*) ; Maître de Moulins, triptyque de *Beaujeu.*

1502   * Monluc (?) ; * Brodeau (?) ; † O. Maillard ; † O. de Saint-Gelais ; Louis XII à Milan et à Gênes ; réforme de la justice, des impôts, des ordres monastiques ; voyages de Vasco de Gama (→ 1503) et de C. Colomb (→ 1504) ; premières éditions des Estienne ; reconstruction du collège de Navarre ; Josquin des Prés, *Missae* (→ 1514) ; château de Gaillon ; palais ducal de Nancy.

1503   * H. Salel ; * Amyot ; * N. Bourbon ; † Pontano ; perte du royaume de Naples, Pie III puis Jules II (→ 1513) papes ; S. Champier, *Nef des dames vertueuses ;* A. Brumel, *Missae ;* château de Blois (aile Louis XII) ; L. de Vinci, *La Joconde.*

1504   * Ch. Estienne ; traités de Blois ; J. Lemaire, *Temple d'Honneur et de Vertu, Couronne margaritique ;* J. Bouchet, *Les Renards traversants ;* Erasme, *Enchiridion militis christiani ;* J. Obrecht à Ferrare ; Michel-Ange, *David.*

1505   * M. de L'Hospital ; * A. Du Saix ; états généraux de Tours ; J. Lefèvre publie les *Livres hermétiques ;* J. Lemaire, *L'Amant vert ;* P. Gringore, *Folles Entreprises ;* Ph. de Vigneulles, *Cent Nouvelles nouvelles* (→ 1515) ; Bembo, *Gli Asolani ;* † J. Obrecht ; Josquin à la cour de Louis XII (→ 1515).

1506   * Buchanan ; † Philippe le Beau ; révolte de Gênes ; J. Lefèvre édite la *Politique* d'Aristote ; J. Marot, *La Vraidisant Avocate des dames ;* G. Michel, *Géorgiques* de Virgile avec moralisation ; Reuchlin, *Rudimenta linguae hebraicae ;* L. de Vinci, *Trattato della Pittura.*

1507   † J. Molinet ; Campagne de Gênes ; Louis XII à Milan ; Marguerite d'Autriche gouvernante des Pays-Bas ; église de Brou ; M. Colombe, tombeau des ducs de Bretagne.

1508   * J. Dorat ; * Fr. Habert (?) ; Ligue de Cambrai contre Venise ; J. Aléandre arrive à Paris ; G. Budé, *Annotationes in Pandectas ;* J. Marot, *Voyage de Gênes ;* J. Lemaire, *Concorde du genre humain ;* Cl. de Seyssel, *Louanges du roi Louis XII ;* L. de Vinci au service de Louis XII ; J. Bourdichon, *Heures d'Anne de Bretagne ;* M. Colombe, *Saint-Georges* de Gaillon.

1509   * Calvin ; Campagne contre Venise, bataille d'Agnadel ;

Henri VIII roi d'Angleterre; J. Lefèvre, *Quincuplex Psalterium*; J. Lemaire, *Légende des Vénitiens*; P. Gringore, *Les Abus du Monde*; Arioste, *I Suppositi*; Erasme, *Eloge de la Folie*; façade du château de Gaillon.

1510 *A. Paré; *G. Postel; † G. d'Amboise; Campagne de Nemours en Italie; Ch. de Bovelles, *De Intellectu*; J. Marot, *Voyage de Venise*; P. Gringore, *Chasse du cerf des cerfs*; † A. de Févin.

1511 *J. Second; Sainte-Ligue contre Louis XII; invasion du Milanais par les Suisses; J. Lemaire, *Illustrations de Gaule I*; J. d'Auton, *Epître du roi à Hector de Troie*; L. Desmoulins, *Catholicon des malavisés*.

1512 *Ch. de Sainte-Marthe; *Th. Sébillet; *Turnèbe; perte de l'Italie, bataille de Ravenne; ouverture du concile de Latran (→ 1516); J. Lemaire, *Illustrations de Gaule II et III*; P. Gringore, *Jeu du Prince des Sots*; J. Clichtove, *De vera nobilitate*; † M. Colombe (?).

1513 *Amyot; traité de Blois; reconquête du Milanais; Léon X pape (→ 1521); Platon, *Opera* (en grec, éd. par A. Manuce); A. Tiraqueau, *De legis connubialibus*; J. Lemaire, *Concorde des deux langages*; Machiavel, *Le Prince*; Bibbiena, *La Calandria*; J. Mouton maître de chapelle du roi; château de Bonnivet (→ 1525).

1514 † Anne de Bretagne; † Louis XII; publication du *Grand Coutumier de France*; La Sorbonne condamne les œuvres de Reuchlin; N. de Cuse, *Opera*, éd. par J. Lefèvre; C. Marot, *Temple de Cupido*; Bouchard, *Grandes Chroniques de Bretagne*.

1515 *Ch. Fontaine; *P. Ramus; † A. de La Vigne (?); avènement de François Ier; reconquête du Milanais, bataille de Marignan; G. Budé, *De Asse*; U. von Hütten, *Epistolae obscurorum virorum*; Trissino, *Sophonisba*; Machiavel, *Discorsi* (→ 1519); L. de Vinci en France; *Mise au tombeau* de Chaource.

1516 Paix perpétuelle de Fribourg avec les Suisses; Concordat avec Léon X; Charles Quint roi de Castille; Paul Emile, *De rebus gestis Francorum*; Erasme, édition princeps du *Nouveau Testament* en grec; G. Michel, *Forêt de Conscience*; P. Gringore, *Fantaisies de Mère Sotte*; Thomas More, *Utopia*; Erasme, *Institutio Principis christiani*; Pomponazzi, *De immortalitate animae*; Arioste, *Orlando Furioso*; † Jérôme Bosch; construction de l'aile François Ier à Blois; Glaréan, *Isagoge in musicen*.

1517 *J. Peletier; traité de Cambrai; la Grande Paix (→ 1521(; les 95 thèses de Luther; J. des Courtils, *La Mer des histoires*; † H. Isaac.

1518 † M. Menot; naissance du dauphin François; G. Tory ouvre son imprimerie; Machiavel, *Mandragola*; † L. Compère.

1519 * Th. de Bèze ; † F. Andrelini ; † Maximilien ; Charles Quint empereur ; premier tour du monde par Magellan ; Cl. de Seyssel, *La Monarchie de France;* Commynes, *Chroniques* (éd.) ; † Léonard de Vinci ; construction de Chambord ; Glaréan, *Dodecachordon* (→ 1539).

1520 * O. de Magny ; * N. Du Fail ; * P. Du Guillet ; † H. Estienne ; † Cl. de Seyssel ; Camp du Drap d'or ; Bulle *Exsurge Domine* contre Luther ; Noël Béda syndic de la Sorbonne ; Pomponazzi, *De fato;* Luther, *An den christlichen Adel;* A. Willaert, *Chansons;* fenêtre du couvent de Tomar.

1521 * Pontus de Tyard ; perte du Milanais ; Adrien VI pape (→ 1523) ; Diète de Worms ; condamnation de Luther par la Sorbonne ; Lefèvre d'Etaples est appelé à Meaux par Briçonnet ; P. Fabri, *Art de rhétorique;* A. de Graville, *Palomon et Arcita;* G. Michel, *Siècle doré; Violier des histoires romaines;* Bembo, *Prose della volgar lingua* (→ 1525) ; † Josquin des Prés.

1522 * J. Du Bellay ; † Chr. de Longueil ; † J. Reuchlin ; les Français chassés d'Italie ; procès du connétable de Bourbon ; premier emprunt d'état ; Alamanni arrive en France ; J. Alione, *Opera jocunda;* Erasme, *Colloquia;* Luther, trad. allemande de la *Bible;* † J. Mouton.

1523 * L. Des Masures ; trahison du connétable de Bourbon ; Clément VII pape (→ 1534) ; le Parlement de Paris fait saisir et brûler les livres de Luther ; Vivès, *De ratione studii;* Lefèvre, *Psautier et Nouveau Testament* en français ; Luther, *Formula Missae;* Holbein, *Portrait d'Erasme.*

1524 * Ronsard ; invasion de la Provence par Charles Quint ; grand jubilé de Clément VII ; Erasme, *De libero arbitrio;* Clichtove, *Anti-Lutherus;* J. Bouchet, *Annales d'Aquitaine;* M. de Navarre, *le Pater noster;* travaux à Chambord.

1525 † G. Cretin ; reconquête du Milanais ; désastre de Pavie ; captivité de François Ier ; Louise de Savoie régente ; Luther, *De servo arbitrio;* la Sorbonne condamne divers écrits d'Erasme et les *Epîtres et Evangiles* de Lefèvre ; *Mabrian* (roman de chevalerie) ; S. Champier, *Le Preux Bayard;* Loyola, *Exercices spirituels;* Berquin, trad. de l'*Enchiridion* d'Erasme ; G. Tory, *Heures de la Vierge;* construction de Saint-Etienne-du-Mont.

1526 * Muret ; † Jean Marot ; † A. de La Vigne ; traité de Madrid ; Ligue de Cognac ; P. Sala, *Tristan* (?) ; C. Marot, éd. du *Roman de la Rose;* Loyola, *Exercices spirituels;* Erasme, *Colloques;* Blois, construction du grand escalier.

1527 * J. Tahureau ; † Ph. de Vigneules ; † Fl. Robertet ; † Machiavel ; condamnation de Bourbon ; sac de Rome ; mort de Bourbon ; Marguerite reine de Navarre ; Semblançay pendu ; Budé, *De studio litterarum;* C. Marot, *Epître au roi pour le délivrer de prison;* Cretin, *Œuvres* (éd.) ;

Généalogies des rois de France; anon., *La Célestine;* A. Willaert maître de chapelle à Saint-Marc de Venise.

1528 *R. Belleau; † Jean d'Auton; synode de Sens; disette en France; Copernic définit l'héliocentrisme; *Perceforest* (éd.); Erasme, *Ciceronianus;* Lefèvre, *Ancien Testament;* B. Castiglione, *Il Cortegiano;* P. Attaingnant publie divers recueils de chansons; agrandissement du Louvre (P. Lescot); château de Madrid (P. Godin); château de Fontainebleau (G. Le Breton); Clouet peintre du roi.

1529 † Paul Emile; † Berquin; Paix des Dames (Cambrai); Grande Rebeine de Lyon; G. Tory, *Champfleury;* Budé, *Commentarii linguae grecae;* M. d'Amboise, *Complaintes de l'Esclave fortuné;* A. Chartier, *Œuvres* (éd.); N. Barthélemy, *Christus Xylonicus;* N. Gombert, *Œuvres musicales.*

1530 † J. Parmentier; Diète d'Augsbourg; † Marguerite d'Autriche; J. Palsgrave, *Eclaircissement de la langue française;* Budé, *De Philologia;* *Perceval le Gallois* (éd.); Lefèvre, *Sainte Bible* (d'après la Vulgate); château de Saint-Germain-en-Laye (→ 1540).

1531 *Grand Voyage de France* (→ 1533); mariage Henri de Valois-Catherine de Médicis; schisme d'Angleterre; R. Estienne, *Dictionarium seu latinae linguae thesaurus;* Vivès, *De disciplinis;* M. de Navarre, *Miroir de l'âme pécheresse;* Jeanne Flore, *Comptes amoureux;* *Parangon des nouvelles;* Alciat, *Emblemata;* P. Grognet, *Mots dorés de Caton;* R. Bertaut traduit Guevara; Le Rosso travaille à Fontainebleau.

1532 *J. A. de Baïf; G. Corrozet, *Fleur des antiquités de Paris;* Rabelais, *Pantagruel;* Marot, *Adolescence Clémentine;* traduction anonyme de l'*Eulenspiegel;* Vivès, *De institutione foeminae christianae;* église Saint-Eustache; château de Villers-Cotterêts.

1533 *Montaigne; † Ch. de Bovelles; † G. Tory; † Arioste; condamnation du *Miroir de l'âme pécheresse* par la Sorbonne; G. Roussel prêche le carême au Louvre; N. Bourbon, *Nugae;* Marot commence la traduction des *Psaumes* (→ 1539).

1534 † Briçonnet; Affaire des Placards; Paul III pape (→ 1549); fondation de la Compagnie de Jésus; Cartier au Canada; Rabelais, *Gargantua;* G. Du Pont, *Controverses des sexes;* Marot, *Métamorphoses d'Ovide* (1er livre, trad.).

1535 † Thomas More; † Josse Bade; † C. Agrippa; guerre contre l'Empire; Ligue de Smalkade; Réformation de Genève; édit de suppression de l'imprimerie; concours des blasons (Ferrare); Budé, *De transitu hellenismi ad christianismum;* La Perrière, *Théâtre des bons engins;* Scève, *Déplorable fin de Flammette;* Bible d'Olivétan; Arétin, *Ragionamenti.*

1536 † Lefèvre d'Etaples; † Erasme; † J. Second; † Tagliacarne ; François Ier occupe Savoie et Piémont ; invasion de la Provence par Charles Quint ; capitulations avec Soliman ; Paul III convoque le concile ; implantation de l'industrie de la soie à Lyon ; querelle Marot-Sagon ; Dolet, *Commentarii linguae latinae* (→ 1538) ; R. de Collerye, *Œuvres* ; N. de Troyes, *Grand Parangon* ; Scève, *Arion* ; Calvin, *Christianae religionis institutio* ; Héroët, *l'Androgyne de Platon* ; Visagier, *Epigrammata* (→ 1537).

1537   Rabelais pratique la dissection ; B. des Périers, *Cymbalum Mundi* ; Marot, *Epître de Frippelippes* ; L. de Baïf, *Electre* (trad. de Sophocle) ; J. Colin, trad. du *Courtisan* ; Jannequin, *Chant du Rossignol.*

1538   * Grévin ; † Collerye ; † Gringore ; trêve de Nice ; entrevue d'Aigues-Mortes ; † dauphin François ; Calvin et Farel exilés de Genève ; R. Estienne, *Dictionarium latino-gallicum* ; Hélisenne de Crenne, *Angoisses douloureuses* ; Marot, *Œuvres* (éd. Dolet) ; J. Meynier, *Triomphes* de Pétrarque ; Attaingnant, *35 Livres de chansons* (→ 1550).

1539   Edit contre les hérétiques ; traversée de la France par Charles Quint ; Ordonnance de Villers-Cotterêts ; Vatable, *Biblio sacra hebraica* ; Mercator, carte du globe ; Salel, *Œuvres* ; G. Du Pont, *Art et science de rhétorique métrifiée* ; J. Second, *Basia* ; Arcadelt, *Madrigaux* (→ 1554).

1540   † G. Budé ; † V. Brodeau ; Calvin rappelé à Genève ; approbation de la Compagnie de Jésus ; Dolet, *Manière de bien traduire* ; R. Estienne, *Dictionnaire français-latin* ; Sainte-Marthe, *Poésie française* ; Herberay des Essarts, *Amadis de Gaule* (→ 1548) (8e livre) ; † Jean Clouet.

1541   * Charron ; Diète de Ratisbonne ; *Querelle des Amies* ; La Borderie, *L'Amie de cour* ; Calvin, *Institution de la religion chrétienne* ; Corrozet, *Hécatomgraphie* ; J. Peletier, *Art poétique d'Horace* ; Marot, *Trente Psaumes* ; J. Second, *Opera* ; Fr. Clouet peintre du roi ; Palais du Louvre (P. Lescot) ; Serlio à Fontainebleau.

1542   * Le Taille ; † Visagier ; Campagne du Milanais ; fondation de l'Inquisition ; interdiction de l'*Institution* de Calvin ; Vicomercato lecteur royal de philosophie ; Fernel, *De naturali parte medicina* ; Héroët, *Parfaite Amie* ; Le Prima tice dirige les travaux à Fontainebleau.

1543   † G. Du Bellay ; † Clichtove ; P. Ramus, *Aristotelicae animadversiones* ; Copernic, *De revolutionibus orbium celestium* ; rencontre Ronsard-Du Bellay-Peletier ; J. Martin, *Orus Apollo* ; jubé de Saint-Germain-l'Auxerrois (P. Goujon-P. Lescot) ; A. Vésale, *De corporis humani fabrica.*

1544   * Du Bartas ; † Marot ; † Des Périers ; † A. d'Arena ; bataille de Cérisoles ; traité de Crépy ; S. Münster, *Cosmographia universalis* ; Marot, *Œuvres* (éd. Constantin) ; Scève, *Délie* ; Des Périers, *Œuvres* ; J. Martin, trad. de l'*Arcadie* de Sannazar; Dolet, trad. de l'*Axiochus* et de l'*Hipparchus* de Platon; Du Moulin, trad. du *Manuel* d'Epictète; Bochetel, *Hécube* (Euripide); Gohory, *Discours* de Machiavel.

1545 * R. Garnier; † Pernette du Guillet; ouverture du concile de Trente; Serlio, *Architectura;* A. Paré médecin; P. Du Guillet, *Rimes;* Bouchet, *Epîtres morales et familières;* J. Martin, trad. des *Azolains,* de Bembo; Le Maçon, trad. du *Décaméron,* Salel, trad. de l'*Iliade;* anon., trad. des *Supposés* d'Arioste; J. Martin, trad. de Serlio; L. Richier, monument funéraire de R. de Châtillon.

1546 † Desportes; † Dolet; † Luther; massacre des Vaudois en Provence; Guerre de Smalkade; Rabelais, *Tiers Livre;* Dolet, *Cantique;* Ch. Fontaine, *Fontaine d'amour;* J. Martin-J. Gohory, trad. du *Songe de Poliphile;* Alamanni, *Coltivazione.*

1547 * L. de Baïf: † La Borderie; † M. d'Amboise; † Henri VIII; † François I\ler\; avènement de Henri II; Ronsard, Baïf et Du Bellay à Coqueret avec Dorat; Rabelais, *Quart Livre;* Scève, *Saulsaye;* Budé, *Institution du Prince;* Du Fail, *Propos rustiques;* M. de Navarre, *Marguerites;* Saint-Gelais, *Œuvres;* Peletier, *Œuvres poétiques;* G. Haudent, trad. d'Esope; J. Martin trad. Vitruve; château d'Anet (Ph. Delorme); Michel-Ange dirige des travaux à Saint-Pierre de Rome.

1548 Guerre franco-anglaise; mariage du dauphin et de Marie Stuart; interdiction des Mystères par le Parlement; Du Fail, *Baliverneries;* Sébillet, *Art poétique;* Forcadel, *Chant des Sirènes;* M. de Navarre, *Comédie jouée au Mont-de-Marsan;* Th. de Bèze, *Poemata;* V. Philieul, *Laure d'Avignon* (trad. de Pétrarque); Fontaine des Innocents (Goujon-Lescot).

1549 † M. de Navarre; édit de Paris contre les protestants; Du Bellay, *Défense et Illustration de la langue française;* Du Bellay, *Olive;* Sébillet, *Iphigénie* (Euripide).

1550 Ronsard, *Odes* (I-IV); B. Aneau, *Quintil Horatian;* L. Meigret, *Grammaire française;* Paradin, *Histoire de notre temps;* Th. de Bèze, *Abraham sacrifiant;* Entrée de Henri II à Rouen.

1551 Guerre de Parme; création de la cour des Monnaies; L. Hébreu, *Dialogues d'amour* (trad. par D. Sauvage et par P. de Tyard).

1552 † Bertaut; * A. d'Aubigné; traité de Chambord; occupation des Trois Evêchés; siège de Metz; Jodelle, *Eugène;* Baïf, *Amours de Méline;* Ronsard, *Les Amours.*

1553 † Servet; Du Bellay à Rome; Magny, *Amours;* Ronsard, *Folâtries;* Des Autels, *Amoureux repos;* Baïf, *Amours de Francine;* Jodelle, *Cléopâtre captive;* Muret, *Caesar;* G. Cappel trad. *le Prince* de Machiavel.

1554 † Rabelais; bataille de Renty; Pasquier, *Monophile;* Thévet, *Cosmographie de Levant;* Ronsard, *Bocage, Mélanges,* Buchanan, *Jephtes;* C.Gruget trad. les *Diverses Leçons* de P. Messie.

1555 *Malherbe; † Tahureau; expédition de Villegagnon au Brésil; Ronsard, *Hymnes, Continuation des Amours;* Peletier, *L'Amour des amours;* Nostradamus, *Centuries;* Peletier, *Art poétique.*

1556 *Du Perron; *Du Vair; abdication de Charles Quint; L. Labé, *Œuvres;* Ronsard, *Hymnes,* 2e livre; Belleau, trad. d'Anacréon; La Péruse, *Médée;* trad. du *Banquet.*

1557 *J. de Sponde; guerre générale; défaite de Saint-Quentin; Amyot, trad. de *Daphnis et Chloé* de Longus.

1558 Reconquête de Calais; Du Bellay, *Regrets, Antiquités, Jeux rustiques, Poemata;* Jodelle, *Recueil des inscriptions;* Des Périers, *Nouvelles récréations et joyeux devis.*

1559 Traité de Cateau-Cambrésis; premier synode général des églises réformées; édit d'Ecouen; † Henri II; avènement de François II; exécution d'Anne Du Bourg; M. de Navarre, *Heptaméron* (p.p. Gruget); G. et M. Du Bellay, *Mémoires;* Saint-Gelais, trad. de la *Sophonisbe* de Trissino; Amyot, trad. des *Vies parallèles* de Plutarque.

1560 † Du Bellay; tumulte d'Amboise; M. de l'Hospital nommé garde des sceaux; édit de Romorantin; † François II; régence de Catherine de Médicis; états généraux d'Orléans; échec de l'expédition Villegagnon; Pasquier, *Recherches de la France;* première édition collective de Ronsard; trad. de *Lazarille de Tormes;* Belleforest trad. Bandello.

1561 † Magny; † Habert; colloque de Poissy; Scaliger, *Poetices libri septem;* Grévin, *Gélodacrye, César;* Bounin, *La Soltane;* Badius, *Comédie du Pape malade;* Grévin, *La Trésorière, Les Ebahis.*

1562 Edit de tolérance; massacre de Wassy; Première guerre de Religion; bataille de Dreux; Rabelais, *Ile sonnante;* Ronsard, *Discours des misères de ce temps, Remontrance au peuple de France.*

1563 † La Boétie; assassinat du duc de Guise; paix d'Amboise; majorité de Charles IX; clôture du concile de Trente; Ronsard, *Réponse aux injures;* Des Masures, *Tragédies saintes;* début de la construction de l'Escorial.

1564 † Calvin; *Galilée; *Shakespeare; voyage en France de Charles IX; édit de Roussillon; Rabelais, *Cinquième Livre.*

1565 Ronsard prieur de Saint-Cosme; Entrevue de Bayonne; Ronsard, *Abrégé de l'art poétique;* Belleau, *Bergerie;* H. Estienne, *Conformité du langage français avec le grec.*

1566 † Bonistuan; † L. Labé; † Michel-Ange; H. Estienne, *Apologie pour Hérodote;* Rivaudeau, *Aman.*

1567   † H. d'Urfé ; *François de Sales ; Deuxième guerre de
       Religion ; bataille de Saint-Denis ; Baïf, *Le Brave.*
1568   Paix de Longjumeau ; Troisième guerre de Religion ; Du
       Bellay, *Œuvres complètes* (posthumes) ; Chomédy trad.
       Guichardin ; construction du Gesù à Rome ; † Jean Gou-
       jon.
1569   † Ph. Delorme ; paix de Saint-Germain ; places de sûreté
       concédées aux protestants ; fondation de l'Académie de
       poésie et de musique ; entrée de Charles IX à Paris.

1587 [?] H. Estienne, François de Sales, Deuxième guerre de
religion ; bataille de Montcontour ; batt. IX Barré

1588 Paix de Longjumeau, Troisième guerre de Religion ; De
Bellay, Œuvres complètes (posthume) ; Charron, indu-
Guichardin, contribution de Grasa, Rome ; 1470 Rou-
1509

1589 [?] Ph. Duplessis, paix de Saint-Germain ; places de sûreté
concédées aux protestants ; fondation de l'Académie de
poésie et de musique ; entrée de Charles IX à Paris.

BIBLIOGRAPHIE

ABRÉVIATIONS

B.B. : *Bulletin du Bibliophile.*
B.H.R. : *Bibliothèque d'Humanisme et de Renaissance.*
B.S.H.P.F. : *Bulletin de la Société de l'histoire du protestantisme français.*
H.R. : *Humanisme et Renaissance.*
R.C.C. : *Revue des cours et conférences.*
R.D.M. : *Revue des Deux Mondes.*
R.H.L.F. : *Revue d'Histoire littéraire de la France.*
R.R. : *Revue de la Renaissance.*

INSTRUMENTS DE TRAVAIL

Les grandes histoires littéraires (PETIT DE JULLEVILLE, LAN-SON, BÉDIER-HAZARD, CALVET, ADAM) offrent toujours une base de documentation utile. Trois tomes de la collection *Littérature française* en seize volumes dirigée par Claude Pichois aux Éditions Arthaud sont consacrés à notre période : le t. II, *Moyen Age. 1300-1480* (1971), par D. POIRION ; le t. III, *La Renaissance I. 1480-1548* (1972), par Y. GIRAUD et M. R. JUNG ; le t. III, *La Renaissance II. 1548-1570* (1974), par E. BALMAS.

Les deux volumes du *Dictionnaire des lettres françaises,* publié sous la direction de Mgr GRENTE (*Moyen Age,* 1964 ; *XVIe siècle,* 1951), sont encore irremplaçables.

Parmi les grands érudits des siècles passés, signalons les *Bibliothèques françoises* de LA CROIX DU MAINE et de DU

N.-B. : Sauf exception, Paris, lieu d'édition, n'est pas mentionné.

VERDIER (dans l'édition annotée par RIGOLEY DE JUVIGNY, 1772-1773, 6 vol.), ainsi que celle de l'abbé GOUJET (1740-1756, 18 vol.), à côté des *Mémoires* du P. NICERON (1727-1745, 43 vol.) : nous sommes redevables à ces auteurs (ainsi qu'à G. COLLETET, *Vies des poètes français*) de l'essentiel de notre information sur les écrivains de l'époque.

Dans le domaine de la bibliographie, le *Manuel bibliographique de la littérature française moderne* de G. LANSON (1931, 2 vol.) demeure l'instrument de base (avec ses trois compléments par J. GIRAUD pour les périodes 1921-1935, 1935-1945, 1946-1955). La tâche de continuer le LANSON est assurée par R. RANCŒUR (en appendice à ou dans la *Revue d'histoire littéraire de la France*) et depuis 1960 par O. KLAPP, qui publie à Francfort une *Bibliographie der französischen Literaturwissenschaft* (annuelle à partir de 1969).

Il existe en outre les bibliographies spécifiques : R. BOSSUAT, *Manuel bibliographique de la littérature française médiévale*, 1951 (deux suppléments : 1955 et 1961) ; A. CIORANESCO, *Bibliographie de la littérature française du XVIe siècle* (1959). On pourra en rapprocher deux bibliographies américaines consacrées au XVIe siècle : S. F. WILL, *A Bibliography of American Studies on the French Renaissance — 1500-1600* (1940), et le volume sur *The Sixteenth Century* rédigé par A. H. SCHUTZ en 1956 dans la collection *A Critical Bibliography of French Literature* dirigée par D. C. CABEEN (sélective et commentée). Le dernier en date des instruments de travail dans ce domaine est la *Bibliographie internationale de l'Humanisme et de la Renaissance* (à partir de 1966).

Certains grands catalogues ou répertoires de livres rares ont une importance certaine pour l'étude de la Renaissance. C'est le cas notamment du *Manuel du libraire et de l'amateur de livres* de J.-C. BRUNET (1860-1865, 6 vol. ; 1870-1880, 3 vol. de suppl.), du *Catalogue des livres de J. de Rothschild* par E. PICOT (1884-1920, 5 vol.), de la *Bibliographie des principales éditions originales d'écrivains français du XVe au XVIIIe siècle* de J. PETIT (1888), de la *Bibliographie d'éditions originales et rares d'auteurs français du XVe, XVIe, XVIIe et XVIIIe siècle* de A. TCHEMERZINE (1927-1953, 10 vol., avec reproduction des frontispices), de la *Bibliographie des recueils collectifs de poésies du XVIe siècle* de F. LACHÈVRE (1922).

En plus de la *Revue d'Histoire littéraire de la France,* qui représente à elle seule un répertoire inépuisable, un certain nombre de revues d'érudition offrent un intérêt spécial pour l'étude de la Renaissance. Certaines ont disparu (mais leurs collections peuvent toujours fournir de précieux services : c'est le cas notamment de la *Revue de la Renaissance,* de la *Revue des études rabelaisiennes,* de la *Revue du seizième siècle,* d'*Humanisme* et *Renaissance*), d'autres paraissent toujours (*Bibliothèque d'Humanisme et Renaissance, Bulletin du bibliophile et du bibliothécaire, Bulletin de l'Association G. Budé, Renaissance-Humanisme-Réforme, La Bibliofilia*, etc.).

VISAGES D'UNE ÉPOQUE

Pour une vue d'ensemble de notre période, on se reportera aux ouvrages de synthèse des grandes collections historiques : « Peuples et Civilisations », t. VII, PIRENNE et al., *Fin du Moyen Age* (1934) ; t. VIII, HAUSER-RENAUDET, *Débuts de l'âge moderne* (1929) ; t. IX, HAUSER, *Prépondérance espagnole* (1934). — « Clio », SÉE-REBILLON-PRÉCLIN, *Le XVIe siècle* (1935). — « Nouvelle Clio » (ouvrages de J. HEERS, P. CHAUNU, F. MOREAU, J. DELUMEAU, H. LAPEYRE). — « Evolution de l'humanité », R. MANDROU, *Introduction à la France moderne* (1961). — « Grandes Civilisations », J. LE GOFF, *La Civilisation de l'Occident médiéval* (1965), J. DELUMEAU, *La Civilisation de la Renaissance* (1967). — « Histoire illustrée de l'Europe », M. ASTON, *Panorama du XVe s.* (1969) ; A. G. DICKENS, *La Réforme et la société du XVIe s.* (1969), *La Contre-Réforme* (1969). — « Histoire de la pensée européenne », R. MANDROU, *Des humanistes aux hommes de science* (1973). — « Initiation à l'histoire », BALARD-GENÊT-ROUCHE, *Des Barbares à la Renaissance* (1979), M. PÉRONNET, *Le XVIe siècle* (1981). — « Histoire Universelle Larousse », M. MORINEAU, *Le XVIe siècle* (1968).

Quelques travaux utiles et suggestifs :
P. LEWIS, *La France à la fin du Moyen Age* (1937). — M. MOLLAT, *Genèse médiévale de la France moderne* (1977). — G. DUBY-R. MANDROU, *Histoire de la civilisation française, I : Moyen Age et XVIe siècle* (1968). — J. BABELON, *La Civilisation française de la Renaissance* (1961). — A. DENIEUL-CORMIER, *La France de la Renaissance* (1962). — A. LEFRANC, *La Vie quotidienne au temps de la Renaissance* (1956). — N. Z. DAVIS, *Les Cultures du Peuple* (1979). — R. PERNOUD, *Histoire de la Bourgeoisie en France, Les Temps modernes* (1962). — A. CHASTEL et R. KLEIN, *L'Age de l'humanisme* (1963). — S. DRESDEN, *L'Humanisme et la Renaissance* (1967). — A. RENAUDET, *Humanisme et Renaissance* (1967). — E. GARIN, *Moyen Age et Renaissance* (1969), *La Renaissance, histoire d'une révolution culturelle* (1964). — M. P. GILMORE, *Le Monde de l'humanisme* (1955). — F. de DAINVILLE, *La Naissance de l'humanisme moderne* (1940). — F. SIMONE, éd., *Culture et politique en France à l'époque de l'humanisme et de la Renaissance* (1974). — F. SIMONE, *Il Rinascimento francese* (1961). — J. LE GOFF, *Marchands et banquiers au Moyen Age* (1956). — P. JEANNIN, *Les Marchands au XVIe siècle* (1967). — R. DOUCET, *Les Institutions de la France au XVIe siècle* (1948). — G. ZELLER, *Les Institutions*

de la France au XVIe siècle (1948). — E. BOURCIEZ, *Les Mœurs polies et la littérature de cour sous Henri II* (1886). — J. HUIZINGA, *Le Déclin du Moyen Age* (1932). — E. GIUDICI, *Spiritualismo e Carnascialismo nella Francia del Cinquecento* (1968).

Sur quelques aspects particuliers :
    J. FAVIER, *La Guerre de Cent Ans* (1980). — O. CARTELLIERI, *La Cour des ducs de Bourgogne* (1946). — J. CALMETTE, *Les Grands Ducs de Bourgogne* (1949). — J. CALMETTE, *Le Règne de Louis XI* (1938). — J. JACQUART, *François Ier* (1981). — I. CLOULAS, *Catherine de Médicis* (1979). — G. LIVET, *Les Guerres de Religion* (1962). — P. MIQUEL, *Les Guerres de Religion* (1980). — J. JACQUOT éd., *Les Fêtes de la Renaissance* (1955-1974, 3 vol.). — Cl. G. DUBOIS, *L'Imaginaire de la Renaissance* (1985). — M. LAZARD, *Images littéraires de la femme à la Renaissance* (1985).

Sur l'évolution artistique :
    E. MÂLE, *L'Art religieux de la fin du Moyen Age en France* (1908). — P. FRANCASTEL, *Histoire de la peinture française* (1955). — L. DIMIER, *La Peinture française* (1925). — A. CHASTEL, *Le Mythe de la Renaissance* (1969) et *La Crise de la Renaissance* (1968). — J. LEVÊQUE, *L'Ecole de Fontainebleau* (1984). — S. BÉGUIN, *L'Ecole de Fontainebleau* (1960). — G. C. ARGAN, *Le XVe siècle* (1955). — L. VENTURI, *Le XVIe siècle* (1956). — A. BLUNT, *Art and Architecture in France 1500-1700* (1957). — F. GÉBELIN, *Les Châteaux de la Renaissance* (1927). — M. AUBERT, *La Sculpture française du Moyen Age et de la Renaissance* (1926). — D. JALABERT, *La Sculpture française* (1931). — J. ADHÉMAR, *Le Dessin français de la Renaissance* (1954). — J. ADHÉMAR, *Les Graveurs français de la Renaissance* (1946). — A. PIRRO, *Histoire de la musique de la fin du XIVe siècle à la fin du XVIe* (1940). — G. REESE, *Music in the Renaissance* (1954). — J. MARIX, *Les Musiciens de la cour de Bourgogne* (1937). — N. BRIDGMAN, *La Vie musicale au Quattrocento* (1964). — F. LESURE, *Musicians and Poets of the french Renaissance* (New York, 1955). — Coll., « *Musique et Poésie au XVIe siècle* » (1954). — Coll., « *Chanson and Madrigal* » (1964). — H. M. BROWN, *Music in the Renaissance* (1976). — Coll., « *La Chanson de la Renaissance* », (1981). Voir aussi l'*Histoire de l'Art* et l'*Histoire de la Musique* de l' « *Encyclopédie de la Pléiade* ».

Sur les découvertes et les récits de voyage :
    G. ARKINSON, *Les Nouveaux Horizons de la Renaissance française* (1935). — F. de DAINVILLE, *La Géographie des humanistes* (1940). — G. LE GENTIL, *Découverte du monde* (1954). — Ch.-A. JULIEN, *Les Français en Amérique* (1946-1948, 2 vol.). — E. BALMAS, *La Scoperta dell'America e le lettere francese del Cinquecento* (1971). — L. HANKE, *Colonisation et Conscience chrétienne* (1957).

Quelques textes :

B. de La Broquière, *Voyage d'Outremer* (éd. Schefer, 1892, rééd. 1972). — A. Thévet, *Singularités de la France antarctique* (éd. Lestringant, 1983). — *Cosmographie de Levant* (éd. Lestringant, 1985). — J. de Léry, *Histoire d'un voyage fait en la terre de Brésil* (éd. Morisot, 1975).

TRANSMISSION
ET DIFFUSION DU SAVOIR

Histoire de l'Université au XVIᵉ siècle :

Voir S. d'Irsay, *Histoire des universités françaises et étrangères* (1935, 2 vol.) ; on consultera toujours les travaux de P. Feret (notamment *La Faculté de théologie de Paris et ses docteurs les plus célèbres. Epoque moderne, XVIᵉ siècle*, 1901). — Les nouveautés du siècle sont représentées à la fois par le Collège de France (Goujet, *Mémoires historiques et littéraires sur le Collège Royal*, 1758, 3 vol. — A. Lefranc, *Histoire du Collège de France*, 1893), par les jésuites (P. Delattre, *Les Etablissements des jésuites en France depuis quatre siècles*, Enghien, 1940. — J. B. Herman, *La Pédagogie des jésuites au XVIᵉ siècle. Ses sources et ses caractéristiques*, 1914), et, à un moindre degré, par les protestants (D. Bouchemin, *Etude sur les Académies protestantes en France au XVIᵉ et au XVIIᵉ siècle*, 1882).

Pour ce qui a trait à l'évolution des idées pédagogiques, en plus de l'ouvrage classique de G. Compayré (*Histoire critique des doctrines de l'éducation en France depuis le XVIᵉ siècle*, 1879, 2 vol.), voir P. Porteau, *Montaigne et la vie pédagogique de son temps* (1935).

Il existe deux répertoires des ouvrages pédagogiques du XVIᵉ siècle : F. Busson, *Répertoires des ouvrages pédagogiques du XVIᵉ siècle* (1886) et A. Silvye, *Essai d'une bibliographie historique de l'enseignement secondaire et supérieur en France avant la Révolution* (1892).

Histoire du livre :

Ph. Renouard, *Imprimeurs parisiens* (1898). — Id., *Documents sur les imprimeurs à Paris de 1450 à 1600* (1901). — Id., *Imprimeurs et libraires parisiens du XVIᵉ siècle* (la publication de ce grand ouvrage, demeuré jusqu'ici manuscrit, a été entreprise en 1964 et est actuellement en cours). — J. Baudrier, *Bibliographie lyonnaise* (Lyon, 1895-1927, 12 vol. ; 1 vol. de *Tables* par G. Tricou, Genève 1950). — Balsamo-Tinto, *Origini del corsivo nella tipografia italiana del Cinquecento* (Milan, 1967). — A. Claudin, *Histoire de l'imprimerie en France au XVᵉ et au XVIᵉ siècle* (1900-1915, 4 vol.). — L. Febvre-H. J. Martin, *L'Apparition du livre* (1972²). — C. Lieure, *La Gravure en France au XVIᵉ siècle* (1927). — R. Brun, *Le Livre illustré en France au XVIᵉ siècle*

(1930). — Id., *Le Livre français illustré de la Renaissance* (1969). — L. LECLERT, *Le Papier, recherches et notes pour servir à l'histoire du papier* (1926, 2 vol.). — C. M. BRIQUET, *Les Filigranes* (Amsterdam, 1968, 4 vol.). — L. M. MICHON, *La Reliure française* (1951). — A. C. RENOUARD, *Traité des droits d'auteur* (1838-1839, 2 vol.). — G. PICOT, *Le Dépôt légal et nos collections nationales* (1883).

Certains grands éditeurs sont de vrais protagonistes de la vie littéraire : A. A. RENOUARD, *Annales de l'imprimerie des Estienne* (1843). — Ph. RENOUARD, *Bibliographie des impressions et des œuvres de Josse Badius* (1908, 3 vol.). — A. CARTIER, *Bibliographie des éditions des de Tournes* (1937, 2 vol.).

Au sujet de Francesco VICOMERCATO, dont les commentaires sur l'œuvre d'Aristote paraissent à Paris entre 1543 et 1556, voir les histoires du Collège de France et les pages que lui consacre H. BUSSON (*Sources et développement du rationalisme français*, 1922).

ÉVOLUTION DES IDÉES RELIGIEUSES

Sur la grande question du siècle, le schisme :

Voir J. CALMETTE, *Le Grand Schisme d'Occident* (1920). — N. VALOIS, *La France et le grand schisme d'Occident* (1896-1902, 4 vol.). — Id., *La Crise religieuse du xvᵉ siècle, le pape et le concile, 1418-1450* (1909, 2 vol.). — V. MARTIN, *Les Origines du gallicanisme* (1939, 2 vol.).

Pour le mouvement des idées, on ne citera que pour mémoire les travaux de Burckhardt, de Voigt et de Huizinga ; voir aussi A. RENAUDET, *Préréforme et humanisme à Paris pendant les premières guerres d'Italie, 1494-1517* (1953²). — AUBENAS et RICARD, *L'Eglise et la Renaissance, 1449-1517* (1951).

Au sujet de l'humanisme français du xvᵉ siècle, voir F. SIMONE, *La Coscienza della rinascita negli umanisti francesi del Quattrocento* (Rome, 1949). — Id., *Il Rinascimento francese, studi e ricerche* (Turin, 1961).

Au sujet de Jean Gerson, dont on a entrepris en 1960 la publication des *Œuvres complètes*, voir M. J. PINET, *La Vie ardente de Gerson* (1929). — E. BUONAIUTI, *Jean Le Charlier de Gerson* (Pignerol, 1928). — R. THOMASSY, *Jean Gerson et le grand schisme d'Occident* (1852). — P. POURRAT, « Gerson et l'appel à la contemplation mystique », in *Revue d'apologétique* XLIX, 1929.

L. SALEMBIER a procuré une « Bibliographie des œuvres du cardinal Pierre d'Ailly, évêque de Cambrai, 1350-1420 » (in *Bibliographie Moderne* XII, 1908) et a publié ses *Œuvres de poésie française* (Cambrai, 1913). Voir l'étude de M. LIBERMAN, « Gerson et d'Ailly » in *Romania* LXXVIII-LXXXI, 1957-1960.

Au sujet de Lefèvre d'Etaples voir : J. BARNAUD, *J. Lefèvre d'Etaples, son influence sur les origines de la Réformation française* (Cahors, 1900). — A. LAUNE, *La Traduction de l'Ancien Testament de J. Lefèvre d'Etaples* (1895). — J. DAGENS, « Humanisme et Evangélisme chez Lefèvre d'Etaples », in *Courants religieux et humanisme à la fin du XVᵉ siècle et au début du XVIᵉ siècle* (1959). — G. BEDOUELLE, *Lefèvre d'Etaples* (1976). — A. M. SCREECH a publié *Les Epîtres et évangiles pour les cinquante et deux semaines de l'an* (Genève, 1964).

A propos de Guillaume Briçonnet, voir C. ORIOU, *G. Briçonnet évêque de Meaux* (Strasbourg, 1864). — P. A. BECKER, *Marguerite duchesse d'Alençon et G. Briçonnet évêque de Meaux d'après leur correspondance inédite* (1901). — S. BERGER, « Le procès de Briçonnet au Parlement de Paris », in *B.S.H.P.F.* 1985.

Sur le problème des rapports entre Renaissance et Réforme : on peut citer P. IMBART DE LA TOUR, *Les Origines de la Réforme* (1905-1935, 4 vol.). — F. de DAINVILLE, *La Naissance de l'humanisme* (1940). — F. DOLGIATI, *L'Anima dell'umanesimo e del rinascimento* (Milan, 1924) et le CAHIER DE L'ASSOCIATION G. BUDÉ, *Humanisme classique et pensée chrétienne* (1948).

Parmi les instruments de travail il faut ranger le *Bulletin de la Société de l'histoire du protestantisme français,* qui paraît depuis plus d'un siècle (deux *Tables* ont paru, en 1928 et 1969, pour les périodes 1852-1902 et 1903-1969). — L'encyclopédie *La France protestante* de E. E. HAAG (10 vol. la première éd. ; 6 vol. la 2ᵉ éd., par H. BORDIER, inachevée). — W. J. van EYS, *Bibliographie des bibles et des nouveaux testaments en langue française aux XVIᵉ et XVIIᵉ siècles* (Genève, 1900-1902, 2 vol.). — E. DOUMERGUE, *J. Calvin, les hommes et les choses de son temps* (Lausanne, 1899-1927, 7 vol.). — A. L. HERMINJARD, *Correspondance des réformateurs dans les pays de langue française* (Genève, 1866-1897, 9 vol.).

Pour les rapports entre Réforme et littérature, on consultera toujours avec profit l'ouvrage de A. SAYOUS, *Etudes littéraires sur les écrivains français de la Réformation* (Paris, 1881, 2 vol., 1ʳᵉ éd., Genève, 1841), ainsi que les études de H. BORDIER et de M. LELIÈVRE sur la poésie calviniste (respectivement *B.S.H.P.F.,* 1867 et *Revue chrétienne* 1865 et 1866), et, sur le psautier huguenot, de O. DOUEN (*Clément Marot et le psautier huguenot. Etude historique, littéraire, musicale et bibliographique,* 1878-79, 2 vol.) et de P. PIDOUX (*Le Psautier huguenot,* Bâle, 1962, 2 vol.). — Pour le théâtre, voir G. D. JONKER, *Le Protestantisme et le théâtre de langue française au XVIe siècle* (Groningue, 1939). — Pour la linguistique, G. GOUGENHEIM, *L'Influence linguistique de la Réforme en France* (*Le Français moderne*, 1935). — Une vue d'ensemble intéressante est proposée par le vol. *Protestantisme e Littérature* (1948), dû à M. Braspart et à d'autres auteurs, ainsi que par l'étude récente de J. Pineaux, *La Poésie des protestants de langue française (1559-1598)* (1971).

LES INFLEXIONS DE LA POÉSIE

Etudes sur les principaux courants poétiques :
P. CHAMPION, *Histoire poétique du XVe siècle* (1923, 2 vol.). — H. GUY, *L'Ecole des rhétoriqueurs* (1910, rééd. 1968). — R. H WOLF, *Der Stil der Rhétoriqueurs* (1939) et les travaux de F. SIMONE, V. L. SAULNIER, A.-M. SCHMIDT, P. JODOGNI (dans des revues ou volumes collectifs). — H. GUY, *Cl. Marot e son école* (1926, rééd. 1970 ; en fait, l'ouvrage est presque uniquement consacré à Marot. Nous ne disposons pas encore d'un bon survol de la première moitié du XVIe s.). — E. GIUDICI L. Labé et l'Ecole lyonnaise* (1964). — H. CHAMARD, *Histoire de la Pléiade* (1939, rééd. 1961-63, 4 vol.). — Y. BELLENGER, *La Pléiade* (1978). — M. RAYMOND, *L'Influence de Ronsard sur la poésie française* (1927, rééd. 1965). — F. CHARBONNIER, *La Poésie française et les Guerres de Religion* (1920).

Etudes consacrées à des aspects particuliers :
E. R. CURTIUS, *La Littérature européenne et le Moyen Age latin* (1948). — H. CHAMARD, *Les Origines de la poésie française de la Renaissance* (1920). — J. VIANEY, *Le Pétrarquisme en France au XVIe s.* (1900). — H. WEBER, *La Création poétique au XVIe s. en France* (1955). — MERRILL et CLEMENTS, *Platonism in French Renaissance Poetry* (1957). — S. MINTA, *Love Poetry in XVIth Century France* (1977). — F. JOUKOWSKY, *Poésie et Mythologie au XVIe s.* (1969). — G. DEMERSON, *La Mythologie classique dans l'œuvre lyrique de la Pléiade* (1972). — D. B. WILSON, *Descriptive Poetry* (1967). — M. JEANNERET, *Poésie et tradition biblique au XVIe s.* (1969). — A. MÜLLER, *La Poésie religieuse catholique de Marot à Malherbe* (1950). — A.-M. SCHMIDT, *La Poésie scientifi que en France au XVIe s.* (1938).

Sur les doctrines et théories poétiques :
W. F. PATTERSON, *Three Centuries of French Poetic Theory* (1935, 3 vol.). — R. J. CLEMENTS, *Critical Theory and Practice of the Pleiade* (1942). — G. CASTOR, *Pleiade Poetics* (1964). — BUCK-HEITMANN-METTMANN, *Dichtungslehren der Romania au der Zeit der Renaissance und des Barock* (1972).

Travaux portant sur certains genres :
A. HULUBEI, *L'Eglogue en France au XVIe s.* (1939). — L. MONGA, *Le Genre pastoral au XVIe s.* (1974). — E. FORSTER

Die franz. Elegie im 16. Jhdt (1959). — C. SCOLLEN, *The Birth of Elegy* (1967). — M. JASINSKI, *Histoire du sonnet* (1903, rééd. 1970). — H. VAGANAY, *Le Sonnet en Italie et en France au XVIᵉ s.* (1875, rééd. 1967).

Monographies sur les auteurs
(dans l'ordre de leur mention dans le chapitre) :

A. LECOY DE LA MARCHE, *Le Roi René* (1875). — *Le Roi René écrivain* (1925). — A. PIAGET-E. DROZ, *Pierre de Nesson* (1925). — A. PIAGET, *Martin Le Franc* (1888). — L. HOMMEL, *Chastellain* (1945). — A. de LA BORDERIE, *Jean Meschinot* (1896). — H. STEIN, *Olivier de La Marche* (1888). — N. DUPIRE, *Jean Molinet* (1932). — H. J. MOLINIER, *Octovien de Saint-Gelais* (1910). — Sur Jean Marot, voir les ouvrages de Theureau (1873), Ehrlich (1902) et Cigada (1967). — A. HAMON, *Jean Bouchet* (1901). — Ch. OULMONT, *Pierre Gringore* (1911). — F. LACHÈVRE, *Roger de Collerye* (1924). — K. v. POSADOWSKY, *Jean Parmentier* (1937). — E. L. DE KERDANIEL, *André de La Vigne* (1919). — Ph. A. BECKER, *A. de La Vigne* (1928). — H. J. MOLINIER, *Mellin de Saint-Gelais* (1910, rééd. 1969). — Ph. A. BECKER, *M. de Saint-Gelais* (1924). A. CHENEVIÈRE, *B. des Périers* (1886, rééd. 1968). — M. DESLEX, *Héroët et la Parfaite Amie* (1952). — L. P. ROCHE, *Claude Chappuys* (1929, rééd. 1968). — H. JACOUBET, *Boyssonné et son temps* (1930). — Ch. OULMONT, *Etienne Forcadel* (1907). — C. RUUTZ-REES, *Charles de Sainte-Marthe* (1919). — R. C. CHRISTIE, *Etienne Dolet* (1886). — G. BECKER, *Eustorg de Beaulieu* (1880). — H. HARVITT, *E. de Beaulieu* (1918). — R. L. HAWKINS, *Maître Charles Fontaine* (1916). — R. SCALAMANDRÈ, *C. Fontaine e la preriforma* (1969). — S. BARIDON, *Pontus de Tyard* (1950). — D. O'CONNOR, *Louise Labé* (1926). — E. GIUDICI, *Louise Labé* (1981). — M. AUGÉ-CHIQUET, *J.-A. de Baïf* (1909, rééd. 1969). — A. ECKHARDT, *Remi Belleau* (1917). — E. BALMAS, *Etienne Jodelle* (1962). — N. BANATCHEVITCH, *La Péruse* (1928). — J. FAVRE, *Olivier de Magny* 1885). — L. PINVERT, *Jacques Grévin* (1898). — N. JUGÉ, *Nicolas Denisot* (1907). — M. YOUNG, *Guillaume Des Autels* (1961).

Editions modernes
(sauf mention contraire, sous le titre de : *Poésies, Œuvres, Œuvres poétiques...*) :

E. LANGLOIS, *Recueil d'arts de seconde rhétorique* (1902, rééd. 1974). — P. FABRI, *Grand et Vrai Art de pleine rhétorique* (éd. Héron, 1889, rééd. 1969). — GRATIEN DU PONT, *Art et Science de rhétorique métrifiée* (réimpr. 1972). — Th. SÉBILLET, *Art poétique français* (éd. Gaiffe, 1910, rééd. 1932). — J. PELETIER, *Art poétique* (éd. Boulenger, 1930). — PONTUS DE TYARD, *Solitaire premier* (éd. Baridon, 1950). — *Le Quintil Horatian* ne peut se lire que dans l'éd. Person de la *Défense et Illustration* (1887). — *Le*

Jardin de Plaisance (éd. Droz-Piaget, 1901-24). — RENÉ d'ANJOU, *Œuvres* (éd. Quatrebarbes, 1844-46), *Mortifiement de vaine plaisance* (éd. Lyna, 1926), *Livre du cœur d'amour épris* (éd. Wharton, 1980). — P. DE NESSON, *Vigiles des morts* (éd. Piaget-Droz, 1925). — *Danse macabre* (éd. Champion, 1925). — *Poèmes de la mort* (éd. Paquette, 1979). — ELOI d'AMERVAL, *La Grand Diablerie* (éd. Ward, 1923). — Le Mors de la Pomme (éd. Kurtz, 1937). — Martial d'AUVERGNE, *Matines de la Vierge* (éd. Le Hir, 1970). — JEAN RÉGNIER, *Fortunes et Adversités* (éd. Droz, 1923, rééd. 1968). — MICHAUT TAILLEVENT (éd. Deschaux, 1975). — P. CHASTELLAIN-P. VAILLANT (éd. Deschaux, 1982). — M. LE FRANC, *Champion des dames* (éd. Piaget, 1918). — O. ROTH, *Studien zum Estrif de Fortune* (1970, avec de larges extraits de l'œuvre). — P. MICHAUT (éd. Folkart, 1980). — G. ALÉCIS (éd. Piaget-Picot, 1896-1908, 3 vol.). — M. d'AUVERGNE (?), *L'Amant rendu cordelier* (éd. Montaiglon, 1881). — G. CHASTELLAIN (éd. Kervyn de Lettenhove, 1863-66). — J. MESCHINOT, *Lunettes des princes* (éd. Toscani, 1973 ; éd. Martineau, 1973). — O. de LA MARCHE, *Triomphe des dames* (éd. Kalbfleisch, 1901) — J. MOLINET, *Faits et Dits* (éd. Dupire, 1936, 3 vol.). — Octovien de SAINT-GELAIS, *Séjour d'honneur* (éd. James, 1976) — Id., *Chasse d'amours* (éd. Winn, 1984). — G. CRETIN (éd. CHESNEY, 1932, rééd. 1977). — J. MAROT, *Voyage de Gênes* et *Voyage de Venise* (éd. Trisolini, 1974 et 1977). — J. ROBERTET, (éd. Zsuppán, 1970). — J. BOUCHET, *Epîtres morales et familières* (éd. Beard, 1969). — H. BAUDE, *Vers* (éd. Quicherat, 1856), *Dits moraux* (éd. Scoumane, 1959). — G. COQUILLART (éd. Freeman, 1975). — J.-J. ALIONE, *Poésies françaises* (éd. Brunet, 1836, rééd. 1974). — P. GRINGORE (éd. Jannet, 1858). — R. DE COLLERYE (éd. d'Héricault, 1855). — J. PARMENTIER (éd. Ferrand, 1971). — FRANÇOIS Ier (éd. Champollion-Figeac, 1847). — Cl. CHAPPUYS, *Poésies intimes* (éd. Best, 1967). — V. BRODEAU (éd. Tomlinson, 1982). — H. SALEL (éd. Bergougnioux, 1930, rééd. 1968). — Fr. HABERT, *Le Philosophe parfait et le Temple de Vertu* (éd. Franchet, 1923). — MELLIN DE SAINT-GELAIS (éd. Blanchemain, 1873, 3 vol.). — B. DES PÉRIERS (éd. Lacour, 1856, 2 vol.). — A. HÉROËT (éd. Gohin, 1909, rééd. 1943). — *Blasons du corps féminin* (éd. Méon, 1807, rééd. 1809 ; éd. Lambert, 1963). — *Querelle de Marot avec Sagon* (éd. Picot-Lacombe, 1920). — *Opuscules d'amour* (rééd. 1971). — G. C. BUCHER, (éd. Denais, 1980, rééd. 1970). — E. FORCADEL (éd. Joukovsky, 1977). — G. CORROZET, *Hécatomgraphie* (éd. Oulmont, 1905), *Compte du rossignol* (éd. Gohin, 1924). — BOYSSONNÉ, *Les Trois Centuries* (éd. Jacoubet, 1923). — E. DOLET, *Le Second Enfer* (éd. Longeon, 1978). — E. DE BEAULIEU, *Divers rapports* (éd. Pegg, 1964). — Pernette DU GUILLET, *Rymes* (éd. Graham, 1968). — PONTUS DE TYARD (éd. Lapp, 1966), *Erreurs amoureuses* (éd. McClelland, 1967). *Solitaire second* (éd. Yandell, 1980). — L. LABÉ (éd. Giudici, 1981 ; éd. Charpentier, 1983). — J. PELE-

TIER (éd. Françon, 1958). — J. DORAT (éd. Marty-Laveaux, 1875). — J.-A. DE BAÏF (éd. Marty-Laveaux, 1881-90, 5 vol.), *Amours de Méline* (éd. Augé-Chiquet, 1909), *Amours de Francine* (éd. Caldarini, 1966-67), *Chansonnettes mesurées* (éd. Bird., 1964). — R. BELLEAU (éd. Marty-Laveaux, 1878, 2 vol.), *Bergerie* (éd. Delacourcelle, 1954), *Amours* (éd. Verdier, 1973). — E. JODELLE (éd. Balmas, 1965-68). — J. TAHUREAU (éd. Peach, 1984). — LA PÉRUSE (éd. Gillibert, 1867). — O. DE MAGNY (éd. Courbet, 1871-80, 6 vol.). — *Amours de 1553* (éd. Whitney, 1970). — *Gayetés* (éd. McKay, 1968), *Soupirs* (éd. Wilkin, 1978). — TH. DE BÈZE, *Psautier* (éd. Pidoux, 1984), O. DOUEN, *Marot et le psautier huguenot* (1878-79, 2 vol.). — J. GRÉVIN (éd. Pinvert, 1922). — N. FILLEUL, *Les Théâtres de Gaillon* (éd. Joukovsky, 1971). — N. VAUQUELIN, *Foresteries* (éd. Bensimon, 1956), *Diverses poésies* (éd. Travers, 1872. — J. BÉREAU (éd. Gautier, 1976). — M.-C. DE BUTTET (éd. Lacroix, 1880).

LE THÉÂTRE DE PATHELIN
A GREVIN

Travaux d'ensemble :
xve siècle.

L. PETIT DE JULLEVILLE, *Histoire du théâtre en France. Les Mystères* (1880, 2 vol.). — L. CLÉDAT, *Le Théâtre en France au Moyen Age* (1896). — M. SEPET, *Les Origines catholiques du théâtre moderne* (1901). — J. MORTENSEN, *Le Théâtre français au Moyen Age* (1903). — E. LINTILHAC, *Histoire générale du théâtre en France* (1904-1911, 5 vol.). — L. PETIT DE JULLEVILLE, *Les Comédiens en France au Moyen Age* (1885). — E. FARAL, *Les Jongleurs en France au Moyen Age* (1910). — R. GARAPON, *La Fantaisie verbale et le comique dans le théâtre français, du Moyen Age à la fin du XVIIe siècle* (1957). — E. ROY, *Le Mystère de la Passion en France du XIVe au XVIe siècle* (1903, 2 vol.). — G. COHEN, *Le Livre de conduite du régisseur et le compte des dépenses pour le mystère de la Passion joué à Mons en 1501* (1925). — Id., *Histoire de la mise en scène dans le théâtre religieux français du Moyen Age* (1951[3]). — Id., *Le Théâtre en France au Moyen Age* (1929-1931, 2 vol.). — Id., *Etudes d'histoire du théâtre en France au Moyen Age* (1957).

LES MYSTÈRES

Le *Mystère du Vieil Testament* a été publié par J. DE ROTHS-CHILD et E. PICOT (1878-1891, 6 vol.) ; cf. aussi M. SEPET, *Les Prophètes du Christ, études sur l'origine du théâtre moderne* (1878). — Au sujet de J. DU PÉRIER, voir M. HIPPE, *Le Mystère du Roy Advenir* (Greifswald, 1906), ainsi que l'étude de A. THOMAS in *Romania* XLVI, 1920. — Au sujet des Gréban, voir A. SOREL,

« Notice biographique et littéraire sur Arnoul et Simon Gréban » (in *Bulletin Société de Compiègne* II, 1875) et H. CHARDON, *Les Gréban et les mystères dans le Maine* (1879), ainsi que l'étude de R. LEBÈGUE, *Le Mystère des Actes des Apôtres. Contribution à l'étude de l'humanisme et du protestantisme français* (1929). — Le *Mystère de la Passion* d'ARNOUL GRÉBAN a été publié par G. Paris et G. Raynaud (1878). Le *Mystère de la Passion* de Jean MICHEL a été publié par A. Jodogne (1959) ; voir sur l'auteur la thèse de K. KRUSE, *Jehan Michel* (Greifswald, 1907). — Le *Mystère de saint Christophe* a été republié par CHÂTEAU-GIRON et ARTAUD en 1833. — Le *Mystère du siège d'Orléans* a été publié par GUESSARD et DE CERTAIN (1862) : l'attribution à Jacques Milet est controversée. — *L'Istoire de la destruction de Troye la grant* a été publiée par E. STENGEL (Marbourg, 1883), le *Mystère de saint Louis* par F. MICHEL (Londres, 1871). — Le *Mystère de la Passion de Valenciennes* n'a été publié qu'en partie ; sur l'attribution à Molinet, v. N. DUPIRE, « Le Mystère de la Passion de Valenciennes » in *Romania* XLVII, 1922. — L'attribution à Molinet du *Mystère de saint Quentin* (p.p. H. CHATELAIN, *Le Mystère de saint Quentin suivi des inventions du corps de saint Quentin par Eusèbe et Eloi*, 1908), maintenue par N. Dupire (*J. Molinet, la vie et les œuvres*, 1932), est controversée. — Le *Mystère de saint Martin* d'André DE LA VIGNE est inédit ; voir E. SERRIGNY, « La représentation d'un mystère de saint Martin à Seurre » en 1496 in *Mémoires Académie des sciences de Dijon* X, 1887 ; et E. DE KERDANIEL, *Un rhétoriqueur, André de La Vigne* (1923).

MORALITÉS

On trouve des moralités dans les grands recueils de textes du théâtre médiéval : MONMERQUÉ et MICHEL, *Théâtre français du Moyen Age* (1839). — E. FOURNIER, *Le Théâtre français avant la Renaissance* (1872). — VIOLLET-LE-DUC, *Ancien théâtre français* (1854-1857, 10 vol. : les trois premiers vol.), GASSIES DE BRULIES, *Anthologie du théâtre français du Moyen Age* (1925). — LE ROUX DE LINCY-MICHEL, *Recueil de farces, moralités et sermons joyeux* (1857, 4 vol.). — P. LACROIX, *Recueil de farces, soties et moralités* (1859). — G. COHEN, *Mystères et Moralités du ms. 617 de Chantilly* (1920).

FARCES. SOTIES. PATHELIN

Pour les soties et les farces, voir E. PICOT, *Recueil général des soties* (1902-1912, 3 vol.). — E. PICOT et C. NYROP, *Nouveau recueil de farces françaises des XVe et XVIe siècles* (1880). — G. COHEN, *Recueil de farces inédites du XVe siècle* (Cambridge (Etats-Unis), 1949, 2 vol.). — E. DROZ, *Le Recueil Trepperel* (Genève, 1935-1961, 2 vol.).

Au sujet de Pathelin, voir E. PICOT, *Maistre Pierre Pathelin* (1907). — R. T. HOLBROOK, *Etudes sur Pathelin, essai de bibliographie et d'interprétation* (1917). — K. SCHAUMBURG, *La Farce de Pathelin et ses imitations* (1889). — P. FLEURIOT DE L'ANGLE, *Les Sources du comique dans Maître Pathelin* (1926).

TRAGÉDIE

La meilleure étude sur la transition entre le théâtre du XVe siècle et du Moyen Age finissant et les nouvelles formes consacrées par la Pléiade, reste celle de R. LEBÈGUE, *La Tragédie religieuse en France. Les débuts (1514-1573)*, 1929. On verra également du même auteur le *Tableau de la tragédie française de 1575 à 1610* (*B.H.R.*, 1944), *La Tragédie française de la Renaissance* (Bruxelles, 1944), le *Tableau de la comédie française de la Renaissance* (*B.H.R.*, 1946), *La Tragédie shakespearienne en France au temps de Shakespeare* (*R.C.C.*, 1937), *La Représentation des tragédies au XVIe siècle en France* (*Mélanges Chamard*, 1951).

Rappelons aussi un certain nombre d'ouvrages fondamentaux : E. RIGAL, *Le Théâtre français avant la période classique (fin du XVIe et début du XVIIe siècle)* (1901). *De Jodelle à Molière. Tragédie, comédie, tragi-comédie* (1911). — G. LANSON, *Etude sur les origines de la tragédie classique en France. Comment s'est opérée la substitution de la tragédie aux mystères et aux moralités* (*R.H.L.F.*, 1903). — *L'Idée de la tragédie en France avant Jodelle* (*R.H.L.F.*, 1904). — H. W. LAWTON, *Handbook of French Dramatic Theory* (Manchester, 1949).

Sur le rôle joué par la *traduction* dans la naissance du nouveau théâtre au XVIe siècle, rappelons l'étude de Marie DELCOURT, *Etude sur les traductions des tragiques grecs et latins en France depuis la Renaissance* (Bruxelles, 1925) qui complète l'essai de R. STUREL, *Essai sur les traductions du théâtre grec en français avant 1550, R.H.L.F.*, 1913. Bien que consacrée au seul Térence, l'étude de H. W. LAWTON mérite d'être signalée, *Contribution à l'histoire de l'humanisme en France. Térence en France au XVIe siècle. Editions et traductions*, 1926.

L'étude d'ensemble de E. FAGUET sur la tragédie, *La Tragédie française au XVIe siècle, 1550-1600*, 1912, n'a pas encore été remplacée, mais on consultera très utilement l'étude de E. FORSYTH, *La Tragédie française de Jodelle à Corneille (1553-1640). Le thème de la vengeance* (1962 : en dépit du titre, il s'agit d'une histoire de la tragédie des XVIe et XVIIe siècles).

COMÉDIE

Au sujet de la comédie, on consultera toujours avec profit la vieille étude de E. CHASLES, *La Comédie en France au XVIe siècle*

(1862) et les articles de P. Toldo, consacrés aux rapports entre la comédie française et la comédie italienne contemporaine, R.H.L.F., 1897-1900. L'étude de M. DELCOURT sur les sources classiques de la comédie de la Renaissance, *La Tradition des comiques anciens en France avant Molière*, 1934, demeure fondamentale ; signalons aussi, sur la continuité entre Moyen Age finissant et Renaissance, le travail de G. COHEN, *Le Théâtre comique en France au XVe et dans la première moitié du XVIe siècle* (1940) et l'article de P. HAZARD, *Farces et farceurs du temps de la Renaissance, R.D.M.*, 1934. Pour des études d'ensemble plus récentes, E. BALMAS, *La Commedia francese del Cinquecento* (Milan, 1967) et R. LEBÈGUE, *Le Théâtre comique en France de Pathelin à Mélite* (1972).

Pour les autres genres, il faut signaler le travail de H. C. LANCASTER, *The French Tragi-comedy. Its Origin and Development from 1552 to 1628*, Baltimore, 1907, et les études de J. Marsan sur la pastorale : *Formation de la pastorale française, R.R.*, 1906 ; *La Pastorale dramatique en France à la fin du XVIe et au commencement du XVIIe siècle*, 1905.

LE THÉÂTRE RELIGIEUX

Le théâtre religieux, comme le théâtre protestant ou le théâtre engagé se recoupent à plusieurs points de vue ; d'où l'intérêt d'une approche unitaire (P. BARBIER, *Le Théâtre militant au XVIe siècle*, Bourg-en-Bresse, 1873), sans oublier que le théâtre religieux n'est pas le fait des seuls protestants (K. LOUKOVITCH, *L'Evolution de la tragédie religieuse en France*, 1933), et qu'il n'est pas non plus un phénomène circonscrit à la France (M. DELCOURT, *Le Théâtre religieux de la Renaissance en France et en Belgique, Revue franco-belge*, 1930). L'importante étude de G. D. JONKER, *Le Protestantisme et le théâtre de langue française au XVIe siècle* (Groningue, 1939) n'exclut pas le recours aux articles publiés par E. PICOT dans le *B.S.H.P.F.*, *Les Moralités polémiques ou la controverse religieuse dans l'ancien théâtre français*, entre 1887 et 1892.

MISE EN SCÈNE

Le problème de la mise en scène a été amplement débattu ; on consultera à ce sujet : E. RIGAL, *La Mise en scène dans les tragédies du XVIe siècle (R.H.L.F.*, 1905). — J. HARASZTI, *La Littérature dramatique au temps de la Renaissance dans ses rapports avec la scène contemporaine (R.H.L.F.*, 1904) ; *La Comédie française de la Renaissance et la scène (R.H.L.F.*, 1909).

« LES COLLÈGES »

Les « collèges » ont été des foyers importants pour l'élaboration de la nouvelle dramaturgie : on consultera utilement l'étude d'ensemble de V. L. GOFFLOT, *Le Théâtre au collège, du Moyen Age à nos jours*, 1907, et encore avec profit les travaux d'E. COUGNY, *Etudes historiques et littéraires sur le XVIᵉ siècle. Des représentations dramatiques, et particulièrement de la comédie politique dans les collèges*, 1868. — Au sujet de Jean Tixier de Ravisy, célèbre régent de collège de la première moitié du siècle, on verra les études de M. MIGNON, *Un lecteur de l'Université de Paris au XVIᵉ siècle. Jean Tixier de Ravisy* et « Les œuvres de J. Tixier de Ravisy », dans *Bulletin Soc. Clamecy*, 1911 et 1913. — L'article de H. CHAMARD, « Le Collège Boncourt et les origines du théâtre classique », in *Mélanges Lefranc*, 1936, accorde à la représentation de *Cléopâtre* en 1553 un rôle probablement immérité.

ÉDITIONS

Les pièces de Buchanan ne sont accessibles que dans des éditions anciennes (*Opera omnia*, Edimbourg, 1714-1715, 2 vol.) : voir sur lui D. IRVING, *Memoirs of the Life and Writing of G. Buchanan* (Edimbourg, 1817). — F. MICHEL, *Les Ecossais en France*, t. II (Londres, 1862). — Home BROWN, *G. Buchanan* (Edimbourg, 1890).

Les *Œuvres complètes* de Jodelle ont été publiées par E. BALMAS (1965-1968, 2 vol.), qui a également consacré plusieurs travaux au poète et à l'homme de théâtre (*Un poeta del Rinascimento francese. E. Jodelle. La sua vita, il suo tempo*, Florence, 1962). — L'édition critique de *Cléopâtre* a été procurée par L. B. ELLIS (Philadelphie, 1946), celle de *L'Eugène* par E. BALMAS (Milan, 1955).

Sur M. A. Muret, voir F. DELAGE, *M. A. Muret poète français* (Limoges, 1911). — C. DEJOB, *M. A. Muret. Un professeur français en Italie dans la seconde moitié du XVIᵉ siècle* (1881). — P. DE NOLHAC, « La Bibliothèque d'un humaniste au XVIᵉ siècle. Les livres annotés par Muret » (*Mélanges*, Ecole française de Rome, 1883).

Les œuvres de J.-B. de La Péruse ont été republiées par E. GELLIBERT DE SEGUINS (1867). Voir la thèse de N. BANACHÉVITCH, *J. Bastier de La Péruse (1529-1554). Etudes biographique et littéraire* (1923).

La Sultane de G. Bounin a été réimprimée par STENGEL et VENEMA (Warburg, 1888). Voir sur la pièce A. CIORANESCU, *La « Sultane » de G. Bounin et ses sources* (Bucarest, 1945).

L. Pinvert, auteur d'une thèse sur *Jacques Grévin (1528-1570) sa vie, ses écrits, ses amis, étude biographique et littéraire* (1898), a publié les *Théâtre complet et poésies choisies* de Grévin (1922).

Des œuvres théâtrales de Louis Des Masures, seule la trilogie consacrée à David a été republiée (*Tragédies saintes*, p.p. C. COMTE, 1907-1932, 3 vol.). Cf. P. MAVEL, *Une trilogie dramati-*

que au XVIᵉ siècle (1878). — M. A. THIEL, *La Figure de Saül et sa représentation dans la littérature dramatique française* (Amsterdam, 1926).

Les œuvres d'André Rivaudeau ont été republiées par MOURAIN DE SOURDEVAL (1859) ; à consulter, J. ANDRIEUX, « Les œuvres poétiques d'A. de Rivaudeau », in *Bulletin du Bouquiniste* 1959.

L'*Abraham sacrifiant* de Théodore de Bèze a été maintes fois republié, et dernièrement par Cameron et d'autres (Genève, 1967). Cf. F. GARDY-A. DUFOUR, *Bibliographie des œuvres théologiques, littéraires, historiques et juridiques de Th. de Bèze* (Genève, 1960). — E. CHOISY, *L'Etat chrétien calviniste à Genève au temps de Th. de Bèze* (Genève, 1902). — P. GEISENDORF, *Th. de Bèze* (Genève, 1949).

L'UNIVERS DES RÉCITS

Pour une vue d'ensemble des genres narratifs :

P. TOLDO, *Contributo allo studio della novella francese del XV e XVI secolo* (1894). — G. REYNIER, *Le Roman sentimental avant l'Astrée* (1908, rééd. 1970) et *Les Origines du roman réaliste* (1912). — W. SOEDERHJELM, *La Nouvelle française au XVᵉ siècle* (1910). — W. VON WURZBACH, *Geschichte des franz. Romans*, t. I (1912). — M. LOT-BORODINE, *Le Roman idyllique au Moyen Age* (1913). — A. BRUEL, *Romans français du Moyen Age* (1934). — G. DOUTREPONT, *Les Mises en prose des épopées et des romans chevaleresques du XIVᵉ au XVIᵉ siècle* (1939). — W. DE JONGH, *A Bibliography of the Novel and Short Story in French [...] till 1600* (1944). — B. WOLEDGE, *Bibliographie des romans et nouvelles en prose française antérieurs à 1500* (1954). — J. FERRIER, *Forerunners of the French Novel* (1954). — J. RASMUSSEN, *La Prose narrative française du XVᵉ siècle* (1958). — W. PABST, *Novellentheorie und Novellendichtung* (1967). — E. AUERBACH, *Zur Technik der Frührenaissancenovelle* (1921). — H. COULET, *Le Roman jusqu'à la Révolution* (1968). — W. KRÖMER, *Kurzerzählungen und Novellen in den romanischen Literaturen bis 1700* (1973) ; et surtout L. SOZZI, *La Nouvelle française de la Renaissance* (1975). — G. PÉROUSE, *Nouvelles françaises du XVIᵉ siècle. Image de la vie du temps* (1978). L. SOZZI (éd.), *La Nouvelle française de la Renaissance* (1981).

Voir également les ouvrages de SOZZI, DUBUIS, KASPRZYCK cités plus bas.

ÉDITIONS

Editions des principales œuvres
(dans l'ordre de leur mention dans le chapitre)
Blancandin (éd. Sweetser, 1964). — *Pâris et Vienne* (éd.

Kaltenbacher, 1904). — P. SALA, *Tristan* (éd. Muir, 1958). — *Roman du comte d'Artois* (éd. Seigneuret, 1966). — *Pierre de Provence* (éd. Biedermann, 1913). — A. de La SALE, *La Salade* et *La Sale* (éd. Desonay, 1935-1941), *Réconfort de Mme de Fresne* (éd. Hill, 1979), *Le Petit Jehan de Saintré* (éd. Misrahi-Knudson, 1967, médiocre). — *Jehan de Paris* (éd. Wickersheimer, 1923). — HERBERAY DES ESSARTS, *Amadis de Gaule*, Ier livre (éd. Vaganay-Giraud, 1986). — O. DE SAINT-GELAIS, *Euryale et Lucrèce* (éd. Richter, 1914). — AMYOT, *Daphnis et Chloé* (éd. Charavay, 1872). — RASSE DE BRUNHAMEL, *Floridan et Ellinde* (éd. Clive, 1959). — ANNE DE GRAVILLE, *Palamon et Arcita* (éd. Le Hir, 1965). — JEANNE FLORE, *Comptes amoureux* (éd. Pérouse et al., 1980). — HÉLISENNE de CRENNE, *Les Angoisses douloureuses* (éd. Demats, 1968). — Th. VALENTINIAN, *L'Amant ressuscité* (réimpr. 1968). — P. BOAISTUAU, *Histoires tragiques* (éd. Carr, 1977). — O. DE LA MARCHE, *Triomphe des Dames* (éd. Kalbfleisch, 1901). — *Nouvelles de Sens* (éd. Langlois 1908). — *Violier des histoires romaines* (éd. Brunet, 1858). — G. TARDIF, *Facéties du Pogge* (éd. Montaiglon, 1878). *Apologues de L. Valla* (éd. Marchesson, 1876). — MARTIAL D'AUVERGNE, *Arrêts d'amour* (éd. Görtz, 1932, et Rychner, 1951). — *Cent Nouvelles nouvelles* (éd. Sweetser, 1966). — PH. DE VIGNEULLES, *Cent Nouvelles nouvelles* (éd. Livingston, 1972). — *Le Parangon de nouvelles* (éd. Pérouse et al., 1979). — CH. DE BOURDIGNÉ, *Légende de Pierre Faifeu* (éd. Valette, 1972). — N. DE TROYES, *Grand Parangon des nouvelles nouvelles* (éd. Kasprzyk, 1970). — Noël DU FAIL, *Propos rustiques et Baliverneries* (éd. Lefèvre, 1928). — BONAVENTURE DES PÉRIERS, *Nouvelles Récréations et Joyeux Devis* (éd. Kasprzyk, 1980). — J. TAHUREAU, *Dialogues* (éd. Gauna, 1981). — G. DES AUTELS, *Mythistoire barragouine de Fanfreluche et Gaudichon* (éd. Françon, 1962). — H. ESTIENNE, *Apologie pour Hérodote* (éd. Ristelhuber, 1879, 2 vol.).

Les deux anthologies de la Pléiade (*Poètes et romanciers du Moyen Age*, p.p. A Pauphilet, 1939, et *Conteurs français du XVIe siècle*, p.p. P. Jourda, 1965) reproduisent les textes les plus connus.

ÉTUDES SUR CERTAINS OUVRAGES OU AUTEURS

J. NÈVE, *La Sale* (1903). — F. DESONAY, *La Sale* (1940). — G. BRUNELLI, *La Sale* (1962). — E. WICKERSHEIMER, *Le Roman de Jehan de Paris* (1925). — A. HARRIS, *A Study of Th. Valentinian...* (1966). — R. DUBUIS, *Les Cent Nouvelles nouvelles et la tradition de la nouvelle en France au Moyen Age* (1973) (le meilleur travail sur le sujet). — K. KASPRZYK, *N. de Troyes et le genre narratif en France au XVIe siècle* (1963) (avec de très utiles aperçus d'ensemble). — E. PHILIPOT, *Noël Du Fail*

(1914). — L. SOZZI, *Les Contes de Des Périers. Contribution à l'étude de la nouvelle française de la Renaissance* (1964) (particulièrement important).

LA MÉMOIRE DU TEMPS :
DE LA CHRONIQUE A L'HISTOIRE

Il n'existe pas à ce jour d'étude d'ensemble sur le genre historique, ni même d'étude par période, à l'exception de G. DOUTREPONT, *La Littérature à la cour de Bourgogne* (1909). Il nous manque aussi un travail sur l'histoire en tant que genre littéraire. Pour le XVIe siècle, consulter H. HAUSER, *Les Sources de l'histoire de France au XVIe siècle* (1906-1916, 4 vol.).

TEXTES

La plupart des textes ont été réédités au XIXe siècle dans les collections de mémoires (Petitot ou Michaud), dans le Panthéon littéraire (Buchon) ou par la Société d'histoire de France.

Quelques œuvres (dans l'ordre de leur mention dans le texte du chapitre)
Journal d'un Bourgeois de Paris (1405-1449) (éd. Mary, 1929). — S. PICOTTE, *Chronique du Roi François Ier* (éd. Guiffrey, 1960). — *Journal d'un Bourgeois de Paris sous François Ier* (éd. Bourrilly, 1910). — *Livre de raison de Me N. Versoris* (éd. Fagniez, 1885). — O. de LA MARCHE, *Mémoires* (éd. Beaune d'Arbaumont, 1883-1888). — *Mémoires* de FLEURANGE-LA-MARCK (Buchon et S.H.F.). — J. CHARTIER, *Chronique de Charles VII* (éd. Vallet de Viriville, 1858, 3 vol.). — J. DE ROYE, *Chronique scandaleuse* (éd. de Maudrot, 1894-1896). — MONSTRELET, *Chroniques* (éd. Douët d'Arcq, 1857-1862). — CHASTELLAIN, *Œuvres* (éd. Kervyn de Lettenhove, 1863-1866). — J. MOLINET, *Chroniques* (éd. Doutrepont-Jodogne, 1935-1937). — J. AMYOT, *Vies des hommes illustres* (trad. de Plutarque, éd. Walter, 1951). — Cl. FAUCHET, *Recueil de l'origine de la langue et poésie française*, Ier Livre (éd. Espiner-Scott, 1939. — O. de LA MARCHE, *Le Chevalier délibéré* (éd. Lippmann, 1898). — Le LOYAL SERVITEUR, *Vie de Bayard* (éd. Roman, 1878). — J. d'AUTON (éd. Maulde La Clavière, 1889-1895). — G. et M. DU BELLAY, *Mémoires* (éd. Bourrilly-Vindry, 1908-1909). — Cl. DE SEYSSEL, *La Monarchie de France* (éd. Poujol, 1961). — J. BODIN, *Selected Writings* (éd. Rose, 1980). Manquent encore des éditions modernes des *Recherches de la France,* de Pasquier, ou de *La République* de Bodin.

ÉTUDES

Etudes sur certains auteurs
H. STEIN, *O. de La Marche* (1888). — L. HOMMEL, *G. Chastellain* (1945). — N. DUPIRE, *Jean Molinet* (1933). — R. STUREL,

Amyot traducteur de Plutarque (1909). — V. BOURRILLY, *Guillaume Du Bellay* (1905). — Ph. A. BECKER, *André de La Vigne* (1926). — A. GAROSCI, *J. Bodin* (1934). — G. TRISOLINI, *Essai sur les écrits politiques de Jehan Marot* (1975).

LA LITTÉRATURE HUMANISTE

SCALIGER

Les œuvres de Scaliger n'ont pas été republiées après le XVIe siècle (*Poemata omnia*, s. l., 1600).
Etudes
C. NISARD, *Les Gladiateurs de la République des lettres* (1860). — E. LINTILHAC, « Un coup d'état dans la république des lettres. Scaliger, fondateur du classicisme cent ans avant Boileau », in *Nouvelle Revue*, LXIV, 1890. — V. HALL, *Life of Julius Caesar Scaliger, 1484-1558* (Philadelphie, 1950). — F. FERRERE, « La Polémique cicéronienne au XVIe siècle. J. C. SCALIGER adversaire d'Erasme », in *Revue Agenais*, XXXV, 1908.

GUILLAUME BUDÉ

Une seule édition moderne des œuvres de Budé (*Traité de la vénerie*, 1861).

Etudes
H. OMONT, « Notice sur la collection de ms. de Jean et Guillaume BUDÉ », in *Bulletin de la Société d'histoire de Paris*, 1895. — L. DELARUELLE, *Etudes sur l'humanisme français. G. Budé. Les origines, les débuts, les idées maîtresses* (1907). — Id., « Une amitié d'humanistes. Etude sur les relations de Budé et d'Erasme d'après leur correspondance (1516-1531) », in *Musée Belge* IX, 1905.

GUILLAUME FICHET

E. MUNTZ, *La Renaissance en Italie et en France à l'époque de Charles VIII* (1907). — E. CLAUDIN, *Histoire de l'imprimerie à Paris* (1900-1904, 4 vol.). — J. PHILIPPE, *G. F., sa vie, son œuvre* (1904). — F. SIMONE, *G. F. retore e umanista* (Turin, 1938). — J. MONFRIN, « Les lectures de G. F. et de Jean Heynlin d'après les registres de prêt de la bibliothèque de la Sorbonne », in *B.H.R.*, XVII, 1955.

ROBERT GAGUIN

L. THUASNE, *R. G. epistolae et orationes : texte publié sur les éditions originales de 1498, précédé d'une notice biographique et suivi de pièces diverses en partie inédites* (1903-1904, 2 vol.). —

F. FLAMINI, « R. G. e l'umanesimo italiano », in *Atti Istituto Veneto* LXIV, 1904. — F. SIMONE, « R. G. e il suo cenacolo umanistico », in *Aevum* XIII, 1939.

Sur les emblèmes, voir la bibliographie de HENKEL-SCHÖNE, *Emblemata. Handbuch zur Sinnbildkunst des XVI. und XVII. Jahrhunderts*, Stuttgart, 1967.

Etudes

H. GREEN, *A. Alciat and his Book of Emblems. A Biographical and Bibliographical Study* (Londres, 1870). — D. BIANCHI, « L'opera letteraria e storica di A. A. », in *Archivio Storico Lombardo* XL, 1913. — P. E. VIARD, *André Alciat* (1926).

Les *Nugae* de Nicolas Bourbon ont été traduites par V. L. SAULNIER (*Les Bagatelles*, 1945), le poème *Ferraria* par A. DU-FRESNOY (1837). — Cf. J. JAQUOT, *Notice sur N. B. de Vandœuvres* (Troyes, 1857). Sur Jean SALMON, voir les articles de J. BOULMIER dans le B. B. (1871).

Seule *La Dialectique* de Ramus a été rééditée (par M. Dassonville, Genève, 1964).

Etudes

A. LEFRANC, *Histoire du Collège de France* (1893). — R. HOOYKAAS, *Humanisme, science et Réforme* (Leyde, 1958). — B. CHAGNARD, *R. et ses opinions religieuses* (Strasbourg, 1869). — D. DEMAZE, *P. Ramus professeur au Collège de France. Sa vie, ses écrits, sa mort* (1864). — C. WADDINGTON, *Ramus, sa vie, ses écrits, ses opinions* (1855).

GUILLAUME POSTEL

Une bibliographie des éditions originales des œuvres de Guillaume Postel conservées dans la bibliothèque de Dresde a été publiée dans *Separeum* (1853) ; voir en plus F. Secret, *Bibliographie des manuscrits de G. Postel* (Genève, 1970).

CHAUFEPIÉ, *Dictionnaire historique et critique*, t. IV (Amsterdam, 1756). — F. J. DES BILLONS, *Nouveaux Eclaircissements sur la vie et les ouvrages de G. P.* (Liège, 1771). — D. RESTOUX, *Notes sur G. P. de Barenton* (Mortain, 1930). — F. SECRET, « P. et les courants prophétiques de la Renaissance », in *Studi Francesi* I, 1957.

CORNEILLE AGRIPPA

Certaines œuvres de Corneille Agrippa ont été traduites en français au XVIᵉ siècle (*Déclaration sur l'incertitude, vanité et abus des sciences*, 1582).

Pour les études voir surtout A. PROST, *Les Sciences et les arts occultes au XVIᵉ siècle. Corneille Agrippa, sa vie et ses œuvres* (1881-1883, 2 vol.). — A. LEFRANC, « Rabelais et Corneille Agrippa », in *Mélanges Lefranc*, t. II (1913).

LES GRANDS AUTEURS

——— CHARLES D'ORLÉANS ———

Une seule édition moderne des *Poésies* : celle de P. Champion (1923-1927, 2 vol.).

Biographie :
P. Champion, *Vie de Ch. d'Orléans* (1910). Pour replacer l'œuvre dans son contexte culturel : D. Poirion, *Le Poète et le Prince* (1965).
Sur l'œuvre, quelques études importantes :
N. I. Goodrich, *Ch. d'Orléans. A Study of his Poetry* (1967). — J. Fox, *La Poésie lyrique de Ch. d'Orléans* (1967). — S. Cigada, *L'Opera poetica di Ch. d'Orléans* (1960). — P. Tucci, *Ch. d'Orléans, l'uomo e l'opera* (1970) ; et surtout A. Planche, *Ch. d'Orléans ou la recherche d'un langage* (1975). Voir aussi le *Lexique de Ch. d'Orléans dans ses ballades*, de D. Poirion (1967).

——— FRANÇOIS VILLON ———

Principales éditions
Par A. Longnon (1892), A. Longnon et L. Foulet (1911, rééd. 1969), L. Thuasne (1923), A. Jeanroy (1934), A. Mary et J. Dufournet (1970), Lanly (1969-1970). Nous disposons maintenant de l'excellente édition (avec commentaires et glossaire) de J. Rychner et A. Henry (1974-1977 et 1984, 5 vol.) qui remplace toutes les précédentes.

Biographie :
P. Champion, *Villon. Sa vie et son temps* (1913, rééd. 1934). — F. Carco, *Le Roman de Fr. Villon* (1926). — J. Favier, *Villon* (1982).
L. Cons a donné en 1936 un utile *Etat présent des études sur Villon,* qui attend un complément pour la période récente. On doit à A. Burger un remarquable *Lexique de la langue de Villon* (1957).

Quelques monographies anciennes ont encore de la valeur. G. Paris, *Villon* (1901). — A. Suarès, *Villon* (1914). — F. Desonay, *Villon* (1933, rééd. 1947). Le meilleur travail d'ensemble reste celui d'I. Siciliano, *F. Villon et les thèmes poétiques du Moyen Age,* (1934, rééd. 1967). Une synthèse commode : P. Le Gentil, *Villon* (1967). Voir encore : G. A. Brunelli, *Villon* (1961) et surtout J. Dufournet, *Recherches sur le Testament de Villon* (1967-1969 et 1971) et *Nouvelles Recherches* (1980). On pourra se dispenser de recourir aux ouvrages de D. Kuhn (1967),

P. DEMAROLLE (1968 et 1973) ou P. GUIRAUD (1968 et 1970) et se contenter de lire I. SICILIANO, *Mésaventures posthumes de Maître Fr. Villon* (1973).

───── COMMYNES ─────

Editions des *Mémoires*
   Par B. de MANDROT (1901-1903, 2 vol.). — J. CALMETTE et G. DURVILLE (1924-1925, 3 vol.).

Etudes
   R. VALLERY-RADOT « Etude biographique sur P. de Commynes d'après des documents nouveaux », in *Portraits historiques* (1886). — C. FIERVILLE, *Documents inédits sur Ph. de C.* (Le Havre, 1890). — KERVYN DE LETTENHOVE, *Lettres et Négociations de Ph. de C.* (Bruxelles, 1867-1874, 3 vol.). — E. BENOIST. *Les Lettres de Ph. de C. aux Archives de Florence* (Lyon, 1863). — J. CALMETTE. « Contribution à la critique des Mémoires de Commynes. Les ambassades françaises en Espagne et à la mort de don Juan de Castille en 1497 », in *Moyen Age*, XVII, 1904. — V. L. BOURILLY, « Les idées politiques de Ph. de C. », in *Revue d'histoire moderne et contemporaine I*, 1900. — B. DE MANDROT. « L'Autorité historique de Ph. de C. », in *Revue historique* LXXIII-LXXIV, 1900. — G. HEIDEL, *La Langue et le Style de Commynes* (Leipzig, 1934). — G. CHARLIER. *Commynes* (Bruxelles, 1945). — J. DUFOURNET, *La Destruction des mythes dans les « Mémoires » de Ph. de C.* (Genève, 1966).

Pour les rapports avec l'Italie
   Voir les études de B. CROCE (in *La Critica*, XXXI-XXXII, 1933). K. DREYER, « Commynes and Machiavelli. A study in Parallelism », in *Symposium*, V, 1951. — A. PRUCHER. *I « Mémoires » di C. e l'Italia del Quattrocento* (Florence, 1957).

───── JEAN LEMAIRE DE BELGES ─────

Editions
   A côté de l'édition ancienne, mais toujours utile, des *Œuvres*, p. p. J. STECHER (1882-1891, rééd. 1969), on trouve les principales œuvres de Lemaire en éditions séparées : *La Plainte du Désiré* (p. p. YABSLEY, 1932), *La Concorde des deux langages* (p. p. FRAPPIER, 1947), *Les Epîtres de l'Amant vert* (p. p. FRAPPIER, 1948), *Le Temple d'Honneur et de Vertus* (p. p. HORNIK, 1957), *La Concorde du genre humain* (p. p. JODOGNE, 1964).

Principales études
   Ph. A. BECKER, *J. Lemaire, der erste humanistische Dichter Frankreichs* (1893). — P. SPAAK, *J. Lemaire, sa vie, son œuvre et*

ses meilleures pages (1926). — A. HUMPES, *Etude sur la langue de J. Lemaire* (1921). — J. STECHER, *Notes sur la vie et les œuvres de J. Lemaire* (1891). — G. DOUTREPONT, *J. Lemaire et la Renaissance* (1934) (qui reste l'ouvrage de référence). — K. M. MUNN, *A Contribution to the Study of J. Lemaire* (1936). — P. JODOGNE, *J. Lemaire, écrivain franco-bourguignon* (1972) (la meilleure monographie récente). — U. BERGWEILER, *Die Allegorie im Werk von J. Lemaire* (1976). — J. ABÉLARD, *Les Illustrations de Gaule* (1977).

——— RABELAIS ———

Editions

L'édition critique, entreprise par A. LEFRANC, J. PLATTARD, H. SAINÉAN et d'autres, en 1913, n'est pas encore achevée (5 vol. ont paru, comprenant *Gargantua, Pantagruel* et le *Tiers Livre*). On peut rappeler les éditions MARTY-LAVEAUX (1868-1903, 6 vol.), J. PLATTARD (1929, 5 vol.), J. BOULENGER (1929-1931, 3 vol.).

Pour les bibliographies, voir G. BRUNET, « Recherches bibliographiques sur Rabelais », in *B.B.*, 1951 et 1952. — Id., « Essai d'études bibliographiques sur Rabelais », in *Annales Faculté des lettres de Bordeaux*, IV, 1882. — P. P. PLAN, *Bibliographie rabelaisienne. Les éditions de Rabelais de 1532 à 1711* (1904). — J. BOULENGER, *R. à travers les âges* (1925).

Etudes

Rappelons d'abord la *Table générale* par CLOUZOT et MARTIN (1924) de la *Revue d'Etudes rabelaisiennes*, parue de 1903 à 1913 ; J. PLATTARD, *Etat présent des études rabelaisiennes* (1927). — V. L. SAULNIER, « Dix années d'études rabelaisiennes », in B.H.R., XI, 1949. — C. CORDIÉ, « Recenti studi sulla vita e sulle opere di F.R. », in *Letterature Moderne I*, 1950.

Principaux travaux

P. STAPFER, *R., sa personne, son génie et son œuvre* (1869). — G. LOTE, *La Vie et l'œuvre de F.R.* (1938). — J. BOULENGER, *Rabelais* (1942). — J. PLATTARD, *L'Œuvre de R. : sources, invention et composition* (1910). — Id., *La Vie et l'œuvre de R.* (1939). — E. GILSON, « R. franciscain », in *Les Idées et les Lettres* (1932). — L. FEBVRE, *Le Problème de l'incroyance au XVIe siècle : La religion de Rabelais* (1942). — R. LEBÈGUE, « R. ou le dernier des Erasmiens français », in *Pensée humaniste et tradition chrétienne* (1950). — A. LEFRANC, « Le Tiers Livre de Pantagruel et la querelle des femmes », in *Grands Ecrivains de la Renaissance* (1914). — G. MALLARY MASTER, « The Hermetic and Platonic Tradition in Rabelais's " Dive Bouteille " », in *Studi Francesi*, 1966.

Il existe une collection d'*Etudes rabelaisiennes* publiée à Genève depuis 1956.

────── MARGUERITE DE NAVARRE ──────

Editions

Nous ne disposons pas encore d'une édition critique de l'*Hepta-méron*. On aura recours à l'éd. FRANÇOIS (1950) ou JOURDA (*Conteurs français du XVIe s.*, 1965) ou encore à l'éd. DE REYFF (1982). On verra également l'éd. LE ROUX DE LINCY-MONTAIGLON (1880, rééd. 1968) ou les *Nouvelles* (texte du ms. de THOU, p. p. LE HIR, 1967).

Le *Théâtre profane* est accessible dans la belle éd. SAULNIER (1946). — Pour les *Comédies* religieuses, il faut se reporter à l'éd. SCHNEEGANS (1924).

Les *Marguerites* ont été rééditées par F. FRANK (1873, rééd. 1970).

Les *Dernières poésies* ont été publiées par A. LEFRANC (1896), parmi elles, *La Navire* (éd. MARICHAL, 1956), *La Coche* (éd. MARICHAL, 1970) et *Les Prisons* (éd. DE REYFF-GLASSON, 1978) sont accessibles dans des éd. critiques récentes. Voir encore : *Dialogue en forme de vision nocturne*, p. p. JOURDA (1926). — *Petit Œuvre dévot et contemplatif*, éd. SCKOMMODAU (1960). — *Chansons spirituelles*, éd. DOTTIN (1971). — *Miroir de l'âme pécheresse*, éd. ALLAIRE (1972), ainsi que les *Lettres*, p. p. GÉNIN (1841-1842). Plusieurs textes sont encore inédits.

Etudes

P. JOURDA, *Marguerite d'Angoulême* (1930, rééd. 1968, 2 vol., thèse de référence). — A. LEFRANC, *Les Idées religieuses de M. de Navarre* (rééd. 1969). — L. FEBVRE, *Amour sacré et amour profane. Autour de l'Heptaméron* (1944). — E. V. TELLE, *L'Œuvre de M. de Navarre et la querelle des femmes* (1937, rééd. 1968). — R. RITTER, *Les Solitudes de la Reine de Navarre* (1953). — H. SCKOMMODAU, *Die religiösen Dichtungen M. v. Navarre* (1955). — M. TETEL, *Heptaméron. Themes, language and structure* (1973). — N. CAZAURAN, *L'Heptaméron* (1976). — R. REYNOLDS, *Les Devisants de l'Heptaméron* (1977). — M. M. de LA GARANDERIE, *Le Dialogue des romanciers. Une nouvelle lecture de l'Heptaméron* (1977).

────── CLÉMENT MAROT ──────

Les *Œuvres* ont été rééditées par G. GUIFFREY (1875-1935, rééd. 1968, 5 vol.), par A. GRENIER (1919, rééd. 1951, 2 vol.), par C. A. MAYER (1962-1980, 6 vol. : l'édition critique de référence). Un large choix dans l'éd. Y. GIRAUD (1972). *L'Adolescence Clémentine* de 1532 est accessible dans l'excellente édition SAULNIER (1958). — *L'Enfer* p. p. M. FRANÇON (1960) ; les *Psaumes*, éd. LENSELINK (1969).

Bibliographie

P. VILLEY, *Tableau chronologique des publications de Marot* (*RSS*, 1921). — C. A. MAYER, *Bibliographie des œuvres de Marot* (1954, 2 vol.). — V. L. SAULNIER, « Etat présent des études marotiques » (*IL*, 1963). — R. AULOTTE, *15 années d'études sur C. Marot* (*IL*, 1978). — S. ITO, *C. Marot. Essai de bibliographie, 1800-1980* (1981).

Etudes d'ensemble

P. VILLEY, *Marot et Rabelais* (1923, rééd. 1970). — Ph. A. BECKER, *Marot, sein Leben und seine Dichtung* (1926). — H. GUY, *Marot et son école* (1926, rééd. 1970). — J. PLATTARD, *Marot, sa carrière poétique, son œuvre* (1938, rééd. 1972). — P. JOURDA, *Marot* (1967). — P. M. SMITH, *C. Marot Poet of the French Renaissance* (1970). — C. A. MAYER, *C. Marot* (1972). — R. GRIFFIN, *C. Marot and the Inflections of Poetic Voice* (1974).

Etudes partielles

J. VIANEY, *Les Epîtres de Marot* (1962). — V. L. SAULNIER, *Les Elégies de Marot* (1952). — Ph. A. BECKER, *C. Marot Liebeslyrik* 1917). — Ch. E. KINCH, *La Poésie satirique de Marot* (1940), P. LEBLANC, *La Poésie religieuse de Marot* (1955). — J. ROLLIN, *Les Chansons de Marot* (1951). — O. DOUEN, *C. Marot et le psautier huguenot* (1878-1879). — C. de COURTEN, *I Rondeaux di Marot* (1927). — M. COCCO, *La Tradizione cortese nella poesia di Marot* (1978). — H. SIEPMANN, *Die allegorische Tradition im Werke C. Marot* (1968). — C. A. MAYER, *La Religion de Marot* (1960, rééd. 1973). — M. SCREECH, *Marot évangélique* (1967). — W. de LERBER, *L'Influence de Marot aux XVIIe et XVIIIe siècles* (1920).

—— MAURICE SCÈVE ——

Plusieurs éditions des œuvres complètes : P. GUÉGAN (1927, rééd. 1967).— H. STAUB (1971). — P. QUIGNARD (1974, médiocre).

Œuvres séparées

Opere poetiche minori, éd. GIUDICI (1965). — *Saulsaye,* éd. FRANÇON (1959). — *Délie,* éd. PARTURIER (rééd. 1961), éd. MAC FARLANE (1966, la meilleure), éd. ARDOUIN (1982, avec un abondant commentaire), éd. CHARPENTIER (1984), éd. F. RIGORDOT (1986). — *Microcosme,* éd. GIUDICI (1976).

Etudes d'ensemble

A. BAUR, *Scève et la Renaissance lyonnaise* (1906, rééd. 1969). — V. L. SAULNIER, *M. Scève* (1948, 2 vol., ouvrage fondamental). — A. M. SCHMIDT, *La Poésie scientifique au XVIe siècle* (1938). — E. GIUDICI, *Scève poeta della Délie* (1965-1969, 2 vol.

— analyses très détaillées ; abondante mine de renseignements de valeur). — Id., *Le Opere minori di M. Scève* (1958). — Id., *M. Scève bucolico e blasonneur* (1965). — Id., *M Scève traduttore e narratore* (1978). — H. STAUB, *Le Curieux Désir. Scève et Pelletier poètes de la connaissance* (1967). — H. WEBER, *Le Langage poétique de M. Scève dans la Délie* (1948). — Id., *La Création poétique en France* (1955, 2 vol.). — J. RISSET, *L'Anagramme du désir. Essai sur Délie* (1971). — P. ARDOUIN, *M. Scève, prince des lumières* (1975). — D. G. COLEMAN, *M. Scève poet of love* (1975). — P. QUIGNARD, *La Parole de la Délie* (1974). — J. NASH, *Concordance de la Délie* (1976, 2 vol.). — D. G. COLEMAN, *An Illustrated Love Canzoniere, the Délie* (1981). — D. FENOALTEA, *Si haulte architecture. The Design of Délie* (1982). — M. TETEL, *Lectures scéviennes. L'emblème et les mots* (1983).

────── RONSARD ──────

A défaut d'une bibliographie spécifique (les notes de A. PEREIRE publiées dans le *B.B.* entre 1936 et 1939 sont restées inachevées), on se reportera au *Tableau chronologique des œuvres de Ronsard* par P. LAUMONIER, 1901 (supplément dans la *R.S.S.*, 1916), ainsi qu'à S. de RICCI, *Catalogue of a Unique Collection of Early Editions of Ronsard* (Londres, 1925). — M. RAYMOND, *Bibliographie critique de Ronsard en France — 1550-1585* (1927). — G. THIBAULT- L. PERCEAU, *Bibliographie des poésies de Ronsard mises en musique au XVIe siècle* (1941).

Editions des œuvres complètes
Signalons l'éd. BLANCHEMAIN (1837-1867, 8 vol.), l'éd. MARTY-LAVEAUX (1887-1893, 6 vol.), l'éd. LAUMONIER (1914-1975, 20 vol., complétée par I. SILVER et R. LEBÈGUE), l'éd. VAGANAY (1929, 2 vol.), l'éd. COHEN (1938, 2 vol.), l'éd. SILVER (Chicago, 1966-1970, 8 vol.).

Etudes critiques principales
E. ARMSTRONG, *R. and the Age of Gold* (Cambridge, 1960). — T. CAVE, *Ronsard the Poet* (Londres, 1973). — P. CHAMPION, *Ronsard et son temps* (1925). — G. COHEN, *R., sa vie, son œuvre* (1956[5]). — M. DASSONVILLE, *R., étude historique et littéraire* (Genève, 1968-1985, 4 vol.). — G. GADOFFRE, *R. par lui-même* (1960). — R. GARAPON, *R. chantre de Marie et d'Hélène* (1981). — A. GENDRE, *R. poète de la conquête amoureuse* (Neuchâtel, 1970). — F. DESONAY, *R. poète de l'amour* (Bruxelles, 1952-1959, 3 vol.). — A. L. GORDON, *R. et la rhétorique* (Genève, 1970). — P. LAUMONIER, *R. poète lyrique* (1909). — R. LEBÈGUE, *Ronsard* (1966[4]). — D. MÉNAGER, *R., le roi, le poète et les hommes* (Genève, 1979). — P. de NOLHAC, *R. et l'humanisme* (1921). — Id., *La Vie amoureuse de P. de R.* (1926). — A. PY, *Ronsard* (1972). — M. RAYMOND, *L'Influence de R. sur la poésie française*

(1550-1585) (1927, 2 vol.). — I. SILVER, *R. and the Hellenic Renaissance in France* (Saint-Louis et Genève, 1961-1981, 2 vol.). — R. SORG, *Cassandre ou le secret de R.* (1925). — J. STONE, *Ronsard's Sonnet cycles* (Londres, 1968). — L. TERREAUX, *R. Correcteur de ses œuvres* (Genève, 1968). — D. WILSON, *R., poet of nature* (Manchester, 1961).

───── DU BELLAY ─────

Une bibliographie des éditions originales a été établie par A. BEVER (*R. R.,* 1912) et par H. CHAMARD (*B.B.,* 1949).

Les éditions modernes des œuvres complètes sont nombreuses : par MARTY-LAVEAUX (1886-1887, 2 vol.) par L. SÉCHÉ (1903-1913, 4 vol.), par E. COURBET (1918-1919, 2 vol., comprenant aussi les œuvres latines), par H. CHAMARD (1908-1931, 6 vol.)

L'*Olive* a été republiée par E. CALDARINI (Genève, 1964).

Etudes
H. CHAMARD, *J. Du Bellay, 1522-1560* (Lille, 1900). — V. L. SAULNIER, *J. Du Bellay, l'homme et l'œuvre* (1951). — P. VILLEY, *Les Sources italiennes de la « Défense »* (1908). — J. VIANEY, *Les Regrets de Du Bellay* (1930). — N. ADDAMIANO, *Delle opere poetiche francesi di J. Du Bellay e delle sue imitazioni italiane* (Rome, 1920). — V. L. SAULNIER, *Les « Antiquités de Rome » de Du Bellay* (1950). — Y. BELLENGER, *Du Bellay : ses « Regrets » qu'il fit dans Rome* (1981). — Fl. GRAY, *La Poétique de Du Bellay* (1985). — G. GADOFFRE, *Du Bellay et le sacré* (1978). — G. SABA, *La Poesia di J. Du Bellay* (Messine-Florence, 1962).

TABLE DES MATIÈRES

Les chapitres signés E. B. *sont dus à Enea Balmas.*
Les chapitres signés Y. G. *sont dus à Yves Giraud.*

DEUXIÈME PARTIE :
LE MONDE DES LETTRES

TABLE   409

TROISIÈME PARTIE :
LES GRANDS AUTEURS

Achevé d'imprimer en mars 1986
sur les presses de l'Imprimerie Bussière
à Saint-Amand-Montrond (Cher)

Nº d'édition : 1769. Nº d'impression : 3174.
Dépôt légal : mars 1986.

Imprimé en France